À LA RECHERCHE DE LA CITÉ PERDUE

DU MÊME AUTEUR

RENFLOUEZ LE TITANIC, J'ai lu, 1979.
VIXEN 03, Laffont, 1980.
L'INCROYABLE SECRET, Grasset, 1983.
PANIQUE À LA MAISON BLANCHE, Grasset, 1985.
CYCLOPE, Grasset, 1987.
TRÉSOR, Grasset, 1989.
DRAGON, Grasset, 1991.
SAHARA, Grasset, 1992.
L'OR DES INCAS, coll. « Grand Format », Grasset, 1995.
ONDE DE CHOC, coll. « Grand Format », Grasset, 1997.
RAZ DE MARÉE, coll. « Grand Format », Grasset, 1999.
ATLANTIDE, coll. « Grand Format », Grasset, 2001.
WALHALLA, coll. « Grand Format », Grasset, 2003.
ODYSSÉE, coll. « Grand Format », Grasset, 2004.

Avec Craig Dirgo .

CHASSEURS D'ÉPAVES, Grasset, 1996.
CHASSEURS D'ÉPAVES, *nouvelles aventures*, Grasset, 2006.
BOUDDHA, coll. « Grand Format », Grasset, 2005.
PIERRE SACRÉE, coll. « Grand Format », Grasset, 2007.

Avec Paul Kemprecos :

SERPENT, coll. « Grand Format », Grasset, 2000.
L'OR BLEU, coll. « Grand Format », Grasset, 2002.
GLACE DE FEU, coll. « Grand Format », Grasset, 2005.
MORT BLANCHE, coll. « Grand Format », Grasset, 2006.

CLIVE CUSSLER

avec Paul Kemprecos

À LA RECHERCHE DE LA CITÉ PERDUE

roman

Traduit de l'américain
par
DELPHINE RIVET

BERNARD GRASSET
PARIS

L'édition originale de cet ouvrage a été publiée par G.P. Putnam's Sons, avec l'accord de Peter Lampack Agency, Inc, en 2004, sous le titre :

LOST CITY

ISBN 978-2-246-68351-3
ISSN 1263-9559

PROLOGUE

Alpes francaises, août 1914

BIEN au-dessus des majestueux sommets enneigés, Jules Fauchard luttait pour rester en vie. Quelques minutes plus tôt, son avion avait heurté un mur d'air invisible avec une telle force que ses mâchoires s'étaient entrechoquées. A présent, des courants ascendants et descendants ballottaient le frêle aéronef comme un cerf-volant au bout d'une ficelle. Fauchard combattait ces turbulences qui lui retournaient les tripes avec tout le savoir-faire que lui avaient transmis ses sévères instructeurs français. Soudain, il sortit de la turbulence et s'abandonna avec délices au calme, inconscient du nouveau danger qu'il courait.

Une fois son avion stabilisé, Fauchard céda à la fatigue. Sous le poids du sommeil, ses paupières papillonnèrent avant de se clore. Son esprit se mit alors à voguer dans un royaume d'ombre et d'inconscience. Son menton s'affaissa sur sa poitrine. Ses doigts ramollis relâchèrent leur étreinte sur le manche. Sous la perte de vitesse, le minuscule avion rouge se mit à tituber puis décrocha, basculant sur une aile, prêt à tomber en vrille.

Heureusement, l'oreille interne de Fauchard détecta le déséquilibre et une alarme résonna dans son esprit embrumé. Il redressa la tête et se réveilla dans un état de stupeur, luttant pour organiser ses pensées embrouillées. Il ne s'était assoupi que quelques secondes mais son avion avait déjà perdu des dizaines de mètres d'altitude. Le sang afflua à ses tempes. Son cœur battant follement lui parut sur le point d'exploser dans sa poitrine.

L'école française de pilotage apprenait à ses élèves à manier un avion avec la même légèreté de toucher que celle d'un pianiste. Les innombrables heures d'entraînement de Fauchard se révélaient payantes. Avec une infinie douceur sur les commandes, il prit garde de ne pas surcompenser le mouvement de l'avion et le rétablit doucement. Soulagé d'avoir stabilisé l'appareil, il reprit enfin sa respiration, avalant une grande goulée d'air, faisant pénétrer le froid glacial dans ses poumons comme une multitude d'échardes de verre.

La douleur aiguë le tira de sa léthargie. Totalement réveillé, Fauchard reprit la litanie qui avait soutenu sa détermination tout au long de cette mission désespérée. Ses lèvres gelées refusaient d'en énoncer les syllabes mais les mots hurlaient dans son cerveau.

Si j'échoue, il y aura des millions de morts.

Fauchard serra les dents avec une ténacité renouvelée. Il frotta le givre sur ses lunettes et jeta un regard par-dessus la carlingue. L'air était aussi clair que le cristal le plus pur et même les détails les plus éloignés se dessinaient avec netteté. Des rangées de montagnes en dents de scie défilaient vers l'horizon et de minuscules villages s'accrochaient aux flancs de verdoyants alpages. Des nuages blancs et duveteux s'empilaient comme des fleurs de coton fraîchement cueillies. Malgré le soleil qui déclinait, le ciel était d'un bleu intense et lumineux, et la neige d'été qui recouvrait les sommets dentelés était baignée d'une douce lueur rose et bleu ciel.

Fauchard laissa ses yeux rougis se perdre dans ce spectacle magnifique, et il inclina la tête pour écouter le bruit des gaz d'échappement produit par le moteur rotatif Gnome, à quatre temps et quatre-vingt chevaux, qui propulsait le Morane-Saulnier N. Tout allait bien. Le moteur ronronnait comme avant l'assoupissement fatal. Fauchard était rassuré, mais cet incident avait ébranlé sa confiance. Il se rendait compte avec stupéfaction qu'il avait ressenti une émotion nouvelle : la peur. Non pas la peur de mourir mais celle d'échouer. Malgré une volonté de fer, ses muscles endoloris lui rappelaient qu'il n'était qu'un homme de chair et de sang.

Le cockpit ouvert lui laissait une faible liberté de mouvement, car son corps était engoncé dans un manteau de cuir doublé de fourrure passé sur un pull en laine de Shetland à col roulé, et des sous-vêtements longs. Une écharpe en laine entourait son cou. Un casque, en cuir également, lui couvrait la tête et les oreilles, et ses mains étaient protégées par des gants doublés. Des bottes d'alpiniste fourrées enveloppaient ses pieds. Malgré cet équipement digne d'une expédition polaire, le froid glacial avait pénétré ses os et émoussé sa réactivité, ce qui constituait un réel danger. Le Morane-Saulnier était difficile à piloter et requérait une attention sans faille.

Pour lutter contre l'insidieuse fatigue, Fauchard s'accrochait au bon sens qui avait fait de lui un des plus riches industriels du monde. Une détermination farouche se lisait encore dans ses yeux gris durs et l'inclinaison têtue de son menton anguleux. Avec son long nez aquilin, le profil de Fauchard évoquait ceux des aigles qui ornaient les armoiries familiales peintes sur la queue de l'avion.

Il força ses lèvres engourdies à articuler.

Si j'échoue, il y aura des millions de morts.

La voix de stentor qui avait semé la peur dans les capitales européennes sortit de sa gorge en un pitoyable croassement, noyé par le bruit du moteur et des courants d'air sur le fuselage ; Fauchard décida de s'accorder une récompense. Il tendit la main vers le haut de sa botte et en sortit une petite flasque en argent. A cause de ses gants épais, il la déboucha avec quelque difficulté avant d'en avaler une gorgée. Cette eau-de-vie faite à partir de raisins de son domaine était très fortement alcoolisée et une chaleur soudaine se diffusa dans tout son corps.

Ainsi fortifié, il se balança sur son siège, remua les orteils et les doigts, et roula les épaules. Tandis que le sang affluait à ses extrémités, il pensa au pain frais avec du fromage fondu et au chocolat chaud qui l'attendaient de l'autre côté des montagnes, en Suisse. Les lèvres épaisses sous la moustache broussailleuse en guidon de vélo se serrèrent en un sourire ironique. Il avait beau être l'un des hommes les plus riches du monde, la perspective d'un casse-croûte de paysan l'enthousiasmait. Eh bien soit.

Fauchard s'autorisa un moment d'autocongratulation. C'était un homme méticuleux et son plan, réglé comme du papier à musique, s'était réalisé à merveille. Après qu'il eut exposé son avis, indésirable, devant le conseil de famille, celui-ci l'avait mis sous surveillance. Mais, tandis que l'on parlementait pour décider de son destin, il avait échappé à ses gardiens grâce à un mélange d'audace et de chance.

Il avait feint d'avoir trop bu et dit à son majordome, soudoyé pour le surveiller, qu'il allait se coucher. A la faveur du calme de la nuit, il avait quitté discrètement sa chambre, s'était glissé hors du château et avait gagné la forêt où était cachée une bicyclette. Transportant sa précieuse charge dans un sac à dos, il avait pédalé à travers bois jusqu'à l'aérodrome. Le plein de son avion avait été fait et il était prêt à partir. Il avait décollé aux premières lueurs de l'aube et effectué deux escales dans des endroits reculés où des amis loyaux lui avaient préparé du carburant.

Il éclusa la flasque et jeta un coup d'œil au compas et à la montre de bord. Sa navigation était bonne : il n'avait que quelques minutes de retard. Les sommets de moins en moins élevés indiquaient qu'il approchait de la fin de son long voyage. Bientôt il descendrait vers Zurich.

Il réfléchissait à ce qu'il allait dire à l'émissaire du pape lorsqu'il eut soudain l'impression qu'une volée d'oiseaux effrayés décollaient de son aile droite. Il tourna la tête et découvrit avec consternation qu'en fait d'oiseaux, c'était la voile de l'aile qui s'était déchirée en plusieurs endroits, formant des trous de plusieurs centimètres. Il n'y avait qu'une seule explication : on lui avait tiré dessus, et le bruit derrière lui avait dû être noyé par le vrombissement du moteur.

D'instinct, Fauchard fit un virage sur l'aile gauche, puis sur la droite, zigzaguant comme un moineau en fuite. Scrutant le ciel, il aperçut au-dessous de lui une formation de six biplans volant en V. Avec un calme olympien, Fauchard éteignit son moteur comme s'il s'apprêtait à atterrir en vol plané.

Le Morane-Saulnier tomba comme une pierre.

Dans des circonstances ordinaires, cette manœuvre aurait été suicidaire, puisqu'elle l'aurait placé juste devant ses adversaires.

Mais Fauchard avait reconnu les avions de ses assaillants : des Aviatiks. Ces appareils allemands, peu rapides, de conception française et équipés d'un moteur en ligne Mercedes, avaient été initialement conçus pour des missions de reconnaissance. Et surtout, la mitrailleuse montée à l'avant ne pouvait tirer que vers le haut.

Après une chute d'une centaine de mètres, il redressa lentement le manche et son avion remonta derrière la formation des Aviatiks.

Il aligna le nez de son appareil sur l'ennemi le plus proche et appuya sur la détente. Sa mitrailleuse Hotchkiss crépita et les balles atteignirent leur cible de plein fouet. De la fumée s'éleva de la queue et soudain le fuselage fut enveloppé par les flammes.

L'Aviatik entama un long plongeon en spirale vers le sol. Quelques salves bien placées en abattirent un deuxième aussi facilement qu'un faisan apprivoisé.

Fauchard avait agi si prestement que les autres pilotes ne se rendirent compte qu'ils étaient attaqués qu'en voyant la traînée noire et huileuse des avions qui dégringolaient. La formation, tout d'abord impeccable, commença à se disloquer.

Fauchard interrompit son offensive. Ses cibles s'étaient dispersées, il n'avait plus l'avantage de la surprise. Il choisit donc de faire remonter abruptement le Morane-Saulnier sur trois cents mètres pour atteindre le cœur d'un nuage cotonneux.

Tandis que les murs de brume grise dissimulaient son avion aux yeux ennemis, Fauchard le rétablit et opéra quelques vérifications. Le tissu de l'aile avait été tellement endommagé que leur structure en bois était à nu. Fauchard étouffa un juron. Il avait espéré quitter l'abri du nuage et distancer les Aviatiks grâce à la supériorité de son avion mais son aile abîmée le ralentissait.

Puisqu'il ne pouvait fuir, il lui fallait rester et se battre.

Fauchard était moins bien armé, et seul contre quatre, mais il avait en main l'un des appareils les plus remarquables de son temps. Développé à partir d'un avion de course, le Morane-Saulnier, bien que difficile à piloter, était incroyablement maniable et réagissait au quart de tour. A une époque où la plupart des avions avaient au moins deux plans, le Morane-Saulnier était un monoplan à ailes médianes. Du cône d'hélice en ogive à l'empennage horizontal triangulaire, il ne mesurait en tout que six mètres soixante-dix, mais ce moustique pouvait se révéler mortel grâce à une invention qui allait révolutionner l'aéronautique.

Saulnier avait conçu un mécanisme de synchronisation qui permettait à la mitrailleuse de tirer à travers l'hélice. Ce système surpassait les mitrailleuses dernier cri qui tiraient de façon non synchronisée et, comme il y avait toujours un risque, l'hélice était protégée des balles par des déflecteurs en acier.

Se préparant à la bataille, Fauchard passa la main sous son siège et ses doigts effleurèrent le métal froid d'un coffre-fort. A côté du coffre se trouvait un sac en velours violet, qu'il souleva et posa sur ses cuisses. Dirigeant l'avion avec ses genoux, il en sortit un casque en acier aux motifs anciens, et passa les doigts sur la surface gravée. Le métal était glacé mais une chaleur semblait en émaner, qui se diffusa dans tout son corps.

Il posa le casque sur sa tête. Bien équilibré, il s'emboîta parfaitement au casque en cuir qu'il portait. Cet objet était inhabituel ; en effet, la visière avait la forme d'un visage d'homme, dont la moustache et le nez d'oiseau de proie ressemblaient à ceux de Fauchard. Abaissée, elle réduisait trop son champ de vision et il préféra la repousser au-dessus de son front.

Des flèches de lumière filtraient à travers la prison du nuage et il serait bientôt à découvert. Il traversa les lambeaux de brume qui marquaient le bord du nuage et sortit en pleine lumière.

Les Aviatiks décrivaient des cercles sous lui comme un banc de requins affamés autour d'un navire en train de couler. Ils repérèrent le Morane et se mirent à grimper.

L'ennemi qui était en tête se glissa sous l'avion de Fauchard et se prépara à tirer. Fauchard donna un coup sec à sa ceinture de sécurité pour vérifier qu'elle était bien serrée, puis tira le nez de son avion vers le haut, effectuant une grande boucle vers l'arrière.

Il resta suspendu, la tête en bas dans le cockpit, remerciant l'instructeur qui lui avait appris cette manœuvre de fuite. Une fois la boucle achevée, il rétablit son appareil et le positionna derrière les Aviatiks. Il ouvrit le feu sur l'ennemi le plus proche, mais celui-ci décrocha et plongea abruptement.

Fauchard resta sur les talons de l'avion, goûtant au plaisir d'être le chasseur plutôt que le gibier. L'Aviatik se stabilisa et effectua un virage serré pour essayer de se placer derrière Fauchard, mais le petit avion se déroba facilement.

Les manœuvres de l'Aviatik l'avaient amené à l'entrée d'une large vallée. Fauchard lui interdisant toute retraite, l'appareil s'y engouffra.

Usant de ses munitions avec parcimonie, Fauchard tirait de courtes rafales de son Hotchkiss. L'Aviatik vira à gauche puis à droite et les balles passèrent de chaque côté. Il volait de plus en plus bas, tentant de rester en dessous de Fauchard et de sa mitrailleuse mortelle. De nouveau, Fauchard tenta de viser l'Aviatik. Et de nouveau, celui-ci plongea.

Les avions passaient au-dessus des champs à cent soixante kilomètres à l'heure, à cent cinquante mètres à peine au-dessus du sol. Des troupeaux de vaches terrifiées se dispersaient comme des feuilles emportées par le vent. L'Aviatik zigzagant parvenait à rester hors de portée de Fauchard, le relief du terrain augmentant la difficulté de viser correctement.

Le paysage était un mélange flou de champs ondoyants et de jolies fermes, qui devenaient peu à peu plus nombreuses. Fauchard apercevait les toits d'un bourg à l'endroit où la vallée se rétrécissait.

L'Aviatik suivait une rivière sinueuse qui coulait au milieu de la vallée en direction de la ville. Le pilote volait si bas que ses roues touchaient presque l'eau. Devant lui, un pittoresque pont de pierre traversait la rivière à l'entrée de la ville.

Les doigts de Fauchard se resserraient sur la détente de sa mitrailleuse lorsqu'une ombre au-dessus de lui rompit sa concentration. Il leva la tête et vit la silhouette d'un autre Aviatik à moins de cent cinquante mètres plus haut ; il descendait, essayant de le forcer à se poser. Fauchard jeta un coup d'œil vers l'Aviatik qu'il poursuivait : il avait commencé à remonter pour éviter de heurter le pont.

Les piétons qui franchissaient le cours d'eau avaient vu le trio d'avions et s'étaient mis à courir pour échapper au danger. Sur le pont, le vieux cheval de trait mollasson qui tirait une charrette se cabra pour la première fois depuis des années lorsque l'Aviatik passa à quelques mètres de la tête du charretier.

L'avion au-dessus de Fauchard continuait à descendre pour forcer celui-ci à percuter le pont mais, à la dernière seconde, le pilote ennemi tira sur son manche et remit les gaz. Le Morane-Saulnier bondit en avant et se faufila entre le pont et l'Aviatik. Il y eut une grosse explosion de foin lorsque les roues de l'avion heurtèrent la charrette, mais Fauchard garda le contrôle de son avion et le fit passer au ras des toits de la ville.

Son poursuivant redressa une seconde plus tard.

Trop tard.

Moins agile que le monoplan, l'Aviatik s'écrasa dans le pont et explosa en une boule de feu. Egalement trop lent à monter, le premier Aviatik percuta le clocher d'une église dont la flèche acérée l'éventra. L'avion se désagrégea en plein vol et retomba en mille morceaux.

— Dieu ait ton âme ! lança Fauchard d'une voix rauque, faisant virer son avion pour sortir de la vallée.

Deux taches apparurent au loin. Elles se rapprochaient de lui à toute allure. C'était les survivants de l'escadron d'Aviatiks.

Fauchard dirigea son avion droit entre les deux appareils. Ses lèvres se serrèrent en un sourire. Il voulait s'assurer que sa famille allait bien comprendre ce qu'il pensait de cette tentative pour l'arrêter.

Il était assez près pour distinguer les pilotes à l'avant du cockpit. Celui sur sa gauche pointa vers lui ce qui ressemblait à un bâton et il aperçut un éclair de lumière.

Il entendit un petit *touc* et eut soudain l'impression qu'on lui perforait la cage thoracique d'un tisonnier ardent. Avec un frisson, il se rendit compte que l'observateur de l'Aviatik s'en était remis à une technique plus simple mais plus fiable, et qu'il lui avait tiré dessus à l'aide d'une carabine.

Fauchard secoua involontairement le manche tandis que ses jambes se raidissaient en un spasme. Les avions passèrent en un éclair de chaque côté de lui. Sa main se ramollissait sur le manche et l'avion commençait à osciller. Du sang chaud coulait de sa blessure, formant une flaque sur son siège. Sa bouche s'était emplie d'un goût métallique, et sa vision se troubla.

Il ôta ses gants, détacha sa ceinture et passa la main sous son siège. Ses doigts affaiblis agrippèrent la poignée du coffre-fort. Il le posa sur ses genoux, prit la sangle qu'il enroula autour de son poignet.

Puisant dans ses dernières forces, il se redressa et se pencha hors du cockpit. Il bascula par-dessus bord et son corps rebondit sur l'aile.

Ses doigts tirèrent par réflexe sur la cordelette ; le coussin sur lequel il était assis s'ouvrit, et un parachute en soie se déplia.

Un rideau noir tombait peu à peu sur ses yeux. Il aperçut un lac d'un bleu froid et un glacier.

J'ai échoué.

Le choc était plus grand que la souffrance, il ressentait surtout une profonde tristesse mêlée de colère.

Il y aura des millions de morts.

Il toussa, cracha une écume sanglante puis perdit connaissance. Suspendu au harnais de son parachute, il était devenu une cible facile pour l'Aviatik qui repassa sous lui.

Il ne sentit pas la balle qui perfora son casque et s'enfonça dans son crâne.

Tandis que la lumière du soleil faisait scintiller son casque, il descendit en flottant dans les airs jusqu'à ce que les montagnes l'accueillent en leur sein.

1

Les îles Orcades en Écosse, aujourd'hui

JODIE Michaelson bouillait de rage.

Plus tôt dans la soirée, avec les trois autres concurrents restants du jeu télévisé *Les Proscrits,* elle avait dû marcher, chaussée de lourdes bottes, sur une corde épaisse tendue au-dessus d'un muret de pierres d'un mètre de haut. La cascade avait été intitulée « l'épreuve viking du feu ». Des rangées de torches brûlaient de chaque côté de la corde, et les caméras filmaient en contre-plongée afin de donner l'illusion d'une épreuve dangereuse, alors que le feu se trouvait à plus de deux mètres des concurrents.

Ce qui n'était pas une illusion, c'était l'acharnement des producteurs à pousser les participants à la violence.

Les Proscrits était la dernière-née de ces émissions de téléréalité qui avaient poussé comme des champignons après les succès de *Survivor* et *Fear Factor*. Elle était un mélange des deux formats, avec quelques ingrédients empruntés aux vociférations du *Jerry Springer Show*.

Le principe était simple. Dix participants devaient subir une série d'épreuves sur une durée de trois semaines. Ceux qui échouaient, ou qui étaient éliminés par les autres, quittaient l'île.

Le gagnant empocherait un million de dollars, plus les bonus, attribués en fonction de la méchanceté dont chacun faisait preuve envers ses adversaires.

L'émission était considérée comme encore plus impitoyable que les précédentes, et les producteurs n'avaient de cesse d'aviver les tensions. Si d'autres jeux étaient franchement compétitifs, celui-ci était ouvertement guerrier.

Le principe des *Proscrits* s'inspirait des raids de survie : le participant subsiste uniquement grâce à ce qu'il trouve dans la nature. Contrairement aux autres jeux du même genre, en général sur des îles tropicales aux eaux turquoise plantées de palmiers ondoyants, l'émission était filmée dans les îles britanniques des Orcades, au nord de l'Ecosse. Les concurrents étaient arrivés à bord d'une piètre réplique de navire viking, devant un parterre d'oiseaux marins.

L'île, principalement rocheuse, qu'un cataclysme avait torturée voici quelques milliers d'années pour y créer bosses et crevasses, essaimant ici et là des bouquets d'arbres décharnés, faisait trois kilomètres de long sur un kilomètre de large. L'action se déroulait sur une plage de sable grossier, où l'on tournait la plupart des séquences. Le temps était doux, sauf la nuit, et les huttes recouvertes de peaux étaient rudimentaires, mais acceptables.

Ce bout de rocher était tellement insignifiant que les gens du coin l'appelaient « le petit îlot ». Cela avait donné lieu à un échange amusant entre le producteur Sy Paris et son assistant Randy Andleman.

Paris était en proie à l'une de ses crises de fureur habituelles.

— On peut quand même pas tourner une émission d'aventures sur un truc qui s'appelle « le petit îlot », bordel ! Il faut qu'on lui donne un autre nom. (Son visage s'était éclairé.) On va appeler ça l'île du Crâne.

— Elle ne ressemble pas à un crâne, avait objecté Andleman. On dirait plutôt un œuf sur le plat trop cuit.

— Pas mal, comme comparaison, avait approuvé Paris avant de s'éclipser.

Jodie, qui avait assisté à la conversation, s'était attiré un sourire d'Andleman lorsqu'elle avait ajouté :

— Moi, je trouve que ça ressemble pas mal au crâne d'un producteur d'émissions débiles.

Les épreuves n'étaient que défis répugnants, comme ouvrir des crabes vivants pour les manger ou plonger dans un réservoir plein d'anguilles, ce qui tenait le téléspectateur, écœuré, en haleine, avide de voir jusqu'où ils iraient et impatient de connaître la suite à la prochaine émission. Certains des concurrents semblaient même avoir été choisis pour leur agressivité et leur caractère odieux.

Le dernier soir, les deux derniers en lice passeraient la nuit à se pourchasser, comble de l'apothéose, armés de jumelles à vision nocturne et de fusils de paint-ball, épreuve inspirée du film d'horreur *Les Chasses du comte Zaroff*. Le survivant gagnerait un million de dollars.

Jodie était prof d'aérobic dans le comté d'Orange en Californie. Elle avait un corps de rêve, mais sa silhouette était cachée par d'épais vêtements. Elle avait de longs cheveux blonds et une vivacité d'esprit qu'elle avait dû dissimuler pour être sélectionnée. Tous les concurrents devaient correspondre à un stéréotype, pourtant Jodie refusait de se plier au rôle de bimbo que les producteurs lui avaient assigné.

Au cours du dernier quiz permettant d'attribuer bons ou mauvais points, on leur avait demandé si une conque était un poisson, un mollusque ou une voiture. En tant que blonde de service, elle était censée répondre voiture, et elle s'était juré, une fois revenue à la civilisation, de ne plus jamais revivre une telle humiliation.

Après la débâcle du quiz, les producteurs avaient clairement laissé entendre qu'il fallait qu'elle parte. Comme elle avait reçu une cendre dans l'œil qui l'avait fait échouer à l'épreuve du feu, elle leur avait donné une occasion de la virer. Les autres membres de la tribu, l'air grave, s'étaient réunis autour du feu et Sy Paris, avec des intonations théâtrales, lui avait intimé l'ordre de quitter le clan et de faire son entrée dans le Walhalla. Ben voyons.

A présent, en s'éloignant du feu de camp, elle fulminait d'avoir échoué à cette épreuve. Une chose toutefois la réconfortait : après avoir passé quelques semaines avec ces tarés, elle se réjouissait de quitter bientôt l'île. Le paysage avait une beauté rude qui lui plaisait, mais elle se lassait des médisances, de la manipulation et de l'attitude sournoise que devaient adopter les concurrents dans l'espoir, douteux, d'avoir l'honneur de se faire finalement pourchasser comme un chien enragé.

Derrière la « porte de Walhalla », une tonnelle faite d'os de baleine en plastique, se trouvait un grand mobile home où logeait l'équipe de production. Tandis que les membres du clan dormaient dans des tentes en peaux et se nourrissaient d'insectes, les producteurs avaient droit au chauffage, dormaient dans des lits confortables et savouraient de délicieux repas. Dès qu'un concurrent était exclu du jeu, il passait la nuit dans le mobile home, attendant qu'un hélicoptère vienne le rechercher le lendemain matin.

— Pas de chance ! lui lança Andleman qui était sorti l'accueillir sur le pas de la porte.

Tout l'opposé de son odieux patron, Andleman était adorable.

— Ouais, vraiment pas de chance. Des douches chaudes, des repas chauds, un téléphone portable.

— Hé, on a tout ça ici.

Elle jeta un coup d'œil à leur douillette installation.

— Oui, je vois ça.

— Voilà ta couchette, dit-il. Sers-toi un verre ; il y a un excellent pâté dans le frigo, ça t'aidera à décompresser. Je dois aller donner un coup de main à Sy. Fais comme chez toi.

— Merci, j'y compte bien.

Elle s'approcha du bar et se prépara un grand Martini Beefeater sec. Le pâté était aussi délicieux que promis. Elle avait hâte de rentrer chez elle. Les perdants faisaient toujours la tournée des émissions de télé pour cracher sur les gens qu'ils venaient de quitter : c'était de l'argent facilement gagné. Elle se vautra dans un large fauteuil. Au bout de quelques minutes, elle s'assoupit sous l'effet de l'alcool.

Elle se réveilla en sursaut. Elle avait entendu dans son sommeil des cris suraigus comme ceux des mouettes ou d'enfants dans une cour de récréation, sur un fond de hurlements et d'appels.

Bizarre.

Elle se leva, s'approcha de la porte et tendit l'oreille. Elle se demandait si Paris avait encore inventé une nouvelle humiliation. Ou peut-être une danse sauvage autour du feu.

Elle emprunta d'un pas vif le chemin qui menait à la plage. Le bruit augmentait, devenait affolant. Il se passait quelque chose de terrible. Elle percevait dans ces cris plus de peur et de douleur que d'excitation. Elle accéléra et passa la porte de Walhalla. Ce qu'elle découvrit ressemblait à la peinture de l'enfer par Jérôme Bosch.

Concurrents et producteurs avaient été attaqués par des créatures hideuses qui semblaient mi-humaines mi-animales, et qui grognaient en abattant leurs victimes pour ensuite les déchiqueter à l'aide de leurs griffes et de leurs dents.

Elle aperçut Sy tomber, puis Randy. Elle reconnut plusieurs corps qui gisaient sur la plage, ensanglantés et mutilés.

A la lumière dansante du feu, Jodie vit que les assaillants avaient de longs cheveux blancs crasseux qui leur arrivaient aux épaules. Quant aux visages, elle n'avait jamais rien vu de tel : d'horribles masques aux traits déformés.

Une créature empoigna un bras coupé pour le porter à sa bouche. Jodie ne put s'empêcher de hurler, ce qui alerta les autres créatures qui interrompirent leur festin impie pour la regarder avec des yeux brûlants, d'un rouge lumineux.

Elle avait envie de vomir, mais ils arrivaient vers elle en bondissant.

Elle se mit à courir pour sauver sa peau.

Elle pensa d'abord à la caravane, mais eut assez de présence d'esprit pour savoir qu'elle y serait prise au piège.

Elle se dirigea vers la colline rocailleuse, les monstres sur ses talons, haletant comme une meute de chiens de chasse. Dans le noir, elle perdit l'équilibre et tomba dans une crevasse, mais cet accident lui sauva la vie. Ses poursuivants avaient perdu sa trace.

Jodie s'était cogné la tête dans sa chute. Lorsqu'elle revint à elle, elle crut entendre des voix impérieuses et des coups de fusil. Puis elle s'évanouit de nouveau.

Le lendemain, elle était encore inconsciente dans la crevasse quand l'hélicoptère arriva. Une fois que l'équipage eut passé toute l'île au peigne fin et finalement retrouvé Jodie, ils firent un constat troublant.

Tous les autres avaient disparu.

2

Monemvasia, Péloponnèse, Grèce

DANS son cauchemar récurrent, Angus MacLean était une chèvre pourchassée par un tigre affamé dont les yeux jaunes le fixaient dans la pénombre de la jungle. Les grondements sourds s'amplifiaient jusqu'à ce qu'ils emplissent ses oreilles. Puis le tigre bondissait. Il sentait son haleine fétide et ses crocs acérés qui s'enfonçaient dans sa gorge. Il portait les mains à son cou dans une tentative désespérée de fuite. Son bêlement pathétique se changeait en gémissement... et il se réveillait dans ses draps trempés de sueur, cœur battant et mains tremblantes.

MacLean s'extirpa de son lit étroit et ouvrit les volets. Le soleil de Grèce inonda les murs blanchis à la chaux de cette ancienne cellule monastique. Il enfila un short et un T-shirt, chaussa ses sandales de marche puis sortit, clignant des yeux devant l'éclat de la mer saphir. Les battements de son cœur s'apaisèrent.

Il prit une profonde inspiration pour inhaler le parfum des fleurs sauvages qui poussaient autour du monastère. Il attendit que ses mains aient cessé de trembler et se mit en route pour sa promenade du matin, le meilleur remède pour ses nerfs fragiles.

Le monastère, construction de stuc sur un seul étage, était édifié à l'ombre d'un gros rocher, haut de plus de cent mètres, et que les guides touristiques qualifiaient souvent de « Gibraltar grec ». Pour l'atteindre, il dut gravir un sentier construit sur une ancienne muraille. Des siècles auparavant, les habitants de la ville basse s'étaient retirés derrière ces remparts pour se protéger de leurs assaillants. Du village qui avait autrefois abrité la population tout entière en période de siège, il ne subsistait que des ruines.

Depuis le perchoir offert par les vestiges d'une vieille église byzantine, MacLean pouvait voir à des kilomètres à la ronde. Quelques bateaux de pêche colorés étaient encore au travail. Tout semblait tranquille. MacLean savait que ce rituel matinal lui donnait une fausse impression de sécurité. Les gens qui le traquaient ne trahiraient pas leur présence avant de le tuer.

Il erra parmi les ruines comme une âme en peine, puis il redescendit le long du rempart et regagna la salle à manger du monastère, à l'étage. Ce bâtiment du XVe siècle, converti en chambres d'hôtes par le gouvernement, appartenait au patrimoine grec. MacLean s'imposait de ne pas arriver au petit déjeuner avant que tous les autres clients soient partis se promener.

Le jeune homme qui nettoyait la cuisine sourit en lui disant :

— *Kali mera*, docteur MacLean.

— *Kali mera*, Angelo, répondit MacLean en se tapotant le front avec son index. Vous avez oublié ?

Le regard d'Angelo s'éclaira.

— Ah oui, je suis désolé, monsieur MacLean.

— Ça ne fait rien. Je regrette de vous imposer mes petites manies, fit MacLean avec son doux accent écossais, mais comme je vous l'ai expliqué, je n'ai pas envie que les gens croient que je suis capable de guérir leurs maux de têtes et d'estomac.

— *Neh.* Oui, bien sûr, monsieur MacLean. Je comprends.

Angelo lui apporta un bol de fraises fraîches, du melon d'hiver et un yaourt grec avec du miel et des amandes, ainsi qu'une tasse de café bien serré. Ce jeune moine faisait office d'aubergiste, de réceptionniste, d'homme à tout faire et de chef cuisinier. Agé d'une trentaine d'années, il avait des cheveux bruns bouclés et un beau visage, généralement illuminé par un sourire bienveillant. Il portait des vêtements de travail ordinaires, et seule la corde attachée lâchement à sa ceinture rappelait ses vœux.

Au cours des semaines que MacLean avait passées au monastère, une profonde amitié était née entre les deux hommes. Chaque jour, lorsque Angelo avait terminé le travail du petit déjeuner, ils devisaient de leur passion commune : la civilisation byzantine.

MacLean s'était intéressé à l'histoire pour se changer les idées de son travail intense de recherche en chimie. Quelques années auparavant, ce nouvel engouement l'avait amené à Mystra, qui fut le centre du monde byzantin. Il avait parcouru le Péloponnèse et découvert Monemvasia. Un sentier étroit surplombant la mer était l'unique accès au village, qui était un dédale de ruelles et d'allées de l'autre côté du rempart dont l'« unique porte » avait donné le nom Monemvasia. MacLean était tombé sous le charme de cet endroit magnifique. Il s'était promis d'y retourner un jour, ignorant qu'il y reviendrait en craignant pour sa vie.

Au début, le « Projet » semblait parfaitement innocent. MacLean enseignait la chimie à des étudiants de second cycle à l'université d'Edimbourg, lorsqu'on lui avait proposé un emploi de rêve, basé sur la recherche pure. Il avait accepté le poste et pris congé de l'université. Il s'y était lancé à corps perdu, endurant sans rechigner les longues journées de travail, tenu au secret. Il dirigeait l'une des équipes qui travaillaient sur les enzymes, les protéines complexes qui produisent des réactions biochimiques.

Les scientifiques du Projet étaient cloîtrés dans des dortoirs confortables en pleine campagne française, et ils avaient peu de contacts avec le monde extérieur. L'un de ses collègues avait appelé leur travail de recherche, en plaisantant, le « Projet Manhattan ». L'isolement ne posait pas de problème à MacLean qui était célibataire et sans famille proche. Peu de ses collègues se plaignaient. La rétribution astronomique et les excellentes conditions de travail compensaient amplement cet inconvénient.

Puis le Projet avait pris une tournure déconcertante. Lorsque MacLean ou d'autres avaient posé des questions, on leur avait dit de ne pas s'inquiéter. Ils avaient alors été renvoyés chez eux avec pour consigne d'attendre que les résultats de leur travail soient analysés.

MacLean s'était alors rendu en Turquie pour participer à des fouilles archéologiques. Lorsqu'il était rentré en Ecosse au bout de quelques semaines, son répondeur téléphonique avait enregistré plusieurs appels anonymes, et un message étrange d'un ancien collègue. Le scientifique demandait à MacLean s'il avait lu les journaux et le priait de le rappeler rapidement. MacLean avait essayé de le joindre et avait appris qu'il venait de trouver la mort quelques jours plus tôt, écrasé par un chauffard qui avait pris la fuite.

Plus tard, en parcourant sa pile de courrier, MacLean avait découvert un paquet envoyé par ce même collègue avant sa mort. L'épaisse enveloppe était remplie de coupures de journaux relatant une série de décès accidentels. Lorsque MacLean les passa en revue, un frisson lui glaça la colonne vertébrale. Les victimes étaient toutes des scientifiques ayant travaillé avec lui sur le Projet.

Griffonné sur une note jointe à l'envoi se trouvait cet avertissement lapidaire : « Sauve ta peau ! »

MacLean avait voulu croire que ces accidents n'étaient que des coïncidences, bien que cela chiffonnât son esprit scientifique. Cependant, quelques jours plus tard, un camion avait essayé de faire sortir de la route son Austin Mini. Il s'en était miraculeusement sorti avec quelques égratignures mais il avait reconnu le chauffeur du camion comme l'un des gardes qui surveillaient les scientifiques au laboratoire.

Quel idiot il avait été.

MacLean sut qu'il devait fuir. *Mais où ?* C'est alors que Monemvasia lui était venu à l'esprit. C'était un lieu de villégiature pour les Grecs mais la plupart des étrangers n'y passaient qu'une journée. Et c'est là qu'il avait choisi d'aller.

Tandis que MacLean méditait sur les événements qui l'avaient amené là, Angelo s'approcha avec un exemplaire du *International Herald Tribune*. Le moine devait s'absenter, mais il serait de retour une heure plus tard. MacLean hocha la tête et sirota son café, dont il savourait la saveur corsée. Il passa les nouvelles habituelles de crises économiques et politiques. Son œil s'arrêta sur un titre dans les colonnes de brèves internationales.

UNE ÉQUIPE TV MASSACRÉE PAR DES MONSTRES
SELON UNE SURVIVANTE

Cela s'était passé dans une des îles Orcades en Ecosse. Intrigué, il lut la dépêche. Elle ne faisait que quelques lignes, mais lorsqu'il l'eut achevée, ses mains tremblaient. Il relut l'article jusqu'à ce que les mots dansent devant ses yeux.

Mon Dieu, pensa-t-il. *Il est arrivé quelque chose d'affreux.*

Il plia le journal, sortit et, debout dans la lumière apaisante du soleil, il prit une décision.

MacLean marcha jusqu'à la porte de la ville, prit un taxi jusqu'au bureau de la compagnie de ferry sur la digue et acheta un billet pour Athènes sur l'hydrofoil du lendemain matin. Puis il retourna dans sa chambre et empaqueta ses quelques affaires. Et maintenant ? Il décida, pour son dernier jour, de ne rien changer à ses habitudes et s'assit à une terrasse de café où il commanda un grand verre de limonade glacée. Il était plongé dans son journal lorsqu'il se rendit compte que quelqu'un lui parlait.

En levant les yeux, il découvrit une femme mûre en pantalon et chemisier synthétique à fleurs, qui se tenait près de sa table avec un appareil photo.

— Désolée de vous déranger, dit-elle avec un sourire. Est-ce que ça vous ennuierait ? Mon mari et moi...

Les touristes sollicitaient souvent MacLean pour leurs photos souvenirs. Il était grand et maigre, et avec ses yeux bleus et sa tignasse poivre et sel, il ne ressemblait pas aux Grecs, plus petits et plus bruns.

Un homme assis à une table voisine gratifia MacLean d'un sourire prognathe. Son visage, constellé de taches de rousseur, était rouge brique d'avoir trop pris le soleil. MacLean hocha la tête et prit l'appareil photo des mains de la femme. Il fit quelques clichés et le lui rendit.

— Merci infiniment ! s'exclama la femme avec effusion. Nous

serons ravis d'avoir cette photo à mettre dans notre album de voyage.

— Vous êtes américains ? demanda MacLean.

Son désir de parler sa langue avait pris le pas sur sa répugnance à engager la conversation avec des inconnus. Le vocabulaire anglais d'Angelo était limité.

La femme rayonna.

— Ah bon, ça se voit tant que ça ? Pourtant nous essayons de passer inaperçus !

Le tissu synthétique jaune et rose n'était pas franchement à la mode grecque, songea MacLean. Quant au mari, il portait une chemise blanche sans col et une casquette noire de marin comme celles que l'on vend dans les magasins pour touristes.

— On est venus en hydrofoil, dit l'homme avec un accent traînant, en se levant de son siège pour tendre une main moite à MacLean. Ça secouait vachement là-dedans. Vous êtes anglais ?

MacLean eut l'air horrifié.

— Oh non, je suis écossais.

— Moi je suis moitié scotch, moitié soda, fit l'homme avec son sourire de cheval. Désolé pour la confusion. Je suis du Texas et j'imagine ce que je ressentirais si vous pensiez que j'étais de l'Oklahoma.

MacLean se demanda pourquoi tous les Texans qu'il avait rencontrés parlaient comme si leurs interlocuteurs avaient un problème d'audition.

— Je n'aurais jamais pensé que vous étiez de l'Oklahoma, dit MacLean. Je vous souhaite un bon séjour.

Il commençait à s'éloigner lorsque la femme le rappela pour lui demander s'il acceptait d'être pris en photo avec elle par son mari, il avait été si gentil avec eux. MacLean posa avec la femme puis avec l'homme.

— Merci, déclara la femme.

Elle s'exprimait d'une façon plus raffinée que son mari. En peu de temps, MacLean apprit que Gus et Emma Harris venaient de Houston, que Gus avait travaillé dans le pétrole et qu'elle avait été professeur d'histoire. Elle réalisait aujourd'hui son rêve de visiter le berceau de la civilisation.

Il leur serra la main, accepta leur effusion de remerciements et s'engagea dans une rue étroite. Il marchait vite, espérant qu'ils ne seraient pas tentés de le suivre, et prit un chemin détourné pour regagner le monastère.

MacLean ferma ses volets pour que sa chambre reste sombre et fraîche. Il fit une sieste au plus fort de la chaleur de l'après-midi, puis il se leva et s'aspergea le visage d'eau froide. Il sortit alors prendre l'air et eut la surprise de voir les Harris debout près de la vieille chapelle blanche dans la cour du monastère.

Gus et sa femme prenaient des photos de l'édifice. En le voyant, ils lui firent un signe et lui sourirent, et MacLean sortit pour proposer de leur montrer sa chambre. Ils furent impressionnés par le travail artisanal des panneaux de bois sombre. Une fois dehors, ils levèrent les yeux sur les falaises escarpées derrière le monastère.

— On doit avoir une vue magnifique de là-haut, déclara Emma.

— Ça fait une petite trotte jusqu'au sommet.

— J'ai l'habitude de me promener pour observer les oiseaux, donc je suis assez en forme, dit-elle. Gus est plus sportif qu'il n'y paraît, ajouta-t-elle en souriant. Il était joueur de football américain, même si c'est dur à croire aujourd'hui.

— Je suis un Aggie, dit M. Harris. Je jouais à l'université A&M du Texas. J'ai un peu grossi depuis cette époque-là. Mais je vais vous dire, je veux bien essayer.

— Croyez-vous que vous pourriez nous montrer le chemin? demanda Emma à MacLean.

— Je regrette, mais je prends l'hydrofoil de bonne heure demain matin.

Il leur expliqua qu'ils pourraient effectuer seuls la randonnée à condition de partir vite, avant que le soleil ne soit trop chaud.

— Vous êtes adorable, dit-elle en tapotant la joue de MacLean avec un geste maternel.

Il sourit et admira leur cran en les regardant partir sur le sentier qui longeait la digue devant le monastère. Ils croisèrent Angelo qui revenait de la ville.

Le moine salua MacLean, puis tourna la tête vers le couple.

— Alors, vous avez rencontré les Américains du Texas ?

Le sourire de MacLean se mua en un froncement de sourcils étonné.

— Comment les connaissez-vous ?

— Ils sont passés hier matin pendant que vous faisiez votre promenade matinale, répondit Angelo en désignant la ville haute.

— C'est bizarre, ils ont laissé entendre qu'il s'agissait de leur premier jour ici.

Angelo haussa les épaules.

— C'est peut-être la distraction de la vieillesse.

Soudain, MacLean eut l'impression d'être la chèvre de son cauchemar. Un vide glacé noua son estomac. Il s'excusa et regagna sa chambre, où il se servit un verre d'ouzo non dilué.

Cela aurait été si facile. Une fois en haut de la falaise, ils lui auraient demandé de poser pour une photo près du bord. Une simple poussée, et il serait tombé.

Encore un accident. Encore un scientifique mort.

Un effort minime. Même pour une gentille prof d'histoire à la retraite.

Il plongea la main dans le sac plastique où il mettait son linge sale. Enfouie tout au fond, se trouvait l'enveloppe pleine de coupures de journaux jaunies, qu'il étala sur la table.

Les titres étaient différents, mais le contenu était toujours le même.

UN SCIENTIFIQUE MORT DANS UN ACCIDENT DE VOITURE

UN SCIENTIFIQUE TUÉ PAR UN CHAUFFARD

UN SCIENTIFIQUE TUE SA FEMME ET SE SUICIDE

UN SCIENTIFIQUE VICTIME D'UN ACCIDENT DE SKI MORTEL

Chacun d'entre eux avaient travaillé sur le Projet. Il relut le message : « Sauve ta peau ! » Puis il rangea la coupure du *Herald Tribune* avec les autres et se rendit à la réception. Angelo parcourait le registre des réservations.

— Je dois partir, annonça MacLean.

Angelo eut l'air consterné.

— J'en suis désolé. Quand cela ?

— Ce soir.

— C'est impossible. Il n'y a ni hydrofoil ni autocar avant demain matin.

— Néanmoins, je dois absolument partir et je vous demande de m'aider. Je vous dédommagerai.

La tristesse emplit les yeux du moine.

— Je le ferai par amitié, pas pour de l'argent.

— Excusez-moi, dit MacLean, je suis un peu bouleversé.

Angelo n'était pas stupide.

— Est-ce à cause des Américains ?

— Il y a des personnes dangereuses qui me recherchent. Ces Américains peuvent avoir été envoyés pour me retrouver. Bêtement, je leur ai confié que je partais demain. Je ne sais pas s'ils sont seuls ou non. Peut-être que quelqu'un d'autre fait le guet à la porte de la ville.

Angelo hocha la tête.

— Je pourrais vous conduire sur le continent en bateau. Il vous faudra aussi une voiture.

— J'espérais que vous pourriez en louer une pour moi, dit MacLean.

Il tendit à Angelo sa carte de crédit, qu'il n'avait pas utilisée jusqu'à maintenant, de peur d'être repéré.

Angelo appela l'agence de location du continent. Il raccrocha au bout de quelques minutes.

— Tout est prêt. Ils laisseront les clés sur la voiture.

— Angelo, je ne sais comment vous remercier.

— Pas d'argent. Vous ferez un don la prochaine fois que vous irez à l'église.

MacLean dîna légèrement dans un café à l'écart, sans pouvoir s'empêcher de regarder les autres tables avec appréhension. La soirée s'écoula paisiblement. En regagnant le monastère, il ne cessait de regarder par-dessus son épaule.

L'attente fut éprouvante. Il se sentait pris au piège dans sa chambre, même s'il s'efforçait de se rappeler que les murs faisaient au moins trente centimètres d'épaisseur et que la porte pouvait résister à des coups de bélier. Quelques minutes après minuit, on frappa doucement à sa porte.

Angelo se chargea de son sac et le conduisit le long de la digue jusqu'à un escalier qui descendait à une plate-forme en pierre utilisée comme plongeoir par les baigneurs. A la lumière d'une torche électrique, MacLean distingua un petit bateau à moteur amarré à la plate-forme. Ils embarquèrent. Angelo s'apprêtait à larguer les amarres lorsqu'ils entendirent un bruit de pas étouffé sur les marches.

— Vous partez faire une croisière de nuit ? demanda la douce voix d'Emma Harris.

— Tu ne crois tout de même pas que M. MacLean s'apprêtait à partir sans nous dire au revoir ? fit son mari.

Une fois remis de sa surprise, MacLean retrouva sa langue.

— Qu'est-il arrivé à votre accent texan, monsieur Harris ? s'enquit-il.

— Bah, je dois avouer qu'il n'était pas vraiment authentique.

— Ne te rabaisse pas, mon chéri. Le docteur MacLean s'y est tout de même laissé prendre. En tout cas, je dois dire que nous avons eu de la chance, cela nous a aidés à mener à bien notre mission. Nous étions assis dans ce joli café pittoresque lorsque vous êtes arrivé. C'était vraiment gentil de votre part de nous laisser vous prendre en photo pour que nous puissions faire la vérification avec celle de notre dossier. Nous n'aimons pas commettre des erreurs.

Son mari s'esclaffa de bon cœur.

— « Donnez-vous la peine d'entrer », dit l'araignée à la mouche.

— « Je vous attendais pour dîner. »

Ils éclatèrent de rire.

— Vous avez été envoyés par la Compagnie, dit MacLean.

— Ce ne sont pas des idiots, lui fit remarquer Gus. Ils savaient que vous vous montreriez méfiant avec quelqu'un à la mine patibulaire.

— C'est une erreur qu'ont commise beaucoup de gens, fit Emma d'une voix triste. Mais c'est ce qui nous permet de bien faire notre boulot, hein, Gus ? Bon, c'était bien agréable ce séjour en Grèce. Mais toutes les bonnes choses ont une fin.

Angelo avait écouté toute la conversation d'un air intrigué. Il n'avait pas saisi le danger de la situation. Avant que MacLean ait pu l'en empêcher, il tendit la main pour détacher le bateau.

— Excusez-nous, mais nous devons partir.

Ce furent ses dernières paroles.

On entendit le *plop* étouffé d'un pistolet muni d'un silencieux et une langue de feu écarlate lécha l'obscurité. Angelo porta les mains à la poitrine et sa gorge émit un gargouillis. Puis il bascula dans l'eau.

— Ça porte malheur d'abattre un moine, ma chérie, lança Gus à sa femme.

— Il ne portait pas de soutane, se défendit-elle en faisant la moue. Comment aurais-je pu deviner? ajouta-t-elle sur un ton moqueur.

— Allons, docteur MacLean, lui enjoignit Gus. Notre voiture attend pour vous conduire à un avion de la Compagnie.

— Vous n'allez pas me tuer?

— Oh non! s'exclama Emma en reprenant sa voix de touriste innocente. Nous avons d'autres projets pour vous.

— Je ne comprends pas.

— Ça viendra, mon cher. Ça viendra.

3

Alpes françaises

L'ALOUETTE, un hélicoptère de transport léger qui survolait les profondes vallées alpines, semblait aussi insignifiant qu'un moucheron face aux imposants sommets. Alors que l'hélicoptère approchait d'une montagne surmontée de trois bosses irrégulières, Hank Thurston, assis à l'avant, tapa sur l'épaule du passager à ses côtés et étendit le bras.

— C'est le Dormeur, dit-il en haussant le ton pour se faire entendre par-dessus le bruit des pales. Le profil est censé ressembler à un homme allongé sur le dos.

Thurston était professeur de glaciologie à l'université d'Etat de l'Iowa. Malgré ses quarante ans passés, son visage affichait un enthousiasme enfantin. En Iowa, Thurston se rasait de près et veillait à ce que ses cheveux soient bien coupés, mais au bout de quelques jours sur le terrain, il commençait à ressembler à un pilote de rallye. Il cultivait ce look d'aventurier en portant des lunettes d'aviateur, laissant pousser ses cheveux brun foncé d'où s'échappaient quelques mèches grises, et en se rasant peu fréquemment, de sorte que son menton était en général recouvert d'une barbe de trois jours.

— Licence poétique, commenta le passager, Derek Rawlins. Je distingue le front, le nez et le menton. Cela me rappelle le

Vieil Homme de la Montagne dans le New Hampshire avant qu'il ne s'écroule, sauf que le profil de pierre ici est horizontal, et pas vertical.

Rawlins écrivait pour le magazine *Outside.* Il approchait de la trentaine et, avec son air d'optimiste sérieux, ses cheveux blonds et sa barbe bien taillée, il ressemblait davantage que Thurston à un universitaire.

La transparence cristalline de l'air donnait l'illusion de pouvoir toucher la montagne rien qu'en tendant le bras. Après deux passages au-dessus des rochers escarpés, l'hélicoptère abandonna sa trajectoire circulaire, franchit rapidement une crête acérée comme le fil d'un rasoir et descendit de l'autre côté, droit vers une cuvette à quelques kilomètres. Un lac presque parfaitement rond occupait le fond du bassin. Bien que l'on soit en été, des morceaux de glace gros comme des Volkswagen flottaient à sa surface, lisse comme un miroir.

— Le lac du Dormeur, annonça le professeur, creusé au fil du temps et alimenté aujourd'hui par les eaux du glacier.

— C'est le plus gros martini *on the rocks* que j'aie jamais vu, commenta Rawlins.

Thurston se mit à rire.

— Le lac est aussi clair que du gin, mais vous ne trouverez pas d'olive au fond. Ce gros cube construit à flanc de montagne près du glacier est une centrale électrique. La ville la plus proche est de l'autre côté de la chaîne de montagnes.

L'hélicoptère survola un gros bateau robuste qui avait jeté l'ancre non loin de la rive du lac.

— Que se passe-t-il ici ? s'enquit Rawlins.

— Il doit s'agir de fouilles archéologiques, répondit Thurston. Le bateau a dû remonter la rivière qui trouve sa source dans le lac.

— Je me renseignerai plus tard, déclara Rawlins. Peut-être pourrai-je obtenir une prime de mon rédacteur en chef si je reviens avec deux reportages au lieu d'un.

Il jeta un coup d'œil à une grande étendue glacée entre deux montagnes.

— Ouah ! Ce doit être notre glacier !

— Oui. La langue du Dormeur.

L'hélicoptère survola la rivière de glace qui descendait le long d'une large vallée jusqu'au lac. De noirs contreforts rocheux saupoudrés de neige bordaient le glacier sur ses deux côtés, lui donnant une forme à la fois arrondie et pointue. Sur ses bords, là où le glacier rencontrait crevasses et ravines, il était déchiqueté. La glace avait une teinte bleutée et la surface en était craquelée, comme la langue desséchée d'un chercheur d'or égaré.

Rawlins se pencha en avant pour avoir une meilleure vue.

— Le Dormeur devrait consulter un médecin, s'exclama-t-il. Il a une sacrée angine !

— Comme vous l'avez dit, c'est une licence poétique, fit Thurston. Accrochez-vous, nous allons atterrir.

Une fois le bord du glacier franchi, le pilote prépara l'hélicoptère à effectuer un lent virage incliné. Quelques instants plus tard, les patins de l'appareil se posaient sur une bande d'herbe jaunie à une soixantaine de mètres du lac.

Thurston aida le pilote à décharger un certain nombre de cartons et suggéra à Rawlins d'aller se dégourdir les jambes. Le journaliste s'approcha du bord de l'eau. Le lac était d'un calme irréel. Pas un souffle d'air ne troublait sa surface, et cette immobilité la rendait presque solide. Il lança un galet dans l'eau pour vérifier qu'elle n'était pas gelée.

Le regard de Rawlins quitta les vaguelettes que son galet avait produites pour se poser sur le bateau ancré à quelque quatre cents mètres de la rive. Il reconnut immédiatement le turquoise de la coque. Il avait déjà rencontré des bateaux de cette couleur au cours de ses différents reportages. Même en l'absence des lettres NUMA peintes en caractères gras noirs sur la coque, il aurait su que le bateau appartenait à l'Agence nationale marine et sous-marine. Il se demanda ce que faisait un navire de la NUMA si loin de l'océan.

Il y avait sans doute là matière à un article, mais cela devrait attendre. Thurston l'appelait. Une 2 CV Citroën cabossée avançait en cahotant vers l'hélicoptère, soulevant un nuage de poussière. La minuscule voiture s'arrêta en dérapant près de l'appareil et un homme qui ressemblait à un troll en sortit, telle une créature brisant une étrange coquille d'œuf. Il était petit et brun, avec une barbe noire et de longs cheveux.

L'homme serra énergiquement la main de Thurston.

— C'est merveilleux de vous revoir, *monsieur le professeur*. Et vous devez être le journaliste, monsieur Rawlins. Je suis Bernard Leblanc. Je vous souhaite la bienvenue.

— Merci, professeur Leblanc, dit Rawlins. J'attendais cette visite avec impatience. J'ai hâte de voir le travail fantastique que vous effectuez ici.

— Allons, suivez-moi, lança Leblanc en s'emparant du petit sac de voyage du journaliste. Fifi nous attend.

— Fifi ? s'enquit Rawlins en balayant les alentours du regard comme s'il s'apprêtait à découvrir une danseuse des Folies-Bergère.

Thurston pointa d'un doigt moqueur la 2 CV.

— Fifi est le nom de la voiture de Bernard, expliqua-t-il.

— Et pourquoi n'aurais-je pas le droit de donner un nom de femme à ma voiture ? se défendit Leblanc en faisant mine d'être vexé. Elle est fidèle et travailleuse. Et belle, dans son genre.

— Voilà qui est déjà bien, approuva Rawlins.

Il suivit Leblanc jusqu'à la Citroën et se glissa tant bien que mal à l'arrière au milieu des caisses de ravitaillement, tandis que Thurston et le conducteur montaient à l'avant. Leblanc conduisit Fifi jusqu'au bas de la montagne qui flanquait le glacier sur son côté droit. Tandis que la voiture s'engageait sur un chemin pierreux, l'hélicoptère décolla, monta au-dessus du lac, puis disparut derrière la haute crête.

— Etes-vous au fait du travail que nous accomplissons dans notre observatoire subglaciaire, monsieur Rawlins ? demanda Leblanc en se retournant à demi.

— Appelez-moi Deke. Je me suis effectivement documenté. Je sais que votre environnement est le même que celui du glacier Svartisen en Norvège.

— C'est vrai, intervint Thurston. Le labo du Svartisen est à deux cents mètres sous la glace. Nous avoisinons quant à nous les deux cent cinquante. Dans les deux cas, l'eau de fonte du glacier est conduite à travers une turbine pour produire de l'énergie hydroélectrique. Lorsque les ingénieurs ont foré les canalisations, ils ont percé un tunnel supplémentaire sous le glacier pour abriter notre observatoire.

Ils traversèrent une forêt de pins chétifs. Leblanc roulait sur la piste étroite avec une apparente désinvolture, alors que les roues du véhicule n'étaient qu'à quelques centimètres du ravin. Comme la pente devenait plus raide, le petit moteur de la 2 CV, semblable à un cheval de labour, se mit à émettre un ronflement.

— On dirait que Fifi est rattrapée par les années, commenta Thurston.

— C'est sa vigueur qui compte, rétorqua Leblanc.

Lorsque la route prit fin, Fifi était à bout de course. Ils sortirent de la voiture et Leblanc leur tendit à chacun un harnais avant d'en passer un lui-même. Un kit de ravitaillement était fixé à chaque harnais.

Thurston s'excusa auprès de Rawlins.

— Désolé de vous faire jouer les sherpas. Nous avons de quoi subsister pendant les trois semaines que nous passerons ici, mais nous avons écoulé vin et fromage plus vite que prévu. Votre visite nous a fourni l'occasion de nous réapprovisionner.

— Pas de problème, fit Rawlins avec un sourire bienveillant en ajustant d'un geste sûr le poids sur ses deux épaules. Avant de devenir scribouillard, je faisais souvent office de mulet pour monter des provisions dans les chalets des Appalaches.

Leblanc les précéda sur un chemin qui montait pendant une centaine de mètres entre les pins épars. Au-delà de la lisière du bois, le sol devenait plus rocailleux. Sur les grandes dalles de pierre, des repères jaunes indiquaient la direction à suivre. Le sentier fut plus raide et plus lisse, là où les pierres avaient été polies par des millénaires d'activité glaciaire. L'eau de fonte du glacier avait rendu le sol dur plus glissant et difficile à négocier. De temps à autre, ils franchissaient des crevasses remplies de neige molle.

Le journaliste, épuisé et gêné par l'altitude, commençait à ahaner.

Il poussa un soupir de soulagement lorsqu'ils s'arrêtèrent enfin sur un replat, au pied d'une paroi rocheuse qui montait presque à la verticale. Ils étaient à près de soixante mètres au-dessus du lac, qui scintillait sous les rayons du soleil de midi. Le glacier était caché derrière un escarpement mais Rawlins sentait le froid qui en émanait, comme si quelqu'un avait laissé ouverte la porte d'un réfrigérateur.

Thurston tendit la main vers une ouverture ronde cerclée de béton, au bas d'une falaise abrupte.

— Bienvenue au palais de Glace, déclara-t-il.

— On dirait une canalisation, fit Rawlins.

Thurston se mit à rire et se baissa, rentrant la tête pour passer le premier dans le tunnel en métal rouillé qui devait faire un mètre cinquante de diamètre.

Les autres le suivirent en courbant le dos à cause de leurs sacs. L'étroit passage s'ouvrit au bout d'une trentaine de mètres sur un grand tunnel faiblement éclairé. Les parois orange et suintantes d'humidité de la roche métamorphique étaient veinées du noir d'autres minéraux.

Rawlins promena un regard émerveillé autour de lui.

— C'est assez vaste pour contenir un camion ! s'exclama-t-il.

— Amplement, dit Thurston. Ce tunnel fait dix mètres de haut et dix de large.

— Dommage que l'on ne puisse pas faire passer Fifi par le premier tuyau, déclara Rawlins.

— Nous y avons pensé. Il y a un accès assez grand pour un véhicule près de la centrale électrique, mais Bernie a peur qu'elle se déglingue dans tous ces tunnels.

— Fifi a une constitution très délicate, protesta Leblanc, indigné.

Le Français ouvrit un placard en plastique fixé contre un mur. Il fit passer à ses compagnons des bottes en caoutchouc et des casques de spéléologues munis de lampes.

Quelques minutes plus tard, ils empruntèrent le tunnel et l'écho du raclement de leurs bottes se répercuta sur les parois. Tandis qu'ils progressaient lourdement, Rawlins plissa les yeux pour tenter de percer l'obscurité au-delà de la portée de sa lampe.

— Ce n'est pas franchement Broadway.

— La compagnie électrique a installé l'éclairage lorsque l'on a foré le tunnel. Mais la plupart des ampoules grillées n'ont pas été remplacées.

— La question n'a rien d'original, mais qu'est-ce qui vous a amené à l'étude des glaciers ? demanda Rawlins.

— Effectivement, on m'a déjà posé la question. Les gens trouvent que les glaciologues sont un peu bizarres. Nous étudions d'énormes masses de glaces, très anciennes, qui se déplacent lentement et mettent des siècles à aller d'un endroit à un autre. Pas vraiment un boulot sérieux, n'est-ce pas, Bernie ?

— Peut-être pas, mais un jour j'ai rencontré une gentille fille Eskimo dans le Yukon.

— Ça, c'est parler en glaciologue, dit Thurston. Nous avons en commun un même amour de la beauté et le désir de travailler en plein air. Pour la plupart d'entre nous, nous avons trouvé notre vocation après avoir été séduits par le spectacle imposant d'un glacier. (Il fit un grand geste vers les parois du tunnel.) Il est donc vraiment paradoxal que nous passions autant de temps *sous* la glace, loin de la lumière du soleil, comme une bande de taupes.

— Regardez ce qu'ont fait de moi l'humidité constante et la température égale à zéro, se plaignit Leblanc. J'étais grand et blond, mais je me suis rabougri pour devenir une bête hirsute.

— Je vous ai toujours connu en bête hirsute ! fit remarquer Thurston. Nous descendons ici pour des périodes de trois semaines et, effectivement, nous ressemblons un peu à des taupes. Mais même Bernie reconnaîtra que nous avons de la chance. La plupart des glaciologues ne peuvent observer un glacier que du dessus. Nous, nous pouvons à la fois marcher dessus et le chatouiller par en dessous.

— Quelle est exactement la nature de vos travaux ? demanda Rawlins.

— Nous menons une étude d'une durée de trois ans sur le déplacement des glaciers et leur impact sur la roche sur laquelle ils glissent. J'espère que vous pourrez en faire quelque chose de plus excitant lorsque vous écrirez votre article.

— Ce ne sera pas difficile. Avec l'intérêt général suscité par le réchauffement climatique, la glaciologie est devenue un sujet d'actualité brûlant.

— Oui, il paraît. On aurait d'ailleurs dû en prendre conscience il y a longtemps. Les glaciers peuvent nous révéler, à quelques degrés près, quelle température il faisait sur terre il y a des milliers d'années. Ils sont sensibles au climat et peuvent même provoquer des changements climatiques. Ah, nous y sommes : le club du Dormeur.

Quatre petits bâtiments, qui ressemblaient à des mobile homes, étaient installés bout à bout dans un renfoncement creusé dans le mur.

Thurston ouvrit la porte du plus proche.

— Tout confort, dit-il. Quatre chambres à coucher, capables d'accueillir huit chercheurs, cuisine, salle de bains avec douche. Normalement, notre équipe compte aussi, en plus des chercheurs, un géologue, mais en ce moment nous sommes en nombre restreint : Bernie, un jeune assistant de recherche de l'université d'Uppsala, et moi-même. Vous pouvez déposer les provisions ici. Nous sommes à environ trente minutes de marche du laboratoire. Nous avons des connexions téléphoniques pour relier l'entrée, le tunnel de recherche et la salle du labo. Il faut que je prévienne les scientifiques de l'observatoire que nous sommes de retour.

Il décrocha un combiné téléphonique encastré dans le mur et dit quelques mots. Son sourire se figea en une expression intriguée.

— Répétez-moi ça. (Il écouta attentivement.) Très bien, nous arrivons.

— Il y a quelque chose qui ne va pas, professeur? demanda Leblanc.

Thurston plissa le front.

— Je viens de parler à mon assistant. C'est incroyable.

— *Qu'est-ce que c'est?* demanda Leblanc.

Thurston avait encore l'air stupéfait.

— Il dit qu'il a trouvé un homme gelé dans la glace.

4

A SOIXANTE mètres sous la surface du lac du Dormeur, dans des eaux assez froides pour tuer tout homme non équipé, la sphère lumineuse flottait au-dessus du fond pierreux comme un feu follet dans un marais de Géorgie. Malgré l'environnement hostile, l'homme et la femme assis côte à côte dans la cabine en acrylique transparent semblaient aussi détendus que s'ils paressaient dans des chaises longues. L'homme était d'une carrure imposante, avec des épaules larges et puissantes. Ses traits burinés et cuivrés par la mer et le soleil baignaient dans la lueur orangée du tableau de bord, donnant presque à ses cheveux gris acier une teinte platine. Sous l'effet de la concentration, le profil ciselé de Kurt Austin le faisait ressembler aux guerriers dont les visages sont gravés sur les colonnes romaines. La dureté qui perçait sous ses traits bien dessinés était cependant adoucie par un sourire décontracté et ses yeux bleus couleur lagon pétillaient de bonne humeur.

Austin était le chef de l'équipe des missions spéciales à la NUMA, initiée par l'ancien directeur, l'amiral James Sandecker, maintenant vice-président des Etats-Unis. Il avait pour charge de mener à bien des missions échappant au contrôle gouvernemental. Ingénieur naval de formation et expérimenté dans ce domaine, Austin était arrivé à la NUMA après quelques années à la CIA, où sa spécialité, peu connue, était le renseignement sous-marin.

Une fois à la NUMA, Austin s'était entouré d'une équipe d'experts, dont Joe Zavala, brillant ingénieur spécialiste des véhicules sous-marins, Paul Trout, géologue sous-marin, et sa femme, Gamay Morgan-Trout, plongeuse chevronnée qui s'était spécialisée en archéologie de la mer avant d'achever son doctorat en biologie marine. Ensemble, ils avaient résolu bien des énigmes, souvent étranges et sinistres.

Les missions entreprises par Austin n'étaient pas systématiquement dangereuses. Certaines, comme la dernière en date, étaient plutôt agréables et compensaient amplement les plaies, bosses et cicatrices qu'il avait collectionnées à l'issue de nombreux projets de la NUMA. Bien qu'il n'ait fait la connaissance de Skye Labelle que quelques jours plus tôt, il était déjà tombé sous le charme de la femme assise à côté de lui. Agée de moins de quarante ans, elle avait la peau mate et des yeux violet-bleu malicieux qui le regardaient sous la bordure de son béret de laine. Elle avait les cheveux brun foncé, presque noirs. Sa bouche, un peu grande, n'était pas habituelle, ses lèvres pleines et sensuelles. Elle avait une belle silhouette, même si elle n'était pas une grande sportive. Sa voix était grave et calme, et en l'entendant parler, on devinait rapidement sa vivacité intellectuelle.

Bien qu'elle soit plus encore intéressante que jolie, elle était une des femmes les plus séduisantes qu'Austin avait rencontrées. Elle lui rappelait le portrait d'une jeune comtesse aux cheveux de jais qu'il avait vu au Louvre. Austin avait admiré la manière dont l'artiste avait finement saisi ce mélange de passion et de pudeur. La femme du tableau avait un regard espiègle, comme si elle mourait d'envie de se débarrasser de ses atours de princesse pour aller courir pieds nus dans un champ. Il se souvint avoir regretté de ne pouvoir jamais la rencontrer. Et voilà qu'il se trouvait à ses côtés.

— Est-ce que vous croyez à la réincarnation ? demanda Austin en pensant toujours à son tableau.

Skye cilla, surprise. Ils étaient au beau milieu d'une conversation sur la géologie glaciaire.

— Je ne sais pas. Pourquoi cette question ?

Elle parlait américain avec un léger accent français.

— Pour rien. (Il resta silencieux un instant.) J'ai une autre question, plus personnelle.

Elle lui coula un regard circonspect.

— Je crois que j'ai deviné. Vous voulez savoir l'origine de mon nom.

— Il faut dire que je n'ai jamais rencontré de Skye Labelle auparavant.

— Certains pensent que je l'ai hérité d'une stripteaseuse de Las Vegas.

Austin s'esclaffa.

— Je pense plutôt que quelqu'un dans votre famille avait une âme de poète.

— Mes fous de parents, fit-elle en haussant les sourcils. Mon père a été envoyé aux Etats-Unis en tant que diplomate. Un jour, il est allé au festival des aérostats d'Albuquerque et depuis, il est un aéronaute convaincu. Moi je m'appelle Skye et mon frère aîné a reçu le nom de Thaddeus en hommage à Thaddeus Lowe, un pionnier dans ce domaine. Ma mère, américaine, est une artiste à l'esprit ouvert, elle a donc trouvé cette idée magnifique. Mon père prétend qu'il m'a donné mon prénom à cause de la couleur de mes yeux mais tout le monde sait que la couleur des yeux des bébés est indéfinissable les premières semaines. Ça ne me dérange pas, je trouve que c'est un joli nom.

— On ne fait pas plus joli.

— Merci. Et merci aussi pour tout cela. (Elle regarda à travers la bulle et applaudit avec une joie enfantine.) C'est vraiment magnifique ! Je n'aurais jamais cru que mes recherches en archéologie m'emmèneraient sous l'eau dans une grosse capsule.

— Ça doit être plus amusant que d'épousseter une armure médiévale dans un vieux musée.

Skye éclata d'un rire chaleureux et spontané.

— Je passe très peu de temps dans les musées, sauf quand j'organise une exposition. En ce moment, j'anime des séminaires de management pour financer mes travaux de recherche.

Austin leva un sourcil.

— J'avoue que l'idée que Microsoft ou General Motors puissent engager un expert en armes et armures me laisse un peu perplexe.

— Pensez-y : pour survivre, une entreprise doit tuer ou essayer de tuer ses concurrents tout en se défendant. Au sens figuré bien sûr.

— La concurrence sauvage des origines, fit Austin.

— Pas mal. J'utiliserai cette expression dans ma prochaine présentation.

— Et comment enseignez-vous à une brochette de cadres dirigeants à faire couler le sang ? Enfin, au sens figuré, bien entendu...

— Le goût du sang, ils l'ont déjà. Je les fais réfléchir différemment, en leur demandant d'imaginer qu'ils fournissent des armes aux deux partis. Les anciens fabricants d'armes devaient être à la fois ingénieurs et métallurgistes. Beaucoup étaient des artistes, comme Léonard de Vinci, qui a conçu des engins de guerre. Les armes et les stratégies changeaient constamment et les fournisseurs des armées devaient s'adapter rapidement aux nouvelles conditions.

— La vie de leurs clients en dépendait.

— Exact. Je demande par exemple à un premier groupe d'inventer une machine de siège tandis que le deuxième doit trouver le moyen de se défendre. Ou bien je donne à l'un des flèches qui percent le métal tandis que les autres sont équipés d'armures redoutables mais pas sans défaut. Puis on échange et on recommence. Ils apprennent ainsi à se servir de leur intelligence instinctive plutôt que de se fier à leurs ordinateurs.

— Peut-être devriez-vous proposer vos services à la NUMA ? Apprendre à démolir des murs de trois mètres d'épaisseur avec un trébuchet, ça a l'air plus rigolo que d'étudier des diagrammes de budget !

Un sourire espiègle envahit le visage de Skye.

— N'oublions pas que la plupart des cadres dirigeants sont des hommes.

— Alors vous les faites jouer à la guerre en leur donnant des joujoux de petits garçons. Une recette infaillible.

— J'admets que je flatte les instincts puérils de mes clients, mais mes sessions sont incroyablement populaires, et très lucratives. Elles me permettent de financer des projets que je ne pourrais pas monter avec mon seul salaire d'universitaire.

— Comme votre projet sur les routes de commerce dans l'Antiquité ?

Elle hocha la tête.

— Ce serait un coup de maître si je parvenais à prouver que l'étain, ainsi que d'autres marchandises, étaient transportés sur la vieille route de l'Ambre, à travers les cols et les vallées alpines jusqu'à l'Adriatique, où des navires phéniciens et minoens les transportaient à l'est de la Méditerranée. Et que cette route fonctionnait dans les deux sens.

— La logistique de l'itinéraire que vous venez de décrire devait être des plus complexes.

— Vous êtes un génie ! C'est exactement le pivot de mon argumentation.

— Merci pour le compliment, mais je ne parle qu'en fonction de ma petite expérience en matière de déplacement de gens et de matériel.

— Dans ce cas, vous imaginez combien cela devait être compliqué. Les peuples qui se trouvaient sur leur trajet, comme les Celtes et les Etrusques, par exemple, devaient coopérer pour assurer le transport des marchandises. Les échanges commerciaux étaient probablement beaucoup plus poussés que ne le croient mes collègues. Tout ceci aurait des implications fascinantes qui changeraient la façon dont nous imaginons l'Antiquité. Il n'y avait pas que des guerres ; les peuples connaissaient les vertus des alliances pacifiques bien avant les accords de libre-échange de l'Union européenne ou de l'Amérique du Nord. Et j'ai l'intention de le prouver.

— Une mondialisation dès l'Antiquité ? Voilà un but ambitieux. Je vous souhaite bonne chance.

— Je vais en avoir besoin. Mais si je réussissais, je le devrais en partie à la NUMA et à vous. Votre agence a fait preuve d'une grande générosité en me laissant utiliser son navire de recherche doté de tout l'équipement nécessaire.

— C'est un accord gagnant-gagnant. Votre projet donne

l'occasion à la NUMA de tester notre nouveau navire en eau douce et de voir comment fonctionne ce nouveau submersible dans des conditions extrêmes.

Elle fit un grand geste de la main.

— Le décor est vraiment magnifique. Il ne nous manque plus qu'une bouteille de champagne et du foie gras.

Austin se pencha et passa une petite glacière en plastique à sa compagne.

— Je ne peux pas exaucer votre souhait, mais que dites-vous d'un sandwich jambon et fromage?

— Jambon fromage, justement, c'était mon deuxième choix.

Elle ouvrit le sac isotherme, en sortit un sandwich qu'elle tendit à Austin, puis en prit un pour elle-même.

Austin ralentit doucement le submersible avant de l'immobiliser. Tout en mastiquant son déjeuner, et savourant la baguette croustillante et le morceau crémeux de camembert, il étudiait un plan du fond du lac.

— Nous sommes ici, le long d'un tombant naturel qui est à peu près parallèle à la rive, dit-il en faisant courir son doigt sur une ligne sinueuse. Il y a des siècles, ce rocher n'était certainement pas immergé.

— Cela correspondrait à mes découvertes. Une section de la route de l'Ambre longeait le rivage du lac du Dormeur. Lorsque le niveau de l'eau est monté, les marchands ont trouvé un autre itinéraire. Tout ce que nous pourrions découvrir ici serait très ancien.

— Que cherchons-nous exactement?

— Je le saurai quand je le verrai.

— Ça me va.

— Vous êtes trop confiant. Je vais développer un peu. Les caravanes qui parcouraient la route de l'Ambre avaient besoin d'endroits où bivouaquer. Je cherche des ruines de relais, ou d'agglomérations qui auraient pu s'établir autour d'une étape. Ensuite, j'espère découvrir des armes qui prouveraient la réalité de ces échanges commerciaux.

Ils arrosèrent leur repas d'eau d'Evian et Austin fit jouer ses doigts sur les commandes. Les moteurs alimentés par batterie électrique se mirent à ronronner, activant les deux propulseurs latéraux sur lesquels reposait la sphère, et le submersible reprit son exploration.

Le Seamobile mesurait quatre mètres cinquante de long, à peu près comme un Boston Whaler de taille moyenne, et seulement deux mètres quinze de large, mais il était capable de transporter deux personnes à une profondeur de quarante-cinq mètres pendant plusieurs heures sous pression atmosphérique. Le véhicule avait un rayon d'action de douze milles nautiques et une vitesse maximale de 2,5 nœuds. Contrairement à la plupart des submersibles qui flottent comme des bouchons lorsqu'ils font surface, le Seamobile pouvait se piloter comme un bateau. Il était haut dans l'eau lorsqu'il n'était pas immergé, ce qui donnait une bonne visibilité au pilote, et il pouvait ainsi se diriger vers un site de plongée ou bien accoster à une plate-forme.

Le Seamobile avait l'air d'avoir été fabriqué à partir de pièces détachées tout comme les laboratoires sous-marins. La bulle transparente du cockpit mesurait un mètre quarante de diamètre et reposait sur deux flotteurs de la taille de conduites d'eau. Deux armatures métalliques en forme de D flanquaient la bulle.

L'engin était conçu pour assurer une flottaison en toutes circonstances, empêchée par le propulseur vertical installé au centre du submersible. Comme le Seamobile était équilibré de manière à rester à plat, en surface ou sous l'eau, le pilote n'avait pas besoin d'une manipulation incessante des commandes pour le maintenir à l'horizontale.

Grâce à un instrument de navigation Doppler acoustique qui lui permettait de se repérer, Austin guidait le véhicule le long de l'escarpement rocheux qui descendait en pente douce dans les profondeurs. Suivant une procédure technique, Austin effectua une série de lignes parallèles, comme pour tondre une pelouse. Les quatre phares halogènes du sous-marin illuminaient le fond, façonné par le mouvement des glaciers.

Le sous-marin fit des allées et venues pendant deux heures et les yeux d'Austin, à force de scruter ce paysage gris et monotone, commencèrent à fatiguer. Skye, elle, était toujours fascinée par la singularité de cet environnement. Elle était penchée en avant, le menton dans les mains, étudiant chaque centimètre carré du fond du lac. Sa persévérance finit par payer.

— Là ! s'écria-t-elle en agitant son index.

Austin fit ralentir le véhicule et plissa les yeux : il discernait une forme vague juste au-delà du faisceau des phares. Il manœuvra le submersible afin de mieux la distinguer. L'objet qui gisait sur le flanc semblait être un bloc de pierre massif d'environ quatre mètres de long et deux de large. Les marques sculptées visibles sur ses côtés ne laissaient aucun doute : il ne pouvait s'agir d'une formation rocheuse naturelle.

A côté, on apercevait des monolithes dont certains étaient debout ; d'autres étaient surmontés d'un deuxième bloc, et le tout formait une structure évoquant la lettre *Π*.

— On dirait que nous nous sommes trompés de chemin ; nous voici à Stonehenge, fit Austin.

— Ce sont des monuments funéraires, dit Skye ; les arches indiquent le passage qu'emprunte la procession en direction d'un tombeau.

Austin augmenta la puissance des propulseurs et le véhicule longea six arches identiques, espacées d'environ trois mètres les unes des autres. Puis le terrain, de chaque côté des arches, commença à se vallonner, muant ses flancs naturels en murailles cyclopéennes, comme de grands blocs de maçonnerie.

L'étroit canyon se termina abruptement devant une paroi verticale, percée d'une ouverture rectangulaire qui ressemblait à l'entrée d'une tanière d'éléphant. Un linteau d'environ un mètre de large encadrait la porte et, au-dessus de l'énorme bloc, on distinguait une autre petite ouverture, triangulaire cette fois.

— Incroyable ! s'exclama Skye d'une voix étouffée. C'est un *tholos*.

— Vous avez déjà vu cela ?

— C'est une chambre funéraire en forme de ruche. Il y en a une à Mycènes que l'on appelle le « trésor d'Atrée ».

— En Grèce ? Ce serait donc de l'art funéraire grec ?

— Oui, mais le motif est encore plus ancien. Les tombeaux remontent à 2200 avant J.-C. Ce motif marquait, en Crète et dans d'autres parties de la mer Egée, les monuments funéraires collectifs. Kurt, vous comprenez ce que ça signifie ? s'exclama-t-elle d'une voix tremblante d'excitation. Nous pourrions démontrer que le lien entre la mer Egée et l'Europe est bien plus ancien que ce qu'annoncent les théories actuelles. Je donnerais n'importe quoi pour jeter un coup d'œil à ce tombeau de plus près.

— Mon tarif habituel pour un tombeau sous-marin est une invitation à dîner.

— Vous pourriez nous faire entrer à l'intérieur ?

— Pourquoi pas ? Nous avons suffisamment de place de chaque côté et en hauteur. Il suffit d'y aller lentement.

— Pas question d'y aller lentement ! *Dépêchez-vous. Vite ! Vite !*

Austin se mit à rire et fit avancer le sous-marin vers la cavité. Il était aussi impatient que Skye, mais il progressait avec force précautions. Les phares commençaient à éclairer les parois lorsqu'une voix se fit entendre dans le récepteur radio du véhicule.

— Kurt, ici la base. Veuillez répondre s'il vous plaît.

Dans cet univers abyssal, la voix prenait une vibration métallique, mais Austin reconnut celle du capitaine du bateau de la NUMA.

Il immobilisa doucement le submersible et répondit dans le microphone.

— Ici le Seamobile. Vous me recevez ?

— Votre voix est un peu faiblarde et grinçante, mais je vous entends. Pouvez-vous dire à mademoiselle Labelle que François voudrait lui parler ?

François Balduc était l'observateur français que la NUMA, par courtoisie envers le gouvernement français, avait invité. C'était un bureaucrate d'âge moyen, agréable, qui restait discret, sauf s'il s'agissait de donner un coup de main au cuisinier pour concocter de mémorables festins. Austin tendit le micro à Skye.

Il y eut une discussion animée en français, puis Skye lui rendit le micro.

— Merde ! s'exclama-t-elle en fronçant les sourcils. Il faut qu'on remonte.

— Pourquoi ? Nous avons encore plein de réserves d'air et d'énergie.

— François a reçu un appel d'un type important du ministère. On a besoin de moi immédiatement pour identifier un objet.

— Ça ne devrait pas être si urgent. Ça ne peut pas attendre ?

— En ce qui me concerne, ça pourrait même attendre le retour d'exil de Napoléon, mais je suis subventionnée en partie par le ministère de la Culture et donc je suis plus ou moins ici en mission commandée. Désolée.

Austin considéra l'étroite ouverture.

— Ce tombeau a été dissimulé aux regards depuis peut-être des milliers d'années. Il ne va pas s'envoler.

Skye hocha la tête, mais à l'évidence, le cœur n'y était pas.

Ils coulèrent tous deux un regard plein de regrets à la mystérieuse porte, puis Austin fit exécuter un demi-tour au sous-marin. Lorsqu'ils furent sortis du canyon, il saisit la commande du propulseur vertical, et le submersible commença à remonter.

Quelques instants plus tard, la bulle du cockpit émergeait à la surface non loin du catamaran de la NUMA. Austin contourna le bateau et conduisit le sous-marin jusqu'à une plate-forme immergée entre les deux coques. Le Seamobile fut soulevé et un treuil hissa la plate-forme sur le pont du navire.

François attendait fébrilement leur arrivée et, sur son visage habituellement impassible, se peignait une certaine anxiété.

— Je regrette de vous avoir interrompus dans votre travail, Skye. L'emmerdeur qui m'a appelé s'est montré très insistant.

Elle lui déposa un léger baiser sur la joue.

— Ne vous inquiétez pas, François, ce n'est pas votre faute. Dites-moi ce qu'ils veulent.

Il fit un signe en direction de la montagne.

— Ils veulent que vous alliez là-bas.

— Sur le glacier ? Vous en êtes certain ?

Il hocha vigoureusement la tête.

— Oui, oui, cela m'a surpris moi aussi. Ils ont été très clairs sur le fait qu'ils avaient besoin de vos talents d'expert. On a trouvé quelque chose dans la glace. C'est tout ce que je sais. Le bateau vous attend.

Skye se tourna vers Austin, l'air préoccupé. Il anticipa ses paroles.

— Soyez sans craintes, je vous attendrai pour la visite du tombeau.

Elle lui passa le bras autour du cou et l'embrassa chaleureusement sur les deux joues.

— Merci, Kurt. J'apprécie vraiment.

Elle lui décocha un sourire enjôleur.

— Je connais un petit bistrot sympa sur la rive gauche. Bon rapport qualité prix. (Elle se mit à rire en voyant son air interloqué.) Ne me dites pas que vous avez oublié votre invitation à dîner ? J'accepte.

Avant qu'Austin ait pu répondre, Skye descendit l'échelle et grimpa dans le hors-bord qui l'attendait. Le moteur vrombit et l'embarcation s'éloigna vers la rive. Austin était un homme particulièrement séduisant et il avait rencontré beaucoup de belles femmes fascinantes dans sa carrière. Mais en tant que chef de l'équipe des missions spéciales de la NUMA, il était sur le pont jour et nuit. Il n'était jamais chez lui et son existence de globe-trotter ne lui permettait pas d'entretenir une relation durable. La plupart de ses aventures étaient bien trop brèves.

Austin avait été attiré par Skye dès le premier instant et, s'il décryptait correctement ces petits signes perceptibles dans le regard et la voix de la jeune femme, ce sentiment était partagé. Il se mit à rire en pensant à cette inversion des rôles. Habituellement, c'était lui qui s'élançait quand le devoir l'appelait, tandis que sa conquête du moment rongeait son frein. Il regarda le bateau qui s'éloignait vers le rivage en se demandant quel genre d'objet pouvait avoir suscité un tel remue-ménage. Il regrettait presque de ne pas avoir accompagné Skye.

Quelques heures plus tard, il en remercierait sa bonne étoile.

5

LEBLANC, venu à la rencontre de Skye sur la rive, perçut immédiatement la contrariété de la jeune femme. Mais sous ses dehors bourrus, le Français ne manquait pas de charme et d'esprit. Quelques minutes après que Skye fut montée dans la voiture, le petit homme la faisait rire avec ses histoires sur la capricieuse Fifi.

Skye observa que la 2 CV se dirigeait vers le bas du glacier.

— Je croyais que nous allions sur le glacier, dit-elle.

— Pas sur le glacier, mademoiselle. Nous allons en dessous. Mes collègues et moi-même étudions le mouvement de la glace dans un observatoire situé à deux cent quarante mètres sous le Dormeur.

— Je ne m'en serais jamais doutée, dit Skye. Dites-m'en un peu plus.

Leblanc hocha la tête et se lança dans des explications sur son travail à l'observatoire. A mesure qu'elle l'écoutait, attentive, la curiosité scientifique de Skye prit le pas sur son irritation d'avoir été arrachée au sous-marin.

— Et vous, quelle est la nature de votre travail sur ce bateau ? demanda Leblanc lorsqu'il eut terminé. Nous sommes sortis de notre trou un beau matin et voilà, le bateau était là, comme par magie.

— Je suis professeur d'archéologie à la Sorbonne. L'Agence

nationale marine et sous-marine américaine a eu la gentillesse de mettre un bateau à ma disposition pour mes recherches. Nous avons suivi la rivière qui arrive au lac du Dormeur. J'espère trouver des indices sur l'existence de relais de commerce de l'ancienne route de l'Ambre sous les eaux du lac.

— C'est fascinant ! Avez-vous déjà fait des découvertes intéressantes ?

— Oui. C'est pourquoi j'ai hâte de revenir à mon travail dès que possible. Pourriez-vous me dire pourquoi on a besoin de mes services de façon si urgente ?

— Nous avons trouvé un cadavre gelé dans la glace.

— Un cadavre ?

— Nous pensons qu'il s'agit du corps d'un homme.

— Comme l'homme de glace ? demanda-t-elle en se rappelant le corps momifié du chasseur néolithique trouvé dans les Alpes quelques années plus tôt.

Leblanc secoua la tête.

— Nous pensons que celui-là, le pauvre, est d'origine bien plus récente. Au départ, nous avons cru qu'il s'agissait d'un alpiniste tombé dans une crevasse.

— Et qu'est-ce qui vous a fait changer d'avis ?

— Vous verrez.

— Je vous en prie, monsieur Leblanc, ne jouez pas aux devinettes avec moi, répliqua Skye d'un ton sec. Je suis spécialiste des armes et armures anciennes, pas des vieux cadavres. Pourquoi m'a-t-on fait venir ?

— Mes excuses, mademoiselle. C'est monsieur Renaud qui nous a priés de ne rien dire.

Skye fut abasourdie.

— Renaud ? Du Conseil national de la recherche archéologique ?

— Lui-même, mademoiselle. Il est arrivé quelques heures après que nous avons prévenu les autorités de notre découverte, et il s'est autoproclamé responsable des opérations. Vous le connaissez ?

— Oh pour ça oui, je le connais.

Elle s'excusa auprès de Leblanc de s'être emportée et se cala dans son siège, les bras croisés sur la poitrine. Je ne le connais que trop, songeait-elle.

Auguste Renaud, professeur d'anthropologie à la Sorbonne, passait peu de temps à enseigner, et fort heureusement pour les étudiants qui ne l'estimaient guère, préférant consacrer son énergie à des jeux politiques. Il s'était bâti un réseau de relations qui lui avait permis de s'élever jusqu'au Conseil national de la recherche archéologique, usant de son influence pour récompenser ou sanctionner. Il avait contré plusieurs projets de Skye, sous-entendant qu'il pourrait lui faciliter la tâche si elle voulait bien coucher avec lui. Ce à quoi Skye avait répliqué qu'elle préférerait coucher avec un cafard.

Leblanc gara la 2 CV et conduisit Skye à l'entrée du tunnel. Il se faufila dans l'étroit conduit et, après un instant d'hésitation, la jeune femme le suivit. Avant de se mettre en route, Leblanc équipa Skye d'un casque muni d'une lampe. Au bout de cinq minutes, ils étaient au lieu de vie. Leblanc téléphona au labo pour prévenir de leur arrivée, puis ils se mirent en route pour la demi-heure de marche qui les séparait du labo.

Tandis qu'ils progressaient dans le tunnel, leurs pas résonnaient sur les parois ruisselantes. Skye jeta un regard sur leur environnement humide.

— On se croirait à l'intérieur d'une botte en caoutchouc.

— Ce n'est pas vraiment les Champs-Elysées, je vous l'accorde. Mais la circulation est bien plus fluide qu'à Paris.

Skye était impressionnée par la somme de travail qu'avait demandé la construction de ce tunnel et, tandis qu'ils s'avançaient plus profondément sous la glace, elle bombardait son compagnon de questions. Ils arrivèrent devant une porte en acier cerclée de béton, percée dans le mur du tunnel.

— Où mène cette porte ? demanda-t-elle.

— A un autre tunnel relié au système hydroélectrique. Lorsque le débit de l'eau est faible, plus tôt dans l'année, nous pouvons ouvrir la porte, passer à gué un petit cours d'eau et atteindre des endroits plus éloignés du système. Mais en ce moment le niveau est trop élevé, nous fermons donc la porte.

— On peut se rendre à la centrale électrique d'ici ?

— Il y a des tunnels partout sous la montagne et sous la glace, mais seuls les secs sont accessibles. Les autres acheminent l'eau à la centrale. Une rivière naturelle coule sous le glacier et le courant peut devenir assez fort. Habituellement, nous ne travaillons pas si tard dans la saison. La neige qui fond se met à couler dans les cavités naturelles entre la roche et la glace, créant des poches qui ralentissent nos recherches. Mais notre travail nous a pris plus de temps que prévu au printemps.

— Et comment l'air se renouvelle-t-il? fit Skye en humant l'atmosphère saturée d'eau.

— Si nous passions sous le labo et que nous continuions sous le glacier pendant encore environ un kilomètre, nous aboutirions à une issue de l'autre côté de la glace. On l'a laissée ouverte comme l'entrée d'une mine, l'air arrive de là.

Skye se mit à frissonner dans l'humidité glacée.

— J'admire votre détermination. Ce n'est pas un endroit des plus agréables pour travailler.

Le rire profond de Leblanc se répercuta sur les parois détrempées.

— C'est même un endroit parfaitement désagréable, très ennuyeux, et nous sommes sans arrêt trempés jusqu'aux os. Sur les trois semaines que nous passons ici, nous sortons de temps en temps à la lumière du soleil, mais le retour dans le souterrain est ensuite trop déprimant, aussi avons-nous tendance à rester dans le labo qui est sec et bien éclairé. Il est équipé d'ordinateurs, d'un système de filtration des sédiments et même d'une chambre froide qui nous permet de travailler sur des échantillons de glace sans qu'ils fondent. Après une journée de travail de dix-huit heures, vous vous douchez et vous vous mettez au lit, et finalement le temps passe vite. Ah, nous y voilà!

Comme le lieu de vie, le labo en préfabriqué était niché dans un renfoncement creusé dans la paroi du tunnel. Alors que Leblanc se dirigeait vers le bâtiment, la porte s'ouvrit et une grande et mince silhouette en sortit. La vue de Renaud raviva la colère latente de Skye. En fait, il ressemblait davantage à une mante religieuse qu'à un cafard. Il avait un visage triangulaire, doté d'un front large et d'un menton pointu. Son nez était long et ses yeux petits et rapprochés. Ses cheveux clairsemés étaient d'un roux terne.

Renaud salua Skye avec la même poignée de main molle et moite qui avait provoqué sa répugnance lorsqu'elle l'avait rencontré pour la première fois.

— Bonjour, chère mademoiselle Labelle. Merci d'être venue dans ce souterrain sombre et humide.

— Je vous en prie, professeur. (Elle promena son regard sur les lieux peu accueillants.) Voilà un environnement qui doit vous convenir à merveille.

Renaud ignora l'ironie de la remarque et détailla Skye des pieds à la tête comme s'il pouvait voir à travers ses épais vêtements.

— N'importe quel endroit me convient à merveille, pourvu que je m'y trouve en votre compagnie.

Skye réprima un haut-le-cœur.

— Peut-être pourriez-vous me dire pour quelle raison capitale j'ai été arrachée à mon travail ?

— Avec plaisir.

Il s'approcha pour lui prendre le bras, mais Skye s'écarta et prit celui de Leblanc.

— Montrez-nous le chemin, déclara-t-elle.

Le glaciologue avait assisté à la joute verbale avec un regard amusé. Il sourit à Skye de toutes ses dents et ils montèrent bras dessus, bras dessous un escalier raide en bois grossier, qui les mena à un tunnel d'environ quatre mètres de haut et trois de large.

A une vingtaine de pas de l'escalier, ils arrivèrent à un embranchement en Y. Leblanc escorta Skye dans la branche droite. De l'eau coulait dans un fossé de drainage peu profond. Un tuyau en caoutchouc noir d'environ dix centimètres de diamètre courait le long d'un mur.

— Une conduite d'eau, expliqua Leblanc. Nous recueillons l'eau du drainage, nous la réchauffons puis la faisons couler sur la glace pour la faire fondre. La glace est comme du mastic au fond du glacier. Nous la faisons fondre en permanence, sinon le tunnel se refermerait de presque un mètre par jour.

— C'est très rapide, fit Skye.

— Extrêmement. Parfois, lorsque nous pénétrons d'une cinquantaine de mètres sous le glacier, nous devons veiller à ce que la glace ne se referme pas derrière nous.

Le tunnel, haut d'environ trois mètres, se transformait en pente glissante. Ils grimpèrent sur une échelle afin d'accéder à une grotte de glace assez spacieuse pour contenir une douzaine de personnes. A part quelques zones recouvertes de terre amenée par les mouvements du glacier, les parois étaient teintées de bleu.

— Nous sommes au fond du glacier, expliqua Leblanc. Il n'y a que de la glace au-dessus de nos têtes, et ce sur deux cent quarante mètres. C'est la partie la plus sale de l'écoulement glaciaire. Il est de plus en plus propre au fur et à mesure qu'on perce la glace. Je dois maintenant vous laisser, j'ai un travail à faire pour M. Renaud.

Skye le remercia et dirigea son attention vers la paroi opposée, où un homme vêtu d'un ciré aspergeait la glace avec un tuyau d'eau chaude. En fondant, la glace créait des nuages de vapeur, qui rendaient l'air humide et encore plus pénible à respirer. L'homme éteignit le jet d'eau lorsqu'il s'aperçut qu'il avait des visiteurs, et vint leur serrer la main.

— Bienvenue dans notre petit observatoire, mademoiselle. J'espère que le voyage depuis l'extérieur n'a pas été trop éprouvant. Je m'appelle Hank Thurston, je suis le collègue de Bernie. Je vous présente Craig Rossi, notre assistant de l'université de l'Iowa, dit-il en désignant un homme d'une vingtaine d'années, et Derek Rawlins, qui écrit un article sur notre travail pour le magazine *Outside*.

Tandis que Skye les saluait, Renaud se dirigea tout droit vers la paroi de glace et se pencha pour examiner une silhouette vaguement humaine emprisonnée dans la glace.

— Comme vous pouvez le constater, ce monsieur est congelé depuis un petit bout de temps, dit Renaud. Puis il ajouta en se tournant vers Skye : tout comme certaines femmes de ma connaissance.

Sa plaisanterie ne fit rire personne, et Skye passa devant lui pour poser ses doigts sur le contour de la sombre silhouette. Les membres étaient tordus dans des positions grotesques.

— Nous l'avons découvert en voulant agrandir la grotte, expliqua Thurston.

— Il ressemble plus à un insecte écrasé sur un pare-brise qu'à un homme, fit remarquer Skye.

— Nous avons de la chance qu'il ne soit pas réduit en bouillie. Il est plutôt en bon état, vu les circonstances. La glace au fond du glacier, avec tout ce qui s'y trouve, est comprimée comme du mastic par une pression de plusieurs centaines de tonnes.

Skye observa la silhouette.

— Est-ce que vous supposez qu'au départ il se trouvait sur le dessus du glacier ?

— Certainement, dit Thurston. Pour un glacier de vallée comme le Dormeur ou d'autres dans les Alpes, une certaine quantité de neige passe à travers la glace.

— Et combien de temps croyez-vous que cela ait pu prendre ?

— D'après mes estimations, il faudrait environ cent ans pour passer du dessus au fond du Dormeur. Et uniquement si la chose en question se trouve près de la tête du glacier, haut dans la montagne, là où la glace s'écoule aussi bien verticalement qu'horizontalement.

— Dans ce cas, il est possible qu'il s'agisse d'un alpiniste tombé dans une crevasse.

— C'est ce que nous avons tout d'abord cru avant de l'observer attentivement.

Skye approcha son visage de la glace. Le corps était presque entièrement recouvert de cuir sombre, depuis les bottes jusqu'au casque à la Snoopy. Des touffes de doublure en fourrure étaient visibles çà et là. Un revolver dans son étui était encore attaché à sa ceinture.

Son regard se porta sur le visage de l'homme. Les traits étaient peu visibles à travers la glace, mais la peau semblait burinée et mate comme s'il avait été beaucoup exposé au soleil. Les yeux étaient protégés par une paire de lunettes.

— Incroyable, murmura-t-elle avant de reculer et de se tourner vers Renaud. Mais qu'ai-je à voir là-dedans ?

Renaud sourit et se dirigea vers un bac en plastique d'où il tira en grognant un casque métallique.

— Voici ce qui a été trouvé près de la tête de l'homme.

Skye prit le casque et se pencha en pinçant les lèvres sur le motif complexe. La visière était décorée d'un visage masculin, avec un large nez et une moustache broussailleuse. Sur le sommet, orné de fleurs et de tiges entremêlées, des créatures mythologiques tournaient comme des planètes autour d'un aigle à trois têtes stylisé. Les bouches de l'aigle étaient ouvertes en un cri de défi, et il tenait dans ses serres acérées une poignée de lances et de flèches.

— En fait, nous avons d'abord trouvé le casque, expliqua Thurston. Nous avons immédiatement arrêté la pompe, ce qui a heureusement permis d'éviter d'endommager le corps.

— Sage décision, commenta Renaud. Un site archéologique est très sensible à toute contamination, tout comme la scène d'un crime.

Skye passa les doigts à travers un trou du casque.

— On dirait un impact d'arme à feu.

— D'arme à feu ! ricana Renaud. Une lance ou une flèche serait plus probable.

— Il n'est pas inhabituel de trouver une marque, un trou dans une armure à un endroit où elle a été exposée à l'épreuve d'un coup de feu. Ce trou est étrangement propre. L'acier est d'une qualité exceptionnelle. Regardez, à part quelques éraflures et quelques bosses, il a été à peine endommagé par la glace qui l'écrasait. Je suis surprise qu'une balle ait pu le percer. Vous avez appelé un expert médico-légal ? demanda-t-elle.

— Il devrait arriver demain, dit Renaud. Nous n'avons pas besoin d'un expert pour nous rendre compte que ce type est mort. Alors, que pensez-vous de ce casque ?

— Je ne saurais pas le dater. Sa forme ressemble à des modèles que j'ai vus, mais les motifs me sont inconnus. Il faudrait que je découvre un poinçon d'armurier et que je le confronte avec ma base de données. Les vêtements et l'arme semblent du

XXe siècle, ajouta-t-elle en se retournant vers le cadavre. D'après sa tenue et ses lunettes, il doit s'agir d'un aviateur. Mais pourquoi aurait-il porté ce vieux casque, si c'était bien le cas?

— Très intéressant, mademoiselle, fit Renaud en soupirant d'impatience, mais j'espérais que vous pourriez nous aider un peu plus sur ce point.

Il lui prit le casque des mains et le reposa dans la caisse, d'où il sortit un petit coffre-fort. Il portait, serrée contre lui, comme un enfant, la boîte métallique cabossée.

— Ceci se trouvait près du corps, reprit Renaud. Ce que nous découvrirons à l'intérieur nous aidera peut-être à identifier cette personne et à imaginer comment elle a atterri ici. Entre-temps, dit-il à Thurston, je voudrais que vous continuiez à faire fondre la glace autour du corps, au cas où il y aurait d'autres objets permettant une identification. J'en prends l'entière responsabilité.

Thurston lui jeta un regard sceptique et haussa les épaules.

— Vous êtes dans votre pays, lâcha-t-il avant de reprendre le tuyau d'eau chaude.

Il fit fondre encore une épaisseur de glace d'une dizaine de centimètres de chaque côté du corps, sans rien découvrir. Au bout d'un moment, ils regagnèrent le laboratoire pour se sustenter et se réchauffer un peu, avant de revenir dans la grotte et reprendre leurs recherches. Lorsque Renaud déclara qu'il restait au labo, personne ne protesta.

Thurston travaillait depuis quelque temps sur la glace lorsque Renaud les rejoignit et tapa dans ses mains pour attirer l'attention.

— Nous allons faire une pause, lança-t-il. Nous avons de la visite.

Des voix animées résonnaient dans le tunnel. Un instant plus tard, trois hommes équipés d'appareils photo, de caméras et de carnets faisaient irruption dans la grotte. A l'exception d'un individu de grande taille qui restait poliment en retrait, les autres se bousculèrent bruyamment et jouèrent des coudes dans leur hâte pour filmer le corps.

Skye attrapa Renaud par la manche et le prit à part.

— Mais que font ces journalistes ici? demanda-t-elle.

— C'est moi qui les ai invités, rétorqua-t-il en la toisant, et triés sur le volet pour rendre compre de cette grande découverte.

— Mais vous ne savez même pas de quelle découverte il s'agit ! s'exclama Skye avec un mépris non dissimulé. Dire que vous venez de nous faire la morale sur la nécessité de ne pas contaminer un site archéologique !

Il balaya ces objections d'un revers de main.

— Il est important que le monde ait connaissance de cette merveilleuse découverte.

Renaud éleva la voix pour se faire entendre des journalistes.

— Je répondrai à toutes vos questions concernant la momie dès que nous serons sortis du tombeau, déclara-t-il en quittant le premier les lieux.

Skye bouillonnait de rage.

— Putain, c'est pas croyable ! s'exclama Rawlins, le journaliste américain. La momie. Le tombeau. On croirait qu'il vient de découvrir le sarcophage de Toutankhamon.

Les photographes prirent encore une salve de clichés et sortirent, à l'exception du grand type. Il mesurait près de deux mètres, son visage était d'un blanc cireux et sa musculature était aussi impressionnante que sa taille. Il portait un appareil photo autour du cou et un grand sac de toile en bandoulière. Le visage impassible, il regarda le corps puis suivit les autres.

— J'ai entendu ce que vous avez dit à Renaud, déclara Thurston à Skye. La glace va bientôt recommencer à se former et cela protégera peut-être le site.

— Bon. En attendant, voyons ce que cet imbécile nous concocte.

Ils se hâtèrent de sortir de la grotte, regagner l'échelle puis les marches en bois. Renaud se tenait devant le laboratoire, et présentait le coffre-fort au-dessus de sa tête.

— Qu'y a-t-il à l'intérieur? s'écria un journaliste.

— Nous ne le savons pas. Il faudra l'ouvrir dans un environnement contrôlé afin de ne pas endommager le contenu.

Il pivota sur ses talons pour que tout le monde puisse prendre une photo. Mais le grand type les ignora ; il préféra jouer des coudes en ignorant les murmures de protestation des autres journalistes et se planter devant Renaud.

— Donnez-moi ce coffre, dit-il sur un ton monocorde en tendant sa grande main.

Renaud sursauta. Puis, croyant à une plaisanterie, il décida de jouer le jeu. Il sourit et serra le coffre sur sa poitrine.

— Plutôt mourir, dit-il.

— Comme vous voudrez, fit l'homme sans élever le ton.

Il passa la main sous son manteau, en sortit un pistolet et donna un grand coup sur les articulations de Renaud. L'expression de ce dernier passa de la surprise à la douleur. Il s'effondra à genoux en serrant de sa main valide ses doigts fracturés.

L'homme rattrapa le coffre avant qu'il ne tombe à terre. Il fit volte-face et braqua son arme sur les deux journalistes qui tombèrent l'un sur l'autre en voulant reculer, puis s'éloigna à grandes enjambées dans le tunnel.

— Arrêtez-le ! s'écria Renaud malgré sa douleur, la main toujours crispée sur ses doigts écrabouillés.

— Et le téléphone ? demanda un journaliste.

Thurston souleva le combiné mural et le porta à son oreille.

— Rien, fit-il avec un froncement de sourcils. On a dû couper la ligne. De toute façon, il n'y a personne pour l'instant au lieu de vie. Il va falloir ressortir pour aller chercher de l'aide.

Thurston et Leblanc aidèrent Renaud à se relever. Ils soignèrent tant bien que mal sa main avec une trousse de secours tandis que les journalistes gambergeaient sur l'identité du grand type. Aucun d'eux ne le connaissait. Il était tout simplement arrivé muni d'une carte de presse et on lui avait donné un siège dans l'hydravion qui les avait déposés au bord du lac, où Leblanc était venu les chercher.

Leblanc et Skye décidèrent d'accompagner Thurston tandis que les journalistes préféraient attendre d'être sûrs que l'homme ne s'était pas posté dans le tunnel. Ils marchèrent à vive allure pendant quelques minutes, leurs lampes perçant la pénombre. Puis ils ralentirent le pas et se mirent à avancer plus prudemment, comme s'ils s'attendaient à ce que le géant leur saute dessus dans l'obscurité. Ils tendirent l'oreille, mais hormis le ruissellement de l'eau sur le plafond et les parois, tout était silencieux.

Soudain, une forte explosion retentit devant eux, suivie d'un choc qui fit trembler le sol. Presque instantanément, une vague d'air chaud envahit le tunnel. Ils se jetèrent au sol, essayant d'enfouir leur visage dans le sol humide tandis que l'onde de choc passait au-dessus d'eux.

Lorsque la situation se fut calmée, ils se relevèrent, essuyant la boue qui maculait leurs visages. Leurs oreilles bourdonnaient et ils devaient crier pour s'entendre.

— Mais qu'est-ce que c'était ? s'exclama Leblanc.

— Allons voir, répondit Thurston, qui s'élança en craignant le pire.

— Attendez ! fit Skye.

— Qu'y a-t-il ? demanda Thurston.

— Regardez à vos pieds.

Les lampes de leurs casques se braquèrent sur quelque chose qui étincelait et coulait sur le sol.

— L'eau ! hurla Thurston.

Le torrent se précipitait vers eux.

Ils firent demi-tour et s'enfoncèrent dans le tunnel, talonnés par les vagues.

6

AUSTIN, armé de ses ses jumelles, avait vu Skye monter dans une voiture et suivi la progression du véhicule jusqu'à ce qu'il grimpe sur un côté du glacier avant de disparaître derrière la lisière des arbres. C'était comme si la terre l'avait avalée. Appuyé au bastingage, son regard fut attiré par la langue du Dormeur. Avec sa surface tachetée, encadrée par des pics sombres et menaçants, le glacier ressemblait à un paysage de Pluton. Le soleil scintillait sur la glace sans pourtant atténuer les vagues de froid qui dévalaient la surface et dégringolaient sur la surface miroitante du lac.

Repensant à la théorie de Skye sur les caravanes de la route de l'Ambre qui auraient contourné le lac, il essaya de se mettre à la place des voyageurs de l'Antiquité et se demanda ce qu'il aurait ressenti devant un glacier aussi grand et impressionnant que celui-ci. Très certainement, il l'aurait pris pour une création des dieux qu'il fallait apaiser. Peut-être le tombeau sous-marin avait-il un rapport avec le glacier. Il se sentait aussi impatient que la jeune femme et trépignait de reprendre leur exploration. Il n'aurait pas eu de mal à mettre à l'eau le sous-marin et à se lancer seul dans l'aventure, mais elle ne le lui pardonnerait jamais. Et il la comprendrait.

Austin décida d'aller s'assurer que le submersible serait prêt à plonger dès le retour de Skye. Tandis qu'il passait le véhicule au peigne fin, Austin se rappelait les recommandations de son père et redoublait de vigilance. En effet celui-ci, propriétaire prospère d'une entreprise de renflouage marin basée à Seattle, avait enseigné à Kurt les rudiments de la navigation, et donné les conseils de base concernant la mer. Ne jamais faire un nœud qui ne peut pas se défaire en tirant sur l'amarre, même mouillée. Et toujours garder son bateau impeccablement briqué, avec une place pour chaque chose et chaque chose à sa place.

Austin avait pris à cœur les leçons paternelles. Les nœuds qu'il avait appris à maîtriser par une longue pratique ne se bloquaient jamais. Il veillait à enrouler soigneusement les amarres du canot que son père lui avait construit, à entretenir les pièces en bois poli et à éviter que le métal ne rouille. Il avait gardé en tête ces mises en garde lorsqu'il était allé à l'université. Et tandis qu'il étudiait le management des systèmes à l'université de Washington, il prenait également des cours dans une école de plongée de haut niveau de Seattle et s'entraînait pour devenir plongeur professionnel, accumulant les spécialisations et diversifiant ses compétences.

Après ses études, il avait travaillé deux ans sur des plates-formes pétrolières en mer du Nord, puis intégré la société de renflouage de son père pendant six ans, après quoi il avait été recruté au service du gouvernement. A la fin de la guerre froide, la CIA avait fermé sa branche et il s'était orienté vers la NUMA.

En tant qu'amoureux de la philosophie, qui répondait à sa quête de vérité et de sens, Austin savait que les paroles de son sage de père allaient au-delà des tâches pratiques associées à l'entretien d'un bateau : c'était une vraie leçon de vie, qui mettait l'accent sur la rigueur et la nécessité de pouvoir parer à toute éventualité. Ces conseils, Austin les prenait très au sérieux, et son attention aux moindres détails lui avait sauvé la vie ainsi qu'à d'autres en plus d'une occasion.

Il vérifia l'état des batteries, s'assura que les réservoirs d'air avaient été remplacés par de nouveaux et examina le véhicule d'un œil expérimenté. Satisfait de son inspection, il tapota doucement le dôme transparent.

— Chaque chose à sa place, murmura-t-il avec un sourire.

Austin redescendit sur le pont du *Mummichug*. Le bâtiment à deux coques long de vingt-cinq mètres était le plus petit navire de recherche de la NUMA sur lequel il ait travaillé. Comme le choquemort, le petit poisson qui lui avait donné son nom, il était aussi à l'aise en eau douce qu'en eau de mer. C'était une nouvelle version, améliorée, d'un bateau conçu pour mener à bien des missions côtières dans les eaux dangereuses du littoral de Nouvelle-Angleterre.

Il tenait bien la mer et était rapide, propulsé par des moteurs diesel qui lui permettaient d'atteindre une vitesse de vingt nœuds. On pouvait y faire dormir huit personnes, et il était idéal pour des missions courtes. Malgré sa petite taille, le *Mummichug* était équipé de treuils et de portiques de levage capables de hisser de lourdes charges. De toute façon, un bateau plus grand n'aurait pas pu emprunter la rivière sinueuse qui menait au glacier.

Livré à lui-même, Austin alla se chercher un café dans le poste d'équipage, puis descendit au labo de télédétection. C'était un espace exigu, les écrans d'ordinateurs encombraient les tables. Comme tout le reste sur le bateau, le labo, bien que petit, était un concentré de haute technologie, muni d'instruments de détection sophistiqués.

Il se laissa tomber sur un siège devant un écran, prit une gorgée de café et ouvrit le fichier de données du sonar latéral. Le Dr Harold Edgerton avait mis au point cette technique en 1963, qui consistait à monter un sonar sur le côté du bateau plutôt qu'au fond. Cette découverte avait permis aux navires de surface d'étudier de larges étendues sous-marines, révolutionnant les techniques de recherche sous-marine.

Lorsque le *Mummichug* était arrivé, Skye lui avait demandé d'analyser la rive opposée au glacier, obstacle majeur pour les caravanes, et elle supposait que les voyageurs avaient pu s'attarder le long de la rivière avant de la franchir à gué et qu'ils avaient probablement construit un campement dans les environs. Le cours d'eau lui-même pouvait avoir été utilisé comme affluent de la route de l'Ambre.

Tandis que le submersible menait sa mission sous-marine, le *Mummichug* avait ainsi continué à sonder les fonds. Austin voulait voir ce qu'il avait découvert. Il alluma l'écran et, lentement, l'image haute résolution du fond restitué par le sonar apparut, faisant penser à deux cascades ambrées. En haut à droite, des chiffres indiquaient la position exacte.

L'interprétation d'images reconstituées par un sonar, analyse peu passionnante, requiert un œil exercé. Avec son fond plat et caillouteux, le lac du Dormeur était même particulièrement monotone. Les pensées d'Austin se mirent à vagabonder. Ses paupières s'alourdissaient, mais une anomalie attira son attention et le réveilla tout à fait. Il revint en arrière, s'approcha de l'écran pour examiner la croix sombre qui se détachait sur le fond uniforme, puis il cliqua pour agrandir l'image et en faire ressortir les détails.

Ce qu'il avait sous les yeux était un avion ; il en distinguait même le cockpit. Il cliqua sur l'icône d'impression et quelques secondes plus tard, se saisit de l'image imprimée, qu'il se mit à étudier sous une lampe puissante. On aurait dit qu'il manquait un morceau d'aile. Il se leva de son siège et se dirigeait vers la porte dans l'intention d'avertir le capitaine de sa découverte, lorsque François fit irruption dans le labo. L'observateur français, manifestement agité, s'était départi de son habituel sourire imperturbable, laissant place à la panique, comme si la tour Eiffel venait de s'effondrer.

— Monsieur Austin, venez vite sur le pont.

— Que se passe-t-il ?

— C'est au sujet de Mlle Labelle.

L'estomac d'Austin se retourna.

— Que lui est-il arrivé ?

Un incompréhensible mic-mac de franglais se déversa de la bouche de l'homme. Austin passa devant lui et grimpa deux par deux les marches afin d'accéder à la passerelle. Le capitaine était dans la timonerie et parlait dans un micro. Lorsqu'il vit Kurt, il demanda à son interlocuteur de ne pas quitter, et posa son micro.

Le capitaine Jack Fortier, Québécois d'origine, était devenu citoyen américain afin de travailler pour la NUMA. Sa connaissance du français s'était révélée très utile dans cette mission, bien que son fort accent canadien ait fait ricaner quelques

Français. Mais, comme l'avait dit Fortier à Austin, ces moqueries ne l'atteignaient pas puisque sa langue à lui était plus pure que celle que parlaient maintenant les Français de France. D'ailleurs, rien ne semblait atteindre cet homme, et son front plissé d'inquiétude surprit d'autant plus Austin.

— Qu'est-il arrivé à Skye? demanda Austin sans préambule.

— Je suis au téléphone avec le superviseur de la centrale électrique. Il dit qu'il y a eu un accident.

Un frisson parcourut la colonne vertébrale d'Austin.

— Quel genre d'accident?

— Eh bien, Skye et d'autres personnes se trouvaient dans un tunnel sous le glacier...

— Mais que faisait-elle là-dedans?

— Il y a un observatoire sous la glace pour les scientifiques qui étudient les mouvements du glacier. Cela fait partie du réseau de tunnels que la compagnie d'électricité a construit pour utiliser l'eau de la fonte du glacier. Apparemment, il y a eu un problème et l'eau a inondé le tunnel.

— Est-ce que la centrale a pu contacter l'observatoire?

— Non, la ligne téléphonique est coupée.

— Donc nous ne savons pas s'ils sont morts ou vivants.

— Vraisemblablement non, murmura Fortier.

Cette incertitude requinqua Austin. Il prit une grande inspiration et expira lentement, essayant de reprendre ses esprits.

Une fois remis de ses émotions, il déclara :

— Dites au superviseur de la centrale que je veux le voir. Demandez-lui de préparer des plans détaillés du tunnel. Et préparez-moi l'annexe en vitesse pour que j'aille à terre.

Austin s'interrompit en se rendant compte qu'il aboyait des ordres au capitaine.

— Excusez-moi, je ne voulais pas avoir l'air d'un sergent instructeur. C'est votre bateau. Il ne s'agit que de suggestions.

— Suggestions acceptées, fit le capitaine avec un sourire. Ne vous en faites pas, je n'ai moi-même pas la moindre idée de ce qu'il faut faire. Le bateau et l'équipage sont à votre disposition.

Le capitaine Fortier reprit le micro et continua sa conversation en français.

Austin regarda le glacier à travers la vitre de la timonerie. Il était aussi immobile qu'une statue de bronze mais son calme était trompeur. Immédiatement, sa vivacité d'esprit lui fit envisager diverses stratégies, conscient néanmoins qu'il ne pouvait s'agir que de spéculations, puisqu'il ne savait pas encore exactement à quoi il avait affaire.

Il repensa à l'expression charmeuse de Skye lorsqu'elle avait quitté le bateau. Les chances étaient peut-être minces, mais il souhaitait vivement revoir ce sourire enchanteur.

7

UNE camionnette attendait Austin sur la rive. Le chauffeur gravit la colline vers la centrale à tombeau ouvert. Tandis qu'ils approchaient du bloc en béton, construit au pied d'une falaise, Austin distingua quelqu'un qui semblait faire les cent pas devant l'entrée. Lorsque le camion s'arrêta en dérapant, l'homme se jeta sur la portière d'Austin qu'il ouvrit précipitamment et lui tendit la main.

— Parlez-vous français, monsieur Austin ?

— Un petit peu, répondit-il en descendant.

— D'accord, okay, fit l'homme avec un sourire bienveillant. Je me débrouille en anglais. Je m'appelle Guy Lessard. Je suis le chef d'exploitation de la centrale. C'est une terrible histoire.

— Dans ce cas, vous devez savoir que le temps nous est compté, répliqua Austin.

Lessard était un petit homme sec, à la moustache soigneusement taillée. Nerveux, il dégageait une énergie électrique, comme s'il était branché sur les lignes haute tension qui sortaient de la centrale sur de hauts pylônes.

— Oui, je comprends. Venez, je vais vous expliquer la situation.

Il entra d'un pas vif à l'intérieur de la centrale. Austin balaya du regard le petit hall d'entrée insignifiant.

— En fait, je m'attendais à une usine beaucoup plus grande, dit-il.

— Ne vous y trompez pas, l'avertit Lessard. Il ne s'agit que de l'entrée de la centrale. Ce bâtiment est utilisé pour les bureaux et les salles de repos. La centrale proprement dite est creusée sous la montagne. Venez.

Ils franchirent une deuxième porte de l'autre côté de l'entrée et se retrouvèrent dans une grande grotte bien éclairée.

— Nous avons profité des formations rocheuses naturelles pour commencer à percer les tunnels, expliqua Lessard dont la voix rebondissait sur les parois. En tout, il y a une cinquantaine de kilomètres de tunnels sous la montagne et le glacier.

Austin émit un petit sifflement.

— Plus long que certaines autoroutes américaines ! fit-il.

— C'est un ouvrage formidable. Les techniciens ont utilisé un tunnelier de près de dix mètres de diamètre. Cela n'a pas été si compliqué de percer le tunnel destiné aux recherches.

Il guida Austin vers une entrée du tunnel, on y détectait le bourdonnement d'une centaine de ruches.

— Ce bruit doit provenir de votre générateur, dit-il.

— Oui. Nous n'utilisons qu'une seule turbine pour l'instant, mais nous avons le projet d'en construire une deuxième.

Il s'arrêta devant la porte du tunnel.

— Nous arrivons à la salle de contrôle.

Une pièce stérile d'environ cinquante mètres carrés constituait le centre névralgique de la centrale, comme une machine à sous géante. Trois des murs étaient couverts de panneaux de voyants clignotants, de cadrans électriques, de compteurs et d'interrupteurs. Lessard s'approcha d'une console en forme de fer à cheval qui dominait le centre de la pièce, s'assit devant un écran et fit signe à Austin de prendre place à côté de lui.

— Vous savez ce que nous faisons dans cette usine ? lui demanda-t-il.

— Vous recueillez l'eau de la fonte du glacier pour créer de l'énergie hydroélectrique ?

Lessard hocha la tête.

— La technologie n'est pas très complexe. La neige tombe du ciel et s'accumule sur le glacier. Lorsque le temps se réchauffe, la glace fond, formant nappes d'eau et rivières. Le flot est amené par les tunnels jusqu'à la turbine et voilà, vous avez de l'électricité. Propre, bon marché et renouvelable, conclut-il sans parvenir à dissimuler sa fierté.

— Simple en théorie, mais impressionnante dans son application, dit Austin en se représentant le système. Vous devez avoir une équipe importante.

— Nous ne sommes que trois, dit Lessard. Un pour chaque tranche de huit heures. La centrale est entièrement automatisée et pourrait sans doute fonctionner sans nous.

— Pourriez-vous me montrer un schéma du réseau?

Lessard pianota sur son clavier et un schéma s'afficha sur l'écran, semblable à un plan dans un poste de contrôle de métro. Les lignes de couleur entremêlées rappelèrent à Austin celui de Londres.

— Ces lignes bleues qui clignotent représentent les tunnels remplis d'eau. Les rouges sont des tunnels secs. La turbine est ici.

Austin scruta les lignes, essayant de se repérer dans ce schéma complexe.

— Quel tunnel a été inondé?

Lessard tapota l'écran.

— Celui-ci. L'accès principal à l'observatoire.

La ligne clignotait en bleu.

— Est-ce qu'il y a un moyen de fermer les vannes?

— Nous avons essayé dès que nous avons détecté la présence d'eau dans le tunnel de recherche. Apparemment, le mur de béton qui sépare ce tunnel de celui où circule l'eau a cédé. Nous avons pu réduire les dégâts en détournant le flot. Mais le tunnel de recherche reste rempli d'eau.

— Est-ce que vous avez une idée de la manière dont ce mur a pu se rompre?

— Il y a une porte à cette intersection, qui permet d'accéder d'un tunnel à l'autre. Par mesure de précaution, elle est fermée à cette époque de l'année puisque l'eau est trop haute. Mais la porte est conçue pour résister à une pression de plusieurs tonnes. Je ne sais pas ce qui a pu se passer.

— Est-ce qu'il y a un moyen d'évacuer l'eau du tunnel?

— Oui, nous pourrions sceller certains tunnels et pomper l'eau vers l'extérieur, mais cela prendrait des jours, répondit Lessard, pessimiste.

Austin tendit la main vers l'écran clignotant devant eux.

— Même en utilisant tout le réseau ?

— Je vais vous montrer quel est le problème.

Lessard sortit le premier de la salle de contrôle et Austin le suivit dans un tunnel pendant plusieurs minutes. Le ronronnement omniprésent de la turbine s'accompagnait d'un autre son, semblable au fort sifflement du vent à travers les arbres. Ils gravirent quelques marches métalliques de l'autre côté d'une porte en acier, laquelle menait à une plate-forme d'observation protégée par une verrière en plastique et métal. Lessard expliqua qu'ils se trouvaient dans l'un des postes de contrôle du site. Le sifflement s'était transformé en rugissement.

Lessard actionna un interrupteur mural et un flot de lumière éclaira une section du tunnel inondé par un torrent furieux. Le niveau de l'eau bouillonnante atteignait presque la bulle d'observation. Austin contemplait l'eau blanche, d'une puissance implacable.

— A cette époque de l'année, de grandes poches du glacier se mettent à fondre, cria Lessard par-dessus le bruit fracassant. Elles s'ajoutent à l'écoulement habituel. C'est comme une inondation causée par la crue d'une rivière lorsque la neige fond trop rapidement au printemps.

Lessard avait une expression peinée sur le visage.

— Je suis vraiment navré de ne pas pouvoir vous aider à secourir les gens qui sont piégés à l'intérieur.

— Vous m'avez déjà beaucoup aidé, mais j'aurais encore besoin d'un plan détaillé du tunnel de recherche.

— Bien sûr.

En revenant vers la salle de contrôle, Lessard songea que décidément, il appréciait cet Américain. Austin était consciencieux et méthodique, des qualités que Lessard estimait entre toutes.

De retour à la salle de contrôle principale, Austin jeta un coup d'œil à l'horloge murale et constata que de précieuses minutes s'étaient écoulées depuis leur départ. Lessard s'approcha d'un meuble métallique, ouvrit un grand tiroir coulissant peu profond et en sortit un jeu de plans.

— Voici l'entrée principale du tunnel de recherche. Elle est à peine plus grande qu'une bouche d'égout. Ces rectangles sont les logements des scientifiques. Le labo se trouve à environ un kilomètre et demi de l'entrée. Comme vous pouvez le voir sur cette vue de côté, il y a des escaliers qui traversent le plafond pour accéder au niveau supérieur, là où se trouve le passage qui mène à l'observatoire subglaciaire lui-même.

— Est-ce que nous savons combien de gens sont pris au piège ?

— A ma connaissance, l'équipe était composée de trois scientifiques. Parfois, quand nous nous lassons d'être sous terre, il nous arrive de nous retrouver autour d'une bouteille de vin. Puis il y a ensuite la femme de votre expédition. De plus, un hydravion a déposé quelques personnes juste avant l'accident mais je ne sais pas combien.

Austin se pencha sur le schéma, enregistrant tous les détails.

— Imaginons que les gens sous le glacier aient pu se rendre jusqu'à l'observatoire. L'air enfermé dans ce couloir empêcherait l'eau d'inonder la zone en question.

— C'est vrai, admit Lessard avec peu d'enthousiasme.

— S'il y a de l'air, ils sont peut-être toujours en vie.

— Certes, mais leurs réserves d'air sont limitées. Dans peu de temps, les vivants risquent de jalouser les morts.

Austin n'avait pas besoin qu'on lui rappelle le tragique destin qui attendait Skye et les autres. Même s'ils avaient survécu à l'inondation, ils risquaient une mort par asphyxie, lente et pénible. Il se concentra sur le plan et remarqua que le tunnel principal se prolongeait au-delà de l'observatoire.

— Où va-t-il ? demanda-t-il.

— Il continue sur un kilomètre et demi, en montant graduellement vers une autre issue.

— Une autre bouche ?

— Non, une entrée semblable à une mine sur le flanc de la montagne.

— J'aimerais la voir, dit Austin, qui commençait à élaborer

un plan dans son esprit, un plan basé sur de simples suppositions et qui nécessiterait une bonne dose de chance pour fonctionner, mais il n'avait rien d'autre à envisager.

— Elle se trouve de l'autre côté du glacier. On ne peut y accéder que depuis les airs, mais je peux vous montrer d'ici où elle est.

Quelques minutes plus tard, ils étaient sur le toit plat de la centrale. Lessard tendit la main vers une ravine de l'autre côté du glacier.

— Elle est tout près de cette petite vallée.

Austin suivit des yeux la direction indiquée, puis il leva la tête. Un hélicoptère se dirigeait vers la centrale.

— Merci mon Dieu ! s'exclama Lessard. Enfin, quelqu'un a répondu à mon appel à l'aide.

Ils se hâtèrent de redescendre et sortirent de la centrale juste avant que l'hélicoptère ne se pose. Déjà, deux hommes attendaient, le conducteur de la camionnette et un autre qu'Austin supposa être le responsable de la troisième tranche horaire. Ils regardèrent l'hélicoptère se poser sur une aire à quelques dizaines de mètres de l'entrée de la centrale. Tandis que les pales s'arrêtaient de tourner, trois hommes sortirent de l'appareil. Austin fronça les sourcils. Cela n'avait rien d'une équipe de sauveteurs. Tous trois portaient les costumes sombres typiques des cadres moyens.

— C'est mon supérieur, M. Drouet. Il ne vient jamais ici, fit Lessard, incapable de masquer sa crainte.

Drouet était un homme corpulent avec une moustache à la Hercule Poirot. Il accourut vers eux en pointant un doigt accusateur.

— Que se passe-t-il, Lessard ?

Tandis que le superviseur expliquait la situation, Austin consulta sa montre. Les aiguilles semblaient voler sur l'écran.

— Quel effet cet incident va-t-il avoir sur la production ? demanda Drouet.

La colère latente d'Austin éclata.

— Vous devriez plutôt vous intéresser à l'effet que va avoir cet incident sur les gens prisonniers à l'intérieur du glacier !

L'homme leva le menton, dans l'espoir de toiser Austin, car il était plus petit que lui de quelque dix centimètres.

— Qui êtes-vous ? demanda-t-il comme la chenille qui s'adresse à Alice depuis le haut de son champignon.

Lessard intervint.

— C'est M. Austin, envoyé par le gouvernement américain.

— Américain ? (Austin aurait juré qu'il entendait un ricanement.) Ceci ne vous regarde en rien.

— Vous vous trompez. Cela me regarde de près au contraire, répondit Austin sur un ton neutre, ravalant sa colère. Mon amie se trouve dans ce tunnel.

Drouet ne fut guère ému.

— Je dois faire mon rapport et attendre les ordres de mon supérieur. Ne me croyez pas insensible : je vais mettre en place un plan de sauvetage immédiat.

— Cela ne suffira pas, dit Austin. Il faut faire quelque chose tout de suite.

— Peut-être, mais pour l'instant c'est tout ce que je peux faire. A présent, veuillez m'excuser.

Sur ce, il entra dans la centrale, suivi des deux autres hommes. Lessard jeta un regard désolé à Austin, secoua la tête et leur emboîta le pas.

Austin tentait de réprimer son envie de rattraper le bureaucrate par la peau du cou, lorsqu'il entendit un bruit de moteur et vit un point dans le ciel. Le point grossit et devint un hélicoptère, plus petit que le premier. Il traversa le lac, effectua un premier passage au-dessus de la centrale, puis vint se poser à côté du premier appareil dans un nuage de poussière.

Avant même que les pales aient fini de tourner, un homme mince au teint mat descendit d'un bond de l'appareil et fit signe à Austin. Joe Zavala arriva à grandes enjambées, balançant légèrement les épaules : il avait conservé la démarche chaloupée de l'époque où il finançait ses études grâce à des combats de boxe professionnels. Son beau visage intact témoignait de ses succès sur le ring.

Zavala, qui était de nature sociable et posée, avait été recruté par l'amiral Sandecker dès qu'il avait reçu son diplôme du New

York Maritime College, et était devenu un membre précieux de l'équipe des Missions spéciales, où il avait travaillé aux côtés d'Austin à de nombreuses reprises. Il avait un brillant esprit technique et ses multiples compétences en matière de pilotage sur divers appareils étaient impressionnantes.

Quelques jours plus tôt, ils étaient arrivés en France ensemble. Tandis qu'Austin continuait vers les Alpes pour rejoindre le *Mummichug*, Joe était resté à Paris. En tant qu'expert dans la conception et la construction de véhicules sous-marins, on lui avait demandé de se joindre à un groupe de réflexion sur les submersibles habités et automatisés, sponsorisé par l'IFREMER, l'Institut français de recherche et d'exploitation de la mer.

Austin avait appelé Zavala sur son portable dès qu'il avait appris l'accident dans le tunnel.

— Désolé d'interrompre ton séjour à Paris, avait-il déclaré.

— Tu interromps bien plus que ça. J'ai rencontré un député qui m'a fait visiter la ville.

— Comment s'appelle-t-il ?

— Elle s'appelle Denise. Après avoir visité Paris, nous avons décidé de nous rendre en montagne où cette jeune femme a un chalet. Je suis à Chamonix.

Austin n'avait guère été surpris. Avec son regard attendrissant et ses épais cheveux noirs coiffés en arrière, Joe ressemblait en plus jeune à l'acteur Ricardo Montalban. Son physique, sa bonne humeur et son intelligence avaient séduit bon nombre de femmes célibataires à Washington et ailleurs. Parfois, cela le distrayait un temps de son travail et en l'occurrence, c'était un don du ciel : Chamonix n'était séparé du Dormeur que par quelques montagnes.

— C'est encore mieux. J'ai besoin de ton aide.

Zavala avait deviné au ton pressant de son ami que la situation était grave.

— J'arrive, avait-il déclaré.

Une fois ensemble sur la colline pelée qui surplombait le lac, ils se serrèrent la main, et Austin s'excusa de nouveau d'avoir mis en veilleuse la vie amoureuse de son ami. Zavala ébaucha un sourire.

— Pas de problème. Denise aussi est au service de l'Etat et elle comprend parfaitement ce qu'est l'appel du devoir. Elle a même tiré quelques ficelles pour que je trouve rapidement un moyen de transport, ajouta-t-il en se tournant vers l'hélicoptère.

— Dans ce cas, je lui dois une bouteille de champagne et un bouquet de fleurs.

— Je savais que tu étais un vrai gentleman, dit Zavala en regardant autour de lui. Beau paysage, mais un peu lugubre. Que se passe-t-il ?

Austin se dirigea vers l'hélicoptère.

— Je te raconterai en chemin.

Quelques instants plus tard, ils avaient décollé. Tandis qu'ils survolaient le glacier, Austin fit à Zavala un résumé des événements.

— Sale affaire, fit Zavala près avoir entendu l'histoire. Désolé pour ton amie. Je suis sûre que je l'apprécierais.

— J'espère que tu auras le plaisir de la rencontrer, dit Austin, tout en sachant que les chances étaient de plus en plus minces et que le temps jouait contre eux.

Il le guida vers la vallée que Lessard lui avait indiquée et Zavala fit atterrir l'hélicoptère sur une zone à peu près plate au milieu des creux et des bosses. Ils prirent une torche électrique dans le kit de secours de l'appareil et gravirent la pente douce. Le froid humide qui émanait du glacier pénétrait leurs vestes pourtant épaisses. L'entrée du tunnel était cerclée de béton. La zone devant l'entrée était inondée et des dizaines de petites ravines sillonnaient la pente. Ils entrèrent dans un tunnel de même taille que ceux qu'avait vus Austin derrière la centrale. Le sol incliné était humide et au bout de quelques mètres, ils sentirent l'eau lécher leurs orteils.

— Pas très romantique comme endroit, hein? fit Zavala en écarquillant les yeux dans l'obscurité.

— C'est exactement comme ça que j'imagine le Styx, répondit Austin, qui regarda un instant l'étendue d'eau noire, brusquement ragaillardi. Retournons à la centrale.

Drouet et ses compagnons émergeaient du bâtiment lorsque l'hélicoptère de Zavala se posa. Drouet accourut pour accueillir Austin.

— Je vous présente mes excuses pour tout à l'heure, déclara-t-il. Je n'avais alors pas tous les éléments qui m'auraient permis de comprendre cette situation cauchemardesque. J'ai eu mes supérieurs au téléphone ainsi que l'ambassade américaine qui m'a parlé de la NUMA et de vous, monsieur Austin. Je ne savais pas qu'il y avait des Français coincés sous le glacier.

— Est-ce que leur nationalité change quelque chose?

— Non, non, bien sûr. Je suis inexcusable. Vous serez heureux de savoir que j'ai demandé de l'aide. Une équipe de sauvetage arrive.

— C'est un début. Dans combien de temps seront-ils là?

Drouet hésita, sachant que la réponse n'était guère satisfaisante.

— Trois ou quatre heures.

— Vous savez pertinemment qu'il sera trop tard.

Drouet se tordit les mains, manifestement confus.

— Au moins pourrons-nous retrouver les corps. C'est tout ce que je peux faire.

— Moi, je pense que nous pouvons faire mieux. Nous allons essayer de les sortir de là vivants, mais pour cela nous aurons besoin de votre aide.

— Vous n'êtes pas sérieux! Ces pauvres gens sont coincés sous deux cent quarante mètres de glace.

Puis, lisant la détermination sur le visage d'Austin, il souleva les sourcils.

— Très bien, je vais faire l'impossible pour vous donner ce dont vous aurez besoin. Dites-moi ce que je peux faire.

Austin fut agréablement surpris de découvrir que Drouet, en dépit de sa bonhomie apparente, cachait un tempérament plus énergique.

— Merci de votre offre. Tout d'abord, j'aimerais emprunter votre hélicoptère avec le pilote.

— Oui, bien sûr, mais pourtant votre ami a un hélicoptère...

— Il m'en faut un plus grand.

— Je ne comprends pas. Ces malheureux sont coincés sous terre, pas dans les airs.

— J'en ai besoin néanmoins.

Austin foudroya Drouet du regard pour lui signifier qu'il n'avait plus de temps à perdre.

Drouet hocha vigoureusement la tête.

— Très bien, vous avez ma totale coopération.

Tandis qu'il s'élançait pour donner des instructions au pilote, Austin appela de son côté le capitaine du bateau de la NUMA sur une radio portative et passa quelques minutes à lui expliquer sa stratégie. Fortier écouta attentivement.

— Je m'y mets tout de suite, dit-il.

Austin le remercia et se mit à scruter le glacier, conscient de l'adversaire qu'il s'apprêtait à attaquer. Son plan ne laissa pas de place au doute. Il savait que les choses peuvent mal tourner, ses cicatrices le prouvaient. Mais il savait aussi que les problèmes sont faits pour être résolus. Avec un peu de chance, son plan pouvait marcher, il en était certain. Ce dont il n'était pas sûr, c'était si Skye était encore vivante.

8

SKYE était bien vivante. Renaud, qui avait fait les frais de sa colère, pouvait en attester. Alors qu'il s'auto-congratulait avec complaisance, Skye avait explosé. Elle avait violemment attaqué le malheureux, les yeux brillants de rage, tandis qu'elle le tançait pour avoir gâché la découverte la plus importante de sa carrière. Renaud trouva finalement le courage de croasser une protestation. Skye avait épuisé son répertoire et vidé ses poumons, et elle le coupa en lui lançant un regard noir et un qualificatif bien senti.

— Imbécile !

Renaud essaya de jouer sur la corde sensible.

— Vous ne voyez pas que je suis blessé ? fit-il en exhibant sa main meurtrie et lacérée.

— C'est votre faute, lâcha-t-elle froidement. Mais comment avez-vous pu être assez bête pour autoriser un homme armé à pénétrer ici ?

— Je croyais qu'il était journaliste.

— Vous avez autant de cervelle qu'une amibe. Les amibes ne pensent pas : elles végètent.

— Allons Skye, lui enjoignit Leblanc. Nous n'avons que de maigres réserves d'air. Economisez votre souffle.

— L'économiser pour quoi ? Cela vous a peut-être échappé, mais nous sommes pris au piège sous un énorme glacier.

Leblanc mit un doigt sur ses lèvres.

Skye regarda autour d'elle les visages figés et effrayés, et constata que sa propre inquiétude les gagnait. En effet, sa peur et sa frustration élimaient sa patience et se retournaient contre Renaud. Elle s'excusa auprès de Leblanc et serra fermement les lèvres, mais avant cela, elle ne put s'empêcher de marmonner.

— Je n'y peux rien si c'est un imbécile.

Puis elle s'approcha de Rawlins, assis contre une paroi. Il avait plié une bâche et s'en servait pour protéger son postérieur de l'humidité du sol. Elle se nicha contre lui pour se réchauffer.

— Pardonnez-moi, mais je suis gelée.

Rawlins cilla, surpris, puis il entoura galamment d'un bras les épaules de la jeune femme.

— Vous aviez plutôt l'air échauffée il y a deux minutes.

— Désolée d'avoir perdu mon sang-froid devant tout le monde, murmura-t-elle.

— Je ne vous blâme pas, mais essayez de voir le bon côté des choses ; au moins nous avons de la lumière.

L'inondation avait dû épargner les câbles qui parcouraient le plafond du tunnel jusqu'à la centrale. Bien que les lumières aient clignoté une ou deux fois, il y avait toujours de l'électricité.

Les survivants, trempés et fatigués, étaient recroquevillés dans une portion de tunnel entre la grotte de glace et l'escalier. En dépit de sa remarque optimiste, Rawlins savait que le temps leur était compté. Comme les autres, il avait de plus en plus de mal à respirer. Il décida de se changer les idées.

— De quelle découverte scientifique parliez-vous ? demanda-t-il à Skye.

Elle prit un air rêveur avant de répondre.

— J'ai découvert un tombeau datant de l'Antiquité sous les eaux du lac. Il peut y avoir un rapport entre cette découverte et la route du commerce de l'ambre, ce qui signifierait que les échanges entre l'Europe et les pays de la Méditerranée remontent à plus loin qu'on ne le croyait. Peut-être à l'époque minoenne ou mycénienne.

Rawlins émit un grognement.

— Vous vous sentez bien ? demanda Skye.

— Oui, je vais bien. En fait non, pas du tout. J'étais seulement venu rédiger un article sur l'observatoire subglaciaire, ensuite ils ont découvert le corps dans la glace, ce qui aurait fait un formidable scoop, puis un faux journaliste frappe votre ami Renaud et inonde le tunnel. Waou ! Il y a là matière à intéresser le monde entier, j'aurais pu être le nouveau Jon Krakhauer, les rédacteurs en chef auraient fait le pied de grue devant chez moi pour me proposer des contrats... Et voilà que maintenant, vous me parlez d'un tombeau minoen.

— Je ne suis pas certaine de l'époque, dit Skye pour l'apaiser. Je peux me tromper.

Rawlins secoua tristement la tête.

Un journaliste télé qui avait écouté la conversation intervint.

— Je comprends vos regrets, mais mettez-vous à ma place : j'ai une vidéo du corps dans la glace et du professeur qui se fait frapper avec une arme à feu.

Un autre journaliste tapota son magnéto.

— Oui, et moi j'ai tout enregistré.

Rawlins regarda le tuyau qui serpentait près de leurs pieds.

— Je me demande si nous pourrions utiliser un jet d'eau pour creuser un tunnel et sortir du glacier.

Thurston, assis à côté de Rawlins, émit un petit rire.

— Je viens de faire quelques calculs. Cela nous prendrait environ trois mois de travail acharné.

— En comptant le samedi et le dimanche ? demanda Rawlins.

Tout le monde rit, à l'exception de Renaud.

L'humour noir de Rawlins rappela Austin à Skye. Depuis combien de temps avait-elle quitté le bateau ? Elle regarda sa montre et constata qu'il ne s'était écoulé que quelques heures. Dire qu'elle avait attendu leur dîner avec impatience ! Skye était tombée sous le charme de son profil brut mais bien dessiné, de ses cheveux pâles, presque blancs, pourtant son intérêt allait au-delà de l'attirance physique. Austin était intéressant, tout en contrastes : il avait un sens de l'humour très aiguisé, se montrait chaleureux et gentil, et elle aimait cette dureté de diamant perceptible dans le pétillement de ses yeux bleus. Sans parler de sa superbe carrure. Elle n'aurait pas été surprise qu'il soit capable de marcher au fond de la mer.

Son regard se porta sur Renaud, qui se trouvait à l'autre extrémité sur l'échelle de la beauté. Il était adossé contre la paroi opposée du tunnel et touchait sa main enflée. Elle fronça les sourcils en songeant que le pire de toute cette affaire était d'être emmurée vivante avec un tel cafard. Cette pensée la consterna tant qu'elle préféra se lever pour s'approcher de l'escalier qui menait au tunnel principal. L'eau noire le recouvrait totalement. Aucune chance de s'échapper. Elle en fut encore plus abattue. Cherchant à se changer les idées, elle pataugea dans les flaques et monta à l'échelle jusqu'à la grotte de glace.

Le glacier avançait dangereusement, reprenant ses droits. De la glace s'était à nouveau formée en stalactites là où il n'y en avait pas auparavant. Quant au corps, il n'était plus visible, la prison de glace s'épaississant. Le casque en revanche était toujours dans le bac en plastique. Elle le ramassa et le mit sous la lumière pour en étudier les gravures. Elles étaient complexes et exécutées avec soin. Une œuvre de maître. Le motif lui semblait aller au-delà d'une simple décoration. Elle y sentait un rythme, comme s'il racontait une histoire. Le métal semblait animé d'une vie propre. Elle chassa ses pensées délirantes. Le manque d'air lui faisait imaginer des choses. Si seulement elle avait eu plus de temps, elle aurait pu résoudre l'énigme. Satané Renaud !

Elle rapporta le casque dans le tunnel. La marche dans l'atmosphère confinée l'avait épuisée. Elle prit une place contre le mur, posa le casque près d'elle en s'asseyant par terre. Les autres avaient arrêté de parler. Elle voyait leur poitrine se soulever pour avaler quelques gorgées de l'air raréfié. Elle se rendit compte qu'elle aussi ouvrait la bouche comme un poisson hors de l'eau, sans réussir à remplir ses poumons. Son menton s'affaissa et elle s'endormit.

Lorsqu'elle se réveilla, les lumières s'étaient éteintes. Bon, se dit-elle, finalement nous allons mourir dans l'obscurité. Elle voulut appeler les autres, leur dire adieu, mais elle n'en avait pas la force. Elle s'endormit de nouveau.

9

AUSTIN sangla le dernier sac étanche sur le pont arrière du Seamobile, derrière la bulle du cockpit, et recula pour inspecter son œuvre. Le véhicule ressemblait plus à une mule mécanique qu'à un submersible high-tech, mais il faudrait faire avec cet arrangement de fortune. Ignorant combien de personnes au juste étaient prisonnières sous la glace, il avait rassemblé tous les kits de plongée et l'équipement qu'il pouvait trouver, espérant que tout se passe au mieux.

Austin fit signe à François qu'il était prêt. L'observateur se trouvait non loin de lui, muni d'une radio, chargé d'assurer la liaison et la traduction entre le bateau et l'hélicoptère. François lui rendit son geste et parla dans sa radio portable. Le pilote de l'hélicoptère français attendait son appel.

En quelques instants, l'hélicoptère décolla, vola vers le bateau de la NUMA, au-dessus duquel il resta en suspension le temps de jeter un câble sur le pont. Austin baissa la tête pour résister au courant d'air des pales qui tournaient, attrapa le crochet au bout du câble et l'attacha à un harnais à quatre points. Avec l'aide de l'équipage, il avait déjà attaché le submersible et la remorque au harnais pour que la charge puisse être soulevée en une seule fois.

Il fit signe au pilote d'y aller. Le câble se tendit et l'hélicoptère se souleva légèrement, ses pales battant frénétiquement l'air. Malgré un vacarme à crever les tympans, la charge ne fut soulevée que de quelques centimètres. Le poids combiné du sous-marin, de la remorque et de l'équipement était trop important pour l'hélicoptère. Austin fit signe au pilote d'abandonner. Le câble se détendit et le chargement retomba sur le pont avec un bruit mat.

Austin tendit la main vers l'appareil et cria à l'oreille de François.

— Dites-leur de rester là en attendant que je trouve le moyen d'arranger ça.

Tandis que François traduisait sa requête, Austin prit sa propre radio et appela Zavala qui décrivait des cercles au-dessus du bateau.

— Nous avons un problème, dit Austin.

— J'ai vu ça. Dommage que cet hélico ne soit pas une grue volante, déclara Zavala, faisant allusion aux énormes hélicoptères industriels conçus pour soulever de très lourdes charges.

— Peut-être que nous n'en aurons pas besoin, répliqua Austin avant de lui expliquer ce qu'il avait en tête.

Zavala se mit à rire.

— Ma vie était bien terne avant que je fasse ta connaissance !

— Alors ?

— Pas évident, déclara Zavala. Extrêmement dangereux. Audacieux. Mais possible.

Austin ne doutait jamais des talents de pilote de son collègue. Zavala avait volé des milliers d'heures sur hélicoptères, petits avions privés et turbopropulseurs. Ce qui l'inquiétait, c'était les impondérables tels qu'un changement de direction du vent, une faute d'inattention ou un défaut d'équipement, qui pouvaient transformer un risque calculé en véritable désastre. Dans le cas présent, une simple erreur de traduction pouvait faire échouer la mission. Il devait s'assurer que le message serait clair.

Il prit François à part pour lui expliquer ce qu'il voulait demander au pilote français. Puis il lui fit répéter les instructions. François hocha la tête. Lorsqu'il eut délivré son message dans sa radio, l'hélicoptère français se déplaça sur le côté, de sorte à ce que le câble se trouve de biais.

L'hélicoptère de Zavala arriva et lâcha un second câble, qu'Austin accrocha vivement au harnais. Il vérifia que l'écart entre les deux appareils était suffisant. Ils risquaient d'être rapprochés par le poids qu'ils allaient soulever et il ne fallait pas qu'ils enchevêtrent leurs pales.

Une nouvelle fois, Austin fit signe aux hélicoptères de soulever la charge. Les pales fouettaient l'air en un concert assourdissant, mais le submersible et la remorque semblèrent bondir vers le ciel. Cinquante centimètres. Un mètre. Deux mètres. Les pilotes étaient conscients du fait que les deux hélicoptères n'avaient ni la même taille ni la même puissance, et ils s'adaptaient à ce déséquilibre avec un incroyable talent.

Ils montèrent lentement, leur étrange chargement se balançant entre les deux appareils, jusqu'à une cinquantaine de mètres au-dessus de la surface, puis s'envolèrent vers la rive avant qu'Austin ne les perde de vue sur le fond noir des montagnes. Zavala donnait régulièrement sa position par radio. Il dut interrompre la communication à deux reprises le temps de corriger sa position.

Austin retint son souffle jusqu'à ce qu'il entende l'annonce laconique de Zavala : « Les aigles ont atterri. »

Austin et plusieurs hommes d'équipage se tassèrent dans une petite annexe avant de gagner la rive où ils devaient attendre que les hélicoptères reviennent les chercher. Austin monta avec Zavala, et l'hélicoptère français prit à son bord l'équipage du *Mummichug*.

Quelques instants plus tard, ils atterrissaient près du Seamobile jaune vif, qui se trouvait sur sa remorque devant l'entrée du tunnel. Austin supervisa la mise en place du chargement sur le sous-marin. Puis on fit entrer en marche arrière la remorque dans le tunnel jusqu'à ce que les roues soient au bord de l'eau. On y glissa des cales tandis qu'Austin ressortait du tunnel pour s'entretenir avec Lessard. A la demande d'Austin, le Français lui avait déniché un autre plan; il l'étala sur un rocher plat.

— Voici les colonnes de soutien en aluminium dont je vous ai parlé. Une fois dans le tunnel, il vous faudra compter une centaine de mètres avant de tomber dessus. Il y en a douze jeux, espacés d'une dizaine de mètres.

— Le submersible faisant moins de deux mètres quarante-cinq

de large, je n'aurai qu'une colonne à couper à chaque fois pour pouvoir passer, fit remarquer Austin.

— Je vous suggère de décaler vos coupes. En d'autres termes, ne coupez pas la colonne toujours du même côté. Comme vous le voyez sur ce schéma, le plafond à cet endroit est particulièrement mince. Vous avez des centaines de tonnes de glace et de rocher qui appuient sur la voûte.

— J'ai pris cela en compte.

Lessard planta son regard dans celui d'Austin.

— Après avoir entendu votre plan, j'ai appelé Paris et parlé à un ami au siège. Il m'a dit que cette partie du tunnel avait été construite pour y faire passer les mobile homes des chercheurs. On a cessé peu à peu de l'utiliser comme accès principal parce que la voûte commençait à présenter des risques d'affaissement. Les colonnes de soutien ont été installées de manière à conserver le tunnel ouvert comme conduit d'aération. Voici ce qui m'inquiète, poursuivit-il en faisant courir son doigt sur le haut du tunnel dessiné sur le plan : il y a une large nappe d'eau instable à cet endroit. Comme la saison est avancée, elle est même encore plus grosse que d'habitude. S'il y a une faille dans le système de soutien, toute la voûte risque de s'effondrer.

— Le risque en vaut la peine, déclara Austin.

— Vous êtes conscient que vous risquez peut-être votre vie en vain, enfin, si les gens à l'intérieur sont déjà morts...

Austin lui répondit par un sourire déterminé.

— Ça, on ne le saura pas avant d'avoir jeté un coup d'œil, pas vrai ?

Lessard le considéra avec admiration. Cet Américain, avec ses cheveux clairs et ses yeux bleu vif, était soit complètement cinglé, soit incroyablement confiant dans ses propres capacités.

— Vous devez beaucoup aimer cette femme.

— J'ai fait sa connaissance il y a seulement quelques jours, mais nous avons prévu un dîner ensemble à Paris et je n'ai pas l'intention de manquer ça.

Lessard répliqua par un haussement d'épaules. En bon Français, il appréciait la galanterie.

— Les premières semaines sont le moment où l'attraction

entre un homme et une femme est la plus forte... Eh bien, bonne chance, mon ami. Je vois que votre collègue vous réclame.

Austin remercia Lessard pour ses conseils et rejoignit Zavala près de l'entrée du tunnel.

— Je viens de regarder les commandes du sous-marin. C'est assez simple.

— Je savais que ça ne te poserait pas de problème, dit Austin avant de jeter un dernier regard autour de lui. *Vamos, amigo,* c'est l'heure.

Zavala le foudroya du regard.

— Toi, tu as regardé trop de rediffusions de Cisco Kid.

Austin revêtit une combinaison étanche isolante qui le faisait ressembler à une grande frite fluorescente. Il entra le premier dans le tunnel et passa un casque muni d'un transmetteur acoustique capable d'émettre sous l'eau. Zavala l'aida à s'équiper de sa réserve à oxygène et de sa ceinture de plomb, puis lui prêta main-forte pour grimper à l'arrière du submersible. Il s'assit derrière la bulle du cockpit, sur les sacs étanches, et enfila ses palmes. Un marin lui tendit un chalumeau sous-marin qu'Austin attacha au pont avec des tendeurs. Zavala rentra dans la cabine et fit signe à Austin qu'il était en place.

— Prêt à partir ? demanda Austin pour tester son micro.

— Oui, mais je me sens dans la peau de Bubble Boy.

— On échange nos places quand tu veux, Bubble Boy.

Zavala se mit à rire.

— Merci, mais je ne profiterai pas de cette offre généreuse. Tu es parfait en conducteur de diligence.

Austin tapota sur la bulle. Il était prêt.

Les matelots soulevèrent le crochet d'attelage et laissèrent lentement glisser la remorque dans l'eau, contrôlant sa vitesse grâce à deux amarres, jusqu'à ce que les roues soient immergées. Dès que le véhicule se mit à flotter, les matelots tirèrent d'un coup sec sur les amarres tout en poussant le Seamobile. Celui-ci fut libéré de sa remorque, ses moteurs vrombirent.

Zavala utilisa les propulseurs latéraux de l'arrière du Seamobile pour lui faire effectuer un virage à cent quatre-vingt degrés de manière à pénétrer en marche avant dans le tunnel. Il fit avancer le véhicule jusqu'à ce que l'eau soit assez profonde pour plonger. Avec une légère pression sur le propulseur vertical, il fit s'enfoncer le sous-marin jusqu'à ce que la coque soit sous l'eau. Les propulseurs arrière ronronnèrent de nouveau, le submersible s'enfonça sous l'eau qui recouvrit Austin et la bulle.

Les quatre phares halogènes à l'avant du véhicule jouaient sur les murs et le plafond orange, et la lumière, ainsi réfléchie, donnait à l'eau une teinte brune.

La voix de Zavala parvint aux oreilles d'Austin avec un son métallique.

— C'est comme plonger dans de la sauce *mole* au chocolat.

— Je m'en souviendrai la prochaine fois que je dînerai dans un restaurant mexicain. Je pensais à quelque chose de plus poétique, Dante peut-être, et la descente dans l'Hadès.

— Au moins dans l'Hadès, on est au chaud et au sec. A quelle distance se trouvent les premières colonnes de soutien ?

Austin écarquilla les yeux dans l'obscurité pour voir au-delà du faisceau lumineux et crut discerner un éclat métallique. Il se leva et s'appuya contre la bulle en se tenant aux barres en forme de D qui protégeaient la cabine.

— Je crois qu'on y arrive.

Zavala fit ralentir l'embarcation et l'arrêta à quelques mètres des premières colonnes en aluminium, d'une quinzaine de centimètres de diamètre, qui barraient le chemin. Muni de son chalumeau et de sa bouteille d'oxygène, Austin nagea jusqu'à la base de la colonne du milieu. Il alluma le chalumeau et la flamme bleue découpa rapidement le métal au niveau du sol. Il fit une autre coupe en haut de la colonne, puis il cria : « Timber ! », et poussa la section médiane. Il fit signe à Zavala de le suivre et l'aida à manœuvrer par des gestes, comme un agent de piste guidant un avion vers le bon terminal. Puis il se dirigea vers la colonne suivante.

Tout en nageant, il jeta un regard anxieux vers le haut en s'efforçant de ne pas penser aux milliers de mètres cubes d'eau et aux tonnes de glace qui appuyaient sur la mince voûte du tunnel. Suivant les conseils de Lessard, il découpa la colonne de droite sur le jeu suivant. Zavala le suivit. Austin coupa les colonnes du milieu, puis une à gauche et recommença l'opération.

Ce travail se déroula sans encombre. En peu de temps, les douze colonnes gisaient sur le sol du tunnel. Austin reprit sa place à l'arrière du submersible et demanda à Zavala de naviguer à deux nœuds et demi, la puissance maximum du véhicule. Bien que cette allure soit celle d'une marche rapide, l'obscurité et la proximité des murs donnaient à Austin l'impression qu'ils descendaient vers les abysses sur le char de Neptune.

N'ayant rien à quoi se raccrocher, il se consacra sur la tâche difficile qui l'attendait. Les paroles de Lessard résonnaient dans sa tête : l'analyse du Français concernant l'attraction d'un début de relation était très juste. Il avait peut-être également raison quant à l'éventualité de ne retrouver que des morts dans le tunnel.

L'optimisme était plus facile à conserver à la lueur du jour; mais tandis qu'ils plongeaient dans le noir du Styx, il prit conscience que sa tentative de sauvetage pourrait se révéler vaine. Il devait bien admettre qu'il y avait peu de chance de survivre longtemps dans des conditions si extrêmes. A contrecœur, il se résigna à se blinder en vue du pire.

10

SKYE rêvait qu'elle dînait avec Austin dans un bistrot proche de la tour Eiffel et qu'il lui disait : « Réveille-toi ! » ; elle répondait, non sans irritation : « Je ne dors pas. »

Réveille-toi, Skye.

Encore Austin. Quel homme agaçant.

Puis Austin tendait la main au-dessus de la table, entre le vin et la terrine, pour lui donner une petite gifle. Elle en était outrée. Elle essayait d'ouvrir la bouche. « Arrête ! »

— Je préfère ça, déclara Austin.

Ses paupières s'entrouvrirent lentement, comme des volets roulants défectueux, et elle détourna les yeux de la lumière aveuglante. Lorsque le faisceau lumineux se déplaça, elle aperçut le visage d'Austin, l'air inquiet. Il lui appuya doucement sur les joues jusqu'à ce qu'elle ouvre la bouche, et elle sentit l'embout en plastique d'un régulateur de plongée entre ses dents.

L'air s'engouffra dans ses poumons, lui redonnant vie, et elle découvrit Austin agenouillé à côté d'elle. Il portait une combinaison orange et un étrange matériel sur la tête. Il lui prit la main et lui enveloppa doucement les doigts autour de la petite bouteille d'oxygène qui était attachée au régulateur.

— Tu peux rester éveillée une minute ? lui demanda-t-il.

Elle hocha la tête.

— Ne bouge pas, je reviens tout de suite.

Puis il se leva et se dirigea vers l'escalier. Un bref instant, avant qu'il ne redescende dans l'eau avec sa torche électrique, elle vit ses compagnons d'infortune qui avaient tous l'air de poivrots endormis par terre dans une ruelle, cuvant leur mauvais vin.

Quelques instants plus tard, l'eau qui recouvrait l'escalier se mit à briller d'une lueur inquiétante et Austin réapparut, portant un filin sur son épaule. Il ancra ses pieds dans le sol et tira sur le câble comme un batelier de la Volga. Le sol était glissant et il tomba à genoux, mais il se releva immédiatement. Un sac en plastique attaché par un câble émergea de l'eau et glissa sur le sol comme un gros poisson. D'autres sacs suivirent.

Austin les ouvrit vivement et distribua les bouteilles d'oxygène qu'ils contenaient. Il dut secouer les hommes pour leur faire reprendre conscience, le temps d'inspirer une bouffée d'air qui les revigora rapidement. Tandis qu'ils aspiraient avidement l'oxygène salvateur, le bruit métallique des valves de régulateur se répercutait en écho dans l'espace confiné.

— Mais que faites-vous ici? demanda-t-elle comme une rombière s'adressant à un intrus dans une soirée.

Austin la remit doucement sur pied et lui déposa un baiser sur le front.

— Il ne sera pas dit que Kurt Austin aura laissé une petite inondation empêcher notre dîner.

— Dîner? Mais...

Austin remit le régulateur entre les dents de Skye.

— Pas le temps de parler, dit-il.

Puis il ouvrit les autres sacs pour en sortir des combinaisons étanches. Rawlins et Thurston étant tous deux des plongeurs expérimentés, ils purent aider les autres à enfiler leur combinaison et leur équipement. Les rescapés furent bientôt tous habillés. Ce n'était pas franchement une unité de Seals, songea Austin, mais avec beaucoup de chance, ils pourraient s'en sortir.

— Prêts à rentrer? demanda-t-il.

Le grondement approbateur qui résonna sur les parois de la grotte était enthousiaste.

— Très bien, dit-il. Voici ce que j'ai prévu.

Quelques instants plus tard, Austin guidait les infortunés résidents de la grotte et les aidait à descendre l'escalier pour atteindre le tunnel inondé. Ils froncèrent tous les sourcils à la vue de Zavala qui leur faisait signe depuis sa bulle lumineuse.

Les passagers devaient s'accrocher à quelque chose pendant la remontée, et pour cela Austin, avant d'entasser les équipements de plongée sur le submersible, et aidé des matelots du *Mummichug*, avait fixé un filet de pêche sur le pont du Seamobile. Avec force gesticulations, Austin installa les rescapés sur le ventre, par rangées de trois, comme des sardines en boîte.

Renaud, avec sa main blessée, fut placé dans la première rangée, juste derrière la bulle, entre les deux journalistes. Skye se trouvait dans la rangée du milieu entre Thurston et Rawlins, les plus expérimentés dans l'eau. Quant à lui, il se mettrait derrière elle, entre Leblanc, qui semblait fort comme un taureau, et Rossi, le jeune thésard.

Pour plus de sûreté, Austin fit passer des câbles sur le dos de ses passagers, comme pour arrimer une cargaison. Sous les corps entassés, le sous-marin était pratiquement invisible, mais il ne pouvait pas mieux faire. Austin nagea vers l'arrière, et s'installa derrière Skye. Comme il lui faudrait sortir de son perchoir avant la fin, il ne s'attacha pas.

— Tous nos canards sont alignés, dit-il dans son micro. On est un peu à l'étroit, donc je déconseille de prendre des auto-stoppeurs.

Dans un ronronnement électrique, le Seamobile se mit à avancer d'abord lentement, puis au rythme de la marche. Austin savait que les rescapés devaient être à bout de forces. Bien qu'il leur ait conseillé d'être patients, la lenteur du véhicule était exaspérante et il avait du mal à rester serein.

Lui au moins pouvait parler à Zavala, mais les autres, eux, étaient seuls avec leurs pensées. Le sous-marin progressait dans le tunnel aussi doucement que s'il était tiré par un attelage de tortues. Par moments, on aurait dit qu'il restait immobile, pourtant, les murs du tunnel défilaient sur les côtés. On n'entendait que le ronronnement monotone du moteur et le gargouillis des bulles d'air qui s'échappaient des bouteilles. Il faillit hurler de joie lorsque Zavala lui annonça :

— Kurt, je vois les colonnes droit devant.

Austin releva la tête.

— Arrête-toi juste avant. Je vais te guider pour le slalom.

Le Seamobile s'arrêta. Austin se détacha du pont et se mit debout contre la bulle. Le premier trio de colonnes étincelait à seulement une dizaine de mètres. En s'aidant du rythme de ses palmes, Austin nagea vers les colonnes et passa à travers le passage qu'il avait pratiqué à l'aller. Puis il pivota et fit signe à Zavala de passer, l'aiguillant tantôt vers la gauche, tantôt vers la droite, comme un agent de la circulation.

Le submersible passa délicatement l'ouverture. Zavala dévia de la ligne droite pour se diriger vers la suivante et c'est là qu'ils rencontrèrent des difficultés. L'embarcation surchargée réagissait mollement et patinait. D'une main de fer, agrippé aux commandes, il arrêta le dérapage pour reprendre la bonne direction. Mais tandis que le sous-marin passait à travers la brèche et qu'il essayait de compenser, il percuta une colonne et fit un tête-à-queue.

Austin nagea vers le côté et se plaqua contre un mur du tunnel tandis que Zavala arrêtait prudemment le Seamobile. Puis il revint vers la cabine.

— Il faudrait réviser un peu ta manière de conduire, cher ami.

— Désolé, répliqua Zavala. Mais avec tout ce poids à l'arrière, ce truc est aussi facile à manœuvrer qu'un bateau tamponneur.

— Essaie de te souvenir que tu n'es pas au volant de ta Corvette.

Zavala sourit.

— Dis-toi bien que je préférerais.

Austin s'assura que les passagers tenaient le coup avant de s'avancer vers le passage suivant. Il retint son souffle tandis que le véhicule se faufilait à travers la brèche. Zavala commençait à trouver la technique pour contrôler le sous-marin et ils passèrent sans encombre plusieurs obstacles; Austin calcula qu'il n'en restait plus que trois.

Tandis qu'il s'approchait du suivant, il remarqua quelque chose d'anormal. Il plissa les yeux derrière son masque et ce qu'il vit ne le rassura guère. Là où il avait découpé la colonne du milieu, les supports, de chaque côté, s'étaient arqués et semblaient sur le point de s'affaisser. Quelque chose attira son regard et il leva les yeux : des bulles s'échappaient d'une mince fissure au plafond.

Nul besoin d'être spécialiste en structure des matériaux pour se rendre compte de ce qui se passait. Le poids était trop important pour les deux colonnes restantes, qui pouvaient s'effondrer d'une seconde à l'autre, emmurant le sous-marin et ses passagers dans le tunnel.

— Joe, nous avons un problème droit devant, annonça Austin en essayant de garder son calme.

— Je vois ce que tu veux dire, répondit Joe en se penchant en avant pour regarder à travers sa verrière. Ces colonnes ressemblent à des jambes de cow-boy. Tu as des conseils à me donner pour naviguer dans ce piège à rats?

— De la même manière que les porcs-épics s'accouplent. Avec moult précautions. Suis-moi bien.

Austin nagea vers les colonnes affaissées et les dépassa avant de se retourner pour guider Zavala, tout en protégeant ses yeux des puissants phares du sous-marin. Joe réussit la manœuvre sans heurter les colonnes, quand un nouveau problème surgit. L'extrémité du filet qui traînait derrière l'embarcation s'était accrochée à la souche de la colonne qu'Austin avait coupée. Zavala sentit qu'il patinait et, instinctivement, il augmenta la puissance. Il n'aurait pu prendre plus mauvaise décision.

Le véhicule hésita tandis que les propulseurs s'enfonçaient, puis le filet se déchira et le sous-marin bondit vers l'avant, incontrôlable, percutant de tout son poids la colonne droite du jeu suivant. Zavala compensa vivement le balancement. Trop tard. La colonne endommagée s'écroula.

Austin regarda le désastre se dérouler au ralenti. Il leva les yeux vers le plafond, soudain obscurci par un nuage de bulles.

— Dégage! cria-t-il. La voûte s'effondre!

Des jurons en espagnol résonnèrent dans les écouteurs d'Austin.

Zavala accéléra au maximum et visa l'ouverture. Le submersible passa à un cheveu d'Austin. Avec une rapidité surprenante, il tendit le bras et attrapa le filet, se balançant comme un cascadeur de western accroché à une diligence sans conducteur.

Zavala, concentré sur l'urgence, ne se donna pas la peine de peaufiner sa direction. Le sous-marin frôla une colonne qui, malgré la faible intensité du choc, se déforma et céda. Austin, qui avait réussi à se hisser sur le pont, se cramponna tandis que le sous-marin pivotait complètement avant de reprendre la bonne direction.

Il restait un passage à franchir, que le sous-marin franchit proprement sans rien toucher. Mais les dégâts étaient déjà faits.

Le plafond s'effondra dans une avalanche de rochers, libérant toute l'eau de la nappe glaciaire. Des milliers de mètres cubes d'eau s'engouffrèrent dans l'espace confiné du tunnel. Une onde de choc puissante heurta le Seamobile et l'emporta dans le tunnel comme une feuille aspirée par une turbine.

La vague déferla vers l'entrée, portant le véhicule sur sa crête.

Ignorants du drame qui se jouait dans les profondeurs du glacier, l'équipe demeurée au sol s'était repliée près des hélicoptères. L'unique matelot resté pour guetter le sous-marin venait de sortir du tunnel pour reprendre un peu d'air lorsqu'il entendit le rugissement monter des entrailles de la terre. Par réflexe, ses jambes réagirent avant son cerveau et le portèrent loin de l'entrée du tunnel. Sur le côté, caché derrière un rocher, il vit surgir le sous-marin à toute vitesse dans les airs.

La vague se répandit à l'extérieur, laissant le véhicule à sec. Les passagers, hallucinés et malmenés, décrochèrent les câbles qui les attachaient et se laissèrent choir du pont. Ils crachèrent les embouts des bouteilles d'oxygène et aspirèrent goulûment l'air frais avec force quintes de toux.

Zavala sortit en trombe de sa cabine et se précipita vers la bouche du tunnel. Il se poussa sur le côté lorsqu'une seconde vague, moins puissante, en sortit, avant de se briser sur le véhicule en propulsant une silhouette qui se débattait dans une combinaison orange. Le masque d'Austin était de travers, le casque de communication avait été arraché et la puissance de la vague le ballottait comme un bout de bois dans le ressac.

Zavala tendit la main, attrapa Austin et l'aida à se remettre debout.

Il titubait comme un ivrogne et avait les yeux vitreux. Il cracha une gorgée d'eau sale et aboya comme un chien mouillé.

— Qu'est-ce que je disais, Joe ? Il faut vraiment que tu revoies ta manière de conduire.

L'équipe de sauveteurs français arriva une heure plus tard. L'hélicoptère se posa devant la centrale comme un balbuzard sur un poisson. Avant même que les lames des patins aient touché le sol, six alpinistes fringants et costauds sortirent un par un, traînant des mousquetons et des cordes enroulées. Leur chef expliqua qu'ils avaient apporté un équipement d'alpinisme parce qu'ils avaient compris que les gens étaient coincés sur le glacier et non pas en dessous.

Lorsqu'il constata que les services de son équipe n'étaient plus utiles, il haussa les épaules et convint avec philosophie que même des alpinistes confirmés auraient été de peu de secours pour un sauvetage en milieu aquatique. Puis il sabra deux bouteilles de champagne qu'il avait apportées. Levant son verre, il déclara qu'il y aurait d'autres occasions ; en montagne, les gens à sauver, ça ne manquait pas.

Après cette célébration impromptue, Austin supervisa le retour du sous-marin sur le *Mummichug* et revint avec Zavala à la centrale. Les rescapés y avaient également été ramenés pour y prendre une douche et un repas chaud. Vêtus de vêtements d'emprunt, ou trop petits, ou trop grands, ils s'étaient réunis dans la salle commune pour raconter leur histoire.

Les journalistes passèrent les cassettes de l'attaque de Renaud, mais elles se révélèrent de piètre qualité et on ne fit qu'apercevoir le visage flou du faux journaliste. L'enregistrement ne révéla pas grand-chose non plus.

Austin soignait ses plaies et ses bosses à l'aide d'une bière belge trouvée dans le garde-manger de la centrale. Assis le menton sur la main, il sentait sa colère grandir à mesure que Skye et les autres décrivaient avec force détails l'épisode qui avait failli condamner plusieurs personnes innocentes à une mort horrible sous la glace.

— C'est du ressort de la police, déclara Drouet après avoir entendu toute l'histoire. Prévenons immédiatement les autorités.

Austin se mordit la langue pour ne rien dire. Le temps que les gendarmes arrivent, la piste serait plus froide que sa bière.

Renaud avait hâte de partir. Brandissant sa main comme s'il s'agissait d'une blessure mortelle, il força le passage pour obtenir un siège dans l'hélicoptère de la centrale. Rawlins et les journalistes étaient impatients d'envoyer leurs articles, qui contenaient bien plus que la découverte du cadavre gelé. Ils appelèrent l'hydravion loué qui les avait conduits au glacier.

Le pilote de l'appareil put éclaircir un point : il attendait sur le lac que les journalistes ressortent lorsqu'un grand type, un de ceux qu'il avait amenés, était arrivé sur la plage au volant de la 2 CV de Leblanc. Il avait prétendu que les autres journalistes passeraient la nuit sur les lieux et qu'il lui fallait partir immédiatement.

Skye regarda l'hydravion s'élancer sur le lac et décoller, puis elle éclata de rire.

— Vous avez vu Renaud? Il se servait de sa main blessée pour pousser les autres afin de monter à bord de l'hélicoptère!

— On dirait que vous ne regrettez guère de le voir partir, suggéra Austin.

Elle feignit de se laver les mains.

— Bon vent et bon débarras, comme disait mon père.

Lessard, debout à côté de Skye, avait un regard triste tandis qu'il observait l'hydravion se diriger vers une vallée entre deux sommets.

— Eh bien, monsieur Austin, il faut que je me remette au travail, dit-il d'une voix morne. Je vous remercie pour l'animation que vous et vos amis avez apportée dans cet endroit solitaire.

Austin lui serra énergiquement la main.

— Le sauvetage aurait été impossible sans votre aide, lui assura-t-il. Je ne crois pas que vous resterez seul bien longtemps. Dès que les articles paraîtront, vous serez inondé de journalistes. La police va venir y mettre son nez également.

Lessard eut l'air plus ravi que contrarié.

— Vous croyez? demanda-t-il, rayonnant. Excusez-moi, il faut que je retourne à mon bureau pour me préparer à accueillir des visiteurs. Voulez-vous qu'une camionnette vous raccompagne jusqu'au lac?

— Je vais y aller à pied avec vous, déclara Skye. Je dois récupérer quelque chose que j'ai laissé à la centrale.

Zavala regarda Lessard qui s'éloignait.

— Apparemment, le quart d'heure de gloire de ce monsieur ne lui a pas suffi. Maintenant, si tu n'as plus besoin de mes services...

Austin lui mit la main sur l'épaule.

— Ne me dis pas que tu veux quitter cet endroit idyllique pour rentrer à Chamonix goûter à la pâtisserie française?

Zavala désigna Skye.

— On dirait que je ne suis pas le seul à apprécier les spécialités locales...

— Tu as de l'avance sur moi, Joe. Cette jeune femme et moi n'avons pas encore dîné ensemble.

— Eh bien, tu sais que je ne suis pas du genre à faire obstacle aux histoires d'amour.

— Moi non plus, dit Austin en raccompagnant Zavala à son hélicoptère. On se voit à Paris.

11

L'EMBOUTEILLAGE était épouvantable, même pour des habitués de la circulation à Washington. Paul Trout, au volant de son Humvee, regardait avec des yeux vitreux le long ruban ininterrompu de voitures qui bloquait Pennsylvania Avenue, lorsqu'il se retourna vers Gamay pour lui dire :

— Mes ouïes commencent à se refermer.

Gamay leva les yeux au ciel, habituée depuis longtemps aux excentricités de son mari. Elle savait ce qui allait suivre. Dans la famille de Paul, on ne plaisantait qu'à moitié en disant que si un Trout, ce qui signifie une truite, restait trop longtemps loin de sa demeure ancestrale, il commençait à étouffer comme un poisson hors de l'eau. Aussi ne fut-elle pas surprise lorsqu'il fit brusquement demi-tour, affichant ce mépris du code de la route qui semblait être l'apanage des conducteurs du Massachusetts.

Tandis que Paul conduisait comme s'ils étaient en pleine opération Tempête du désert, elle prit son portable pour réserver des billets d'avion et prévenir le bureau de la NUMA qu'ils seraient absents quelques jours. Ils entrèrent comme deux tornades jumelles dans leur maison de Georgetown, firent leurs bagages en un clin d'œil et se ruèrent vers l'aéroport.

Moins de deux heures après que leur vol eut atterri à Boston, ils étaient à Cape Cod et flânaient sur Water Street, dans le village de Woods Hole où Paul avait passé son enfance. L'artère principale de Woods Hole, longue de quatre cents mètres, coincée entre un marais salant et le port, est flanquée des deux côtés de bâtiments réservés aux sciences marines et environnementales.

Le plus visible de tous est celui, connu à travers le monde entier, de l'Institut océanographique de Woods Hole. Non loin de là, dans un ancien édifice en brique et granit, se trouve le MBL, le laboratoire de biologie marine, dont les programmes de recherche et le fonds bibliographique de près de deux cent mille ouvrages attirent les chercheurs des quatre coins du globe. Un peu plus loin, s'élève l'aquarium des pêcheries nationales. Enfin, dans les faubourgs du village se sont implantés le Bureau national d'études géologiques, des dizaines d'instituts d'océanographie et de nombreuses entreprises privées qui produisent les appareils sous-marins high-tech utilisés par les océanographes du monde entier.

Une brise venue des îles Elizabeth balayait le port. Trout s'arrêta sur le minuscule pont-levis qui sépare Eel Pond de Great Harbor et il se remplit les poumons d'air marin, songeant que cette histoire d'ouïes qui se referment n'était pas si loufoque que ça. Il respirait vraiment mieux à présent.

Trout était fils de pêcheur, et sa famille possédait encore la maison au toit de chaume où il avait passé son enfance. Quant à son foyer intellectuel, c'était l'Institut océanographique. Enfant, il rendait de petits services aux scientifiques qui y travaillaient et c'était grâce à leurs encouragements qu'il s'était spécialisé dans la géologie sous-marine en eau profonde, ce qui l'avait ensuite conduit à la NUMA, puis à l'équipe des Missions spéciales. Quelques heures après leur arrivée, Paul avait jeté un coup d'œil à sa maison, pris contact avec quelques parents et déjeuné avec Gamay au bistrot du coin, dont il connaissait tous les habitués. Puis il se mit à faire le tour de ses connaissances. Il visitait le laboratoire de grande profondeur de l'Institut, où un ancien collègue lui faisait part des dernières mises à jour en matière de véhicules autonomes sous-marins, lorsque le téléphone sonna.

— C'est pour toi, lui dit son collègue en lui tendant le téléphone.

Une voix claire résonna à l'autre bout de la ligne.

— Salut Trout, c'est Sam Osborne. J'ai entendu dire au bureau de poste que vous étiez de retour parmi nous. Comment allez-vous, votre charmante femme et vous ?

Osborne était l'un un des experts les plus en pointe en phycologie. Après des années passées à enseigner, il parlait toujours très fort, comme s'il s'adressait à un parterre d'étudiants.

Trout ne se donna pas la peine de demander à Osborne comment il l'avait retrouvé là. Il était impossible de garder le moindre secret dans un village de la taille de Woods Hole.

— Nous allons bien, docteur Osborne, merci. C'est gentil de m'appeler.

Osborne s'éclaircit la gorge.

— Eh bien en fait, c'est-à-dire que ce n'est pas vous que j'appelais... Je voudrais parler à votre épouse.

Trout sourit.

— Je ne vous blâme pas. Gamay est beaucoup plus jolie que moi.

Il tendit l'appareil à sa femme. Gamay Morgan-Trout était une femme séduisante, ni tapageuse ni trop sexy, plaisant à la plupart des hommes. Elle avait un sourire étincelant et les dents de la chance de l'actrice et mannequin Lauren Hutton. Elle était grande et mince, un mètre soixante-dix-sept pour soixante-sept kilos. Ses cheveux longs, qu'elle laissait généralement tourbillonner autour de son visage, étaient auburn ; c'est pourquoi son père, amateur de vin, lui avait donné le nom de ce cépage du Beaujolais.

Plus sociable et enjouée que son mari, elle travaillait en bonne entente avec les hommes, qualité qui remontait à sa jeunesse de garçon manqué dans le Wisconsin. Son père, un promoteur prospère, l'avait encouragée à se mesurer aux hommes, lui apprenant la voile et le ball-trap. Elle était devenue une plongeuse accomplie et un tireur d'élite.

Gamay écouta son interlocuteur quelques instants avant de déclarer :

— Nous arrivons tout de suite.

Elle raccrocha.

— Le Dr Osborne nous demande de venir au MBL. Il dit que c'est urgent.

— Tout est urgent, à en croire Sam, soupira Paul.

— Hé hé, pas la peine d'être sarcastique juste parce qu'il a voulu me parler à moi.

— Tu sais que je suis incapable du moindre sarcasme, répliqua Paul en prenant le bras de Gamay.

Il prit congé de son collègue du laboratoire de l'Institut et ils redescendirent dans Water Street. Quelques minutes plus tard, ils grimpaient les larges marches en pierre du bâtiment Lillie, dont ils franchirent la porte étroite.

Le Dr Osborne les attendait dans le vestibule. Il serra vigoureusement la main de Paul et embrassa Gamay, dont il avait été le professeur de biologie marine à l'Institut Scripps en Californie. Osborne avait une bonne cinquantaine d'années et ses cheveux blancs bouclés et clairsemés semblaient glisser sur l'arrière de son crâne. Il était fortement charpenté et avait de larges mains de travailleur qui semblaient plus adaptées au maniement d'une pioche qu'à celui des fibres délicates de la végétation marine, pourtant sa spécialité.

— Je vous remercie d'être venus, dit-il. J'espère que cela ne vous dérange pas trop.

— Pas du tout, dit gentiment Gamay. C'est toujours un plaisir de vous voir.

— Vous changerez peut-être d'avis lorsque vous aurez entendu ce que j'ai à vous dire, déclara Osborne avec un sourire énigmatique.

Sans plus d'explications, il les conduisit dans son bureau. Bien que le MBL soit connu dans le monde entier pour ses installations et sa bibliothèque de recherche, le bâtiment Lillie était sans prétention. Des tuyaux couraient à nu le long des plafonds, les portes du vestibule étaient en bois sombre et munies de panneaux en verre granité, mais globalement, il ressemblait exactement à ce qu'il était : un vénérable laboratoire.

Osborne fit entrer les Trout dans son bureau. Gamay se rappelait son ancien professeur comme un fanatique de l'ordre et de l'organisation, à la limite du maniaque, et elle se rendit compte qu'il n'avait pas changé. Tandis que de nombreux professeurs de sa stature aimaient à s'entourer de piles de documents et de rapports, seul un ordinateur trônait sur son bureau flanqué de deux chaises pliantes pour les visiteurs. Sa touche personnelle : une théière rapportée du Japon.

Il leur servit deux tasses de thé vert et, après un bref échange de plaisanteries, il se lança.

— Pardonnez-moi d'être un peu abrupt, mais le temps est compté, aussi j'irai droit au but. (Il se cala dans son fauteuil, joignit les mains et s'adressa à Gamay.) En tant que biologiste marine, vous avez entendu parler de la *Caulerpa taxifolia* ?

Gamay avait passé un diplôme d'archéologie marine à l'université de Caroline du Nord avant de changer de spécialisation pour s'inscrire à l'Institut Scripps où elle était allée jusqu'au doctorat en biologie marine. Elle sourit intérieurement en repensant à ses cours avec Osborne. Il avait l'habitude de poser des questions en forme d'assertions.

— La *Caulerpa* est une algue tropicale, bien qu'on la trouve souvent dans les aquariums des particuliers.

— Tout à fait. Vous savez également que ces souches qui prospèrent si bien dans l'eau froide des aquariums sont devenues un problème majeur dans certaines zones côtières.

Gamay hocha la tête.

— L'algue tueuse. Elle a détruit de vastes espaces de fonds marins en Méditerranée et s'est étendue à d'autres endroits. C'est une souche d'algue tropicale. Ces algues ne vivent pas habituellement en eau froide mais cette souche-là s'est adaptée. Elle pourrait s'étendre au monde entier.

Osborne se tourna vers Paul.

— L'algue dont nous parlons a été introduite dans l'eau par inadvertance sous le musée océanographique de Monaco en 1984. Depuis, elle s'est étalée sur trente mille hectares de fonds marins côtiers en bordure de six pays méditerranéens, et elle pose également problème en Australie et en face de San Diego. Elle s'étend comme un feu de forêt : jusqu'à huit centimètres par jour.

— Trois pouces et demi, calcula Paul. C'est très rapide.

— Le problème va au-delà. Les colonies de *Caulerpa* sont extrêmement envahissantes. L'algue se propage grâce aux stolons et forme un tapis vert dense qui élimine le reste de la faune et de la flore, privant les animaux de lumière et d'oxygène. Sa présence détruit toute la chaîne alimentaire marine et endommage les espèces indigènes, entraînant de dramatiques conséquences pour les écosystèmes.

— Il n'y a pas moyen de combattre ce truc?

— A San Diego, ils ont remporté quelque succès en utilisant des bâches pour isoler certains bancs d'algues, tout en injectant du chlore dans l'eau ou la boue qui les abrite. Mais cette technique n'est d'aucune utilité à grande échelle. Des efforts ont pourtant été faits pour sensibiliser les marchands d'aquariums ou de cailloux risquant d'être contaminés par ces organismes.

— Cette algue n'a pas d'ennemis naturels? demanda Paul.

— Ses mécanismes de défense sont terriblement complexes et résistants. Ses toxines repoussent les herbivores et elle ne meurt pas en hiver.

— On dirait un véritable monstre, commenta Trout.

— C'en est un. Un minuscule fragment peut à lui seul se propager dangereusement. Sa seule faiblesse est qu'elle n'a pas de reproduction sexuée, contrairement à d'autres monstres. Imaginez ce qui se produirait si elle était capable de disperser des œufs sur de grandes étendues.

— Une idée qui fait froid dans le dos, déclara Gamay. On ne pourrait plus enrayer la progression.

Osborne se tourna vers Paul.

— Vous qui êtes géologue spécialiste des fonds marins, vous avez entendu parler de la zone de la Cité perdue?

Trout était ravi de sortir du domaine de la biologie pour regagner son propre terrain d'expertise.

— C'est une zone de sources hydrothermales le long de la dorsale atlantique. Les sédiments qui en proviennent ont formé de grandes tours minérales qui ressemblent à des gratte-ciel, d'où le nom de Cité perdue. J'ai lu des articles sur le sujet. C'est fascinant, j'aimerais bien aller un jeter un coup d'œil.

— Vous en aurez peut-être bientôt l'occasion, dit Osborne.

Paul et Gamay échangèrent un regard interrogateur, qui déclencha le rire d'Osborne.

— Je crois que vous devriez venir avec moi, leur proposa-t-il.

Ils quittèrent le bureau et, après quelques tours et détours, se trouvèrent dans un petit laboratoire. Osborne s'approcha d'un placard métallique cadenassé. Il ouvrit la porte à l'aide d'une clé qu'il portait à la ceinture et en sortit une cuve en verre d'environ trente centimètres de haut et quinze centimètres de diamètre. Elle était scellée. Il plaça la cuve sur une table, sous une lampe. Elle semblait remplie d'une épaisse substance d'un vert grisâtre.

Gamay se pencha pour en examiner le contenu.

— Qu'est-ce que c'est que cette bouillasse?

— Avant tout, laissez-moi vous donner quelques éléments de réponse. Voici quelques mois, le MBL a participé à une expédition à la Cité perdue en collaboration avec l'Institut océanographique de Woods Hole. Ce secteur fourmille de micro-organismes inhabituels, c'est un vivier de substances toxiques.

— La combinaison de la chaleur et de ces éléments chimiques a été comparée aux conditions qui régnaient sur terre au moment de l'apparition de la vie, ajouta Gamay.

Osborne hocha la tête.

— Lors de cette expédition, le sous-marin *Alvin* a effectué des prélèvements. Ceci est un échantillon mort de l'algue en question.

— La feuille et la tige ressemblent vaguement à la *Caulerpa*, mais pas tout à fait, remarqua Gamay.

— Bien observé. Il existe plus de soixante-dix espèces de *Caulerpa*, dont celles que l'on trouve dans les animaleries. Un comportement envahissant a été remarqué chez cinq d'entre elles, bien que peu de ces espèces aient été bien étudiées. Celle-ci en est une totalement inconnue. Je l'ai appelée la *Caulerpa Gorgonosa*.

— La Gorgone; j'aime bien.

— Vous ne l'aimerez plus tant que cela lorsque vous aurez comme moi fait connaissance avec cette monstruosité. Scientifiquement parlant, nous sommes en présence d'une espèce mutante de *Caulerpa*. Mais contrairement à ses cousines, celle-ci peut se reproduire de façon sexuée.

— Si c'est vrai, alors cette Gorgone peut disséminer ses œufs sur de longues distances. Ce pourrait être très dangereux.

— C'est déjà très dangereux. La Gorgone s'est mélangée à la *taxifolia* et elle est en train de répandre cette algue. Elle est apparue dans les Açores et nous en avons découvert quelques traces au large de l'Espagne.

— A quelle vitesse croît-elle ?

— C'est tout simplement phénoménal. Au moins trois fois plus vite que la *taxifolia.*

Paul émit un sifflement.

— Vingt-cinq centimètres par jour ! A ce rythme elle pourrait recouvrir tout l'océan.

— Et encore, vous ne savez pas le pire : en créant cet étouffant tapis d'algues, la *Gorgonosa,* comme la Méduse dont le regard pouvait changer les hommes en pierres, devient une biomasse épaisse et dure. Rien d'autre ne peut subsister là où elle se trouve.

Gamay considéra la cuve avec une horreur accrue par sa connaissance des océans.

— Vous voulez dire que les océans du monde entier risqueraient de se solidifier !

— Je ne peux imaginer pire scénario, mais voici ce que je sais : en peu de temps, la *Gorgonosa* pourrait proliférer le long des côtes tempérées et causer des dommages écologiques irréparables, dit Osborne en chuchotant, sur un ton qui ne lui ressemblait pas. Cela pourrait affecter le climat et provoquer des famines, interrompre le commerce maritime. Les nations qui dépendent des protéines contenues dans l'océan n'auraient plus rien à manger. Il y aurait des bouleversements politiques dans le monde entier, riches et pauvres se battraient pour la nourriture.

— Qui d'autre est au courant ? demanda Paul.

— Hormis vous, seuls quelques collègues de confiance, aux Etats-Unis et à l'étranger, ont été mis dans la confidence.

— Est-ce qu'on ne devrait pas avertir les gens afin de s'organiser tous ensemble pour lutter contre cette menace ? intervint Gamay.

— Si, absolument. Mais je ne voulais pas semer la panique avant que mes recherches aient abouti. Je préparais un rapport que je compte remettre et présenter la semaine prochaine aux organisations compétentes, telles que la NUMA et l'ONU.

— Vous n'avez pas la possibilité de le faire plus tôt ? demanda Gamay.

— Si, mais voici la difficulté. Dans le cas d'un enjeu de type biologique, il y a souvent conflit entre les biologistes pro-éradication et ceux chargés de l'étude scientifique. Les premiers, c'est compréhensible, veulent agir immédiatement et disposer de toutes les armes de destruction. Si cette nouvelle se répand, les travaux de recherches seront interrompus, par crainte de nouvelles contaminations. Or, poursuivit-il en observant la cuve, cette créature n'est pas un simple chiendent des océans. Je suis convaincu que nous serons en mesure de lutter efficacement contre elle une fois que nous aurons d'autres outils à notre disposition. Mais en attendant de savoir exactement à quoi nous sommes confrontés, aucune technique d'éradication ne pourra fonctionner.

— En quoi la NUMA peut-elle vous aider ? s'enquit Gamay.

— Une nouvelle expédition se prépare pour la Cité perdue. Le navire de recherches océanographiques *Atlantis* sera sur place dès cette semaine avec l'*Alvin*. Ils vont tenter d'explorer la zone dans laquelle l'algue semble avoir muté. Une fois que nous aurons déterminé les conditions qui ont favorisé sa prolifération, nous pourrons essayer de la détruire. Comme je ne peux à la fois mener mon travail de recherche et participer à l'expédition, lorsque j'ai entendu dire que vous étiez ici, j'ai pris cela pour un signe des dieux. A vous deux, vous êtes les parfaits experts. Voudriez-vous faire partie de l'expédition à ma place ? Ce serait l'affaire de quelques jours.

— Bien sûr. Il faut que nous obtenions la permission de nos supérieurs de la NUMA, mais cela ne devrait pas poser de problème.

— Je vous fais confiance pour rester discrets. Lorsque nous aurons en main les prélèvements, je diffuserai les résultats à mes confrères du monde entier.

— Où se trouve l'*Atlantis* en ce moment ? demanda Paul.

— Il revient d'une précédente mission. Il doit s'arrêter demain dans les Açores pour faire le plein de carburant. Vous pourriez le rejoindre à ce moment-là.

— C'est faisable, dit Paul. Nous pouvons être de retour à Washington ce soir et partir demain matin.

Il regarda le flacon.

— Nous allons être dans le pétrin si ce truc-là sort de sa bouteille.

Gamay, qui contemplait la bouillasse verdâtre, rectifia.

— Le mauvais génie est déjà sorti de sa bouteille, malheureusement. Ce que nous devons faire maintenant, c'est trouver le moyen de l'y renfermer.

12

— La Gorgone ! s'exclama Austin. Ça c'est nouveau ! Est-ce que cette algue est si terrible que votre ami le pense ?

— C'est possible, répondit Gamay. Le Dr Osborne est assez préoccupé et j'ai confiance en son jugement.

— Quelle est ton opinion ?

— Il y a de quoi s'inquiéter, mais je n'en dirai pas plus avant d'avoir vu ce qui se passe à la Cité perdue.

Gamay avait appelé Austin à bord du *Mummichug*. Elle s'était excusée de le tirer du lit, mais voulait le prévenir et lui expliquer pourquoi Paul et elle étaient en route pour la Cité perdue.

— Merci de m'avoir mis au courant. Il vaudrait mieux alerter Dirk et Rudi, dit-il, faisant référence à Dirk Pitt, qui succédait à l'amiral Sandecker à la tête de la NUMA, et à Rudi Gunn, responsable des opérations que l'agence menait au jour le jour.

— Paul leur a parlé à tous les deux. La NUMA a déjà des biologistes qui travaillent sur le problème de la *Caulerpa.*

Austin sourit.

— Pourquoi ne suis-je pas surpris que Dirk ait une longueur d'avance sur nous ?

— Seulement une demi-longueur. Il ne connaissait pas le lien avec la Cité perdue. Il attend avec impatience le rapport que Paul lui remettra après sa plongée.

— Moi aussi. Souhaite-lui bonne chance. Restez en contact.

Comme Austin raccrochait, les vers de T.S. Eliot lui revinrent en mémoire : « *C'est ainsi que finit le monde/ Non par un boum mais un gémissement.* » Splotch.

Paul et Gamay étaient à la hauteur et comme de toute façon il ne pouvait rien faire de plus, il tâcha de s'occuper en inspectant le Seamobile de la proue à la poupe. A part quelques bosses et éraflures, Austin constata que le véhicule était plus en forme que lui. Assis dans la cabine en forme de bulle, il parcourut la check-list. Une fois certain que tout fonctionnait, il alla chercher deux tasses de café à la cuisine et frappa doucement à la porte de la cabine de Skye.

Tenant compte du fait que le *Mummichug* était un bateau relativement petit, les concepteurs avaient imaginé de petites cabines individuelles qui permettaient aux membres de l'équipage de profiter d'un peu d'intimité. Skye était déjà réveillée et habillée. Elle ouvrit immédiatement la porte et sourit en voyant Austin.

— Bonjour, dit-il en lui tendant une tasse de café fumante. Bien dormi ? ajouta-t-il, voyant les cernes noirs sous ses yeux.

— Pas vraiment. Je n'arrêtais pas de rêver que j'étais étouffée sous des tonnes de glace.

— J'ai un remède très efficace contre les cauchemars. Ça te dirait d'explorer un tombeau sous-marin ?

Le visage de Skye s'illumina.

— Comment une personne saine d'esprit pourrait-elle refuser une offre aussi séduisante ?

— Alors suis-moi. Notre char nous attend juste dehors.

Dès qu'Austin et Skye furent à bord, le submersible fut mis à l'eau entre les deux coques du catamaran. Une fois à l'écart du *Mummichug*, le sous-marin se dirigea, toujours à la surface, vers un point en suivant les coordonnées enregistrées dans le système de navigation, puis Austin le fit plonger.

Les eaux claires du lac enveloppèrent la bulle du cockpit tandis que le sous-marin s'y enfonçait et, au bout de quelques minutes, ils se mirent à suivre l'alignement de mégalithes jusqu'au tombeau. Austin arrêta le sous-marin à l'entrée et s'assura que les caméras fonctionnaient avant d'actionner les propulseurs horizontaux. Une seconde plus tard, le véhicule se glissait à travers l'ouverture dans l'ancienne sépulture.

Les projecteurs, malgré leur puissance, n'éclairaient ni le mur opposé du tombeau, ni les hauts plafonds, ce qui prouvait qu'il était immense. Tandis que le Seamobile avançait lentement dans le tombeau, Austin, en balayant les murs à l'aide du projecteur inclinable, constata qu'il était décoré d'un bas-relief.

Les détails, d'une grande finesse, dépeignaient bateaux, maisons et scènes pastorales dans un décor de palmiers et de fleurs, de danseurs et de musiciens. Il y avait des poissons volants et des dauphins bondissants. Les navires paraissaient très anciens. Quant aux personnages, ils étaient richement vêtus et semblaient mener une vie prospère.

Skye se pencha davantage, le visage pressé contre la bulle, comme un enfant devant une vitrine de Noël.

— Je vois des choses merveilleuses, dit-elle en reprenant les mots de Howard Carter lors de la découverte du tombeau de Toutankhamon.

Etrangement, Austin se rendit compte que ce bas-relief lui était presque familier.

— J'ai déjà vu cela, dit-il.

— Ici ? Dans ce tombeau ?

— Non, mais j'ai vu des dessins semblables à ces sculptures dans une grotte des îles Féroé, en Atlantique Nord. Le style et les sujets ressemblaient beaucoup à celui-ci. Quel est ton verdict ?

— Je ne devrais pas essayer de deviner, mais je dirais que le bas-relief a l'air minoen, comme les dessins exhumés à Akrotiri, sur l'île de Santorin en Crète. La civilisation minoenne a connu son apogée vers 1500 avant J.-C.

Elle prit soudain conscience de ce que cela signifiait.

— Tu imagines, s'écria-t-elle, ces dessins voudraient dire que les Minoens sont allés bien plus loin à l'intérieur des terres qu'on ne le pensait jusqu'ici !

— Ce qui fait d'eux le chaînon manquant à ta théorie sur la route de commerce internationale ?

— Exactement, dit-elle. Cela confirme que les échanges

commerciaux d'est en ouest sont bien plus anciens et couvraient des distances plus importantes que ce que quiconque avait imaginé. (Elle tapa dans ses mains.) J'ai tellement hâte de montrer cette vidéo à mes prétentieux collègues à Paris!

Le submersible arriva au bout du mur, passa le coin et commença à explorer un autre côté de la salle rectangulaire. On voyait à présent le lac du Dormeur et le glacier. Mais au lieu de rivages nus, on pouvait apercevoir des constructions, dont l'une ressemblait même à un temple, avec arches et colonnes. Le glacier avait l'air plus silencieux et implacable que jamais.

— On dirait que tu avais raison quant à l'existence d'une agglomération sur les rives du lac et à l'embouchure de la rivière.

— C'est fantastique! Nous pourrons utiliser ces sculptures pour tracer des cartes sur l'emplacement probable des ruines!

Dans le bas-relief gravé des siècles auparavant par un artiste anonyme, la vallée semblait étouffée sous le glacier. Le sculpteur avait réussi à donner à son œuvre une majesté et une puissance qui dépassaient la simple objectivité. Ils examinèrent plusieurs fois le tombeau, mais ne découvrirent ni sarcophage ni inscription funéraire.

— Je me suis trompée sur cet endroit, déclara Skye. Ce n'est pas un tombeau, c'est un temple.

— Voilà qui paraît sensé étant donné l'absence de corps. Si nous en avons terminé pour ici, j'aimerais élucider un autre mystère de ce lac.

Il déplia le compte rendu du sonar latéral qu'il avait imprimé et montra à Skye l'anomalie au fond du lac.

— On dirait un avion, dit Skye. Mais que ferait un avion ici? Attends... L'homme dans la glace?

Austin répondit par un sourire énigmatique. Les hélices du sous-marin ronronnèrent et ils franchirent à nouveau la porte du temple pour regagner le lac. Une fois arrivés près des lieux où devait se trouver l'avion, Austin ralentit le submersible et ouvrit grand les yeux. Au bout de quelques instants, un objet en forme de cigare apparut.

En se rapprochant, il s'aperçut que la structure en bois, cylindrique, était partiellement recouverte de lambeaux de tissu rouge : l'abri conique du moteur avait été arraché et reposait au fond de l'eau, faisant scintiller le moteur sous les feux du sous-marin. L'eau froide du lac avait préservé le fuselage de toute végétation aquatique, ce qui serait sans doute arrivé sous un climat plus chaud. L'hélice avait disparu, brisée sans doute dans le crash. Austin fit le tour de l'appareil et découvrit, à quelques mètres, ce qui restait de l'aile manquante. Puis il ramena le sous-marin près de l'avion et s'approcha de la queue.

Skye tendit la main.

— J'ai vu ce même motif de l'aigle à trois têtes sur le casque qui a été découvert dans le glacier.

— Dommage que nous n'ayons plus le casque.

— Mais si, nous l'avons. Je l'ai emporté. Il est sur le bateau.

Austin se rappela alors que Skye se cramponnait à un sac lorsqu'elle était montée à bord du Seamobile dans le tunnel. Il réalisa qu'il ne fallait pas sous-estimer cette séduisante femme au sourire lumineux comme un jour ensoleillé. Austin observa l'aigle, puis laissa ses yeux se poser sur le cockpit vide.

— Maintenant, nous savons d'où venait l'homme de glace. Il a dû sauter en parachute avant que son avion ne s'écrase dans le lac.

Skye laissa échapper un rire malicieux.

— Je pensais à Renaud. Il a dit que l'homme de glace n'était pas tombé du ciel, il se trompait ! D'après ce que tu as découvert, c'est exactement ce qui s'est passé.

Pendant que le submersible décrivait des cercles autour de l'épave, Austin filma et photographia les ailes et le fond de l'eau avant de remonter à la surface. Ils sortirent bientôt de la bulle pour monter sur le pont. Skye, qui ne cessait jusque-là de parler avec excitation de leur découverte, devint tout à coup silencieuse en apercevant le glacier. Elle s'approcha du garde-fou et observa l'étendue scintillante.

Austin, remarquant son changement d'humeur, lui passa un bras autour des épaules.

— Est-ce que ça va ?

— C'était tellement paisible sous l'eau. Puis nous avons refait surface et j'ai vu le glacier. J'ai failli mourir là-dessous, déclara-t-elle en frissonnant.

Austin observa l'expression troublée de Skye, et ses yeux qui restaient dans le vague comme parfois ceux des soldats traumatisés.

— Je ne suis pas psy, déclara-t-il, mais j'ai toujours trouvé utile d'affronter mes démons. Allons y faire un tour en bateau.

Cette suggestion inattendue sembla la ramener à la réalité.

— Tu es sérieux ?

— Va chercher quelques bagels et un thermos de café à la cuisine, je te retrouverai sur l'annexe. Au fait, j'aime bien les bagels aux raisins secs.

Skye, bien que sceptique, commençait à avoir une grande confiance en Austin et l'aurait probablement suivi jusqu'à la lune sur des échasses à ressort s'il le lui avait demandé. Austin prépara la barque à moteur tandis qu'elle se chargeait du café et des bagels, puis ils se mirent en route vers la rive. Ils évitèrent quelques blocs de glace flottants et tirèrent le bateau sur une plage de gravier noir, à quelques centaines de mètres de l'endroit où le glacier se rétrécissait et fondait, rejoignant l'eau du lac.

Après une courte marche le long de la rive, ils arrivèrent sur le flanc du glacier. Le rempart de glace dominait la plaine de plusieurs dizaines de mètres. Sa surface était grêlée de grottes et de cratères, ornée de sculptures tordues aux formes fantaisistes créées par le froid et la fonte de la glace, sous une pression inimaginable. La glace était recouverte de terre, et une lueur bleu profond, irréelle, illuminait les crevasses.

— Voilà ton démon, dit Austin. Alors monte, et touche-le.

Skye sourit faiblement, s'approcha du glacier comme d'un être vivant et tendit la main pour toucher un nœud de glace du bout des doigts. Puis elle posa les deux paumes à plat et s'appuya de tout son poids sur la glace, les yeux fermés, comme si elle espérait le repousser.

— C'est froid, dit-elle avec un sourire.

— C'est parce que ton démon n'est rien d'autre qu'un gros glaçon. C'est ainsi que j'essaie de voir l'océan. Il n'est pas là pour te faire du mal. Il ne connaît même pas ton existence. Tu vois, tu l'as touché et tu es encore en vie.

Austin souleva le sac à dos qu'il transportait.

— Fin de la consultation, annonça-t-il. C'est l'heure du brunch.

Près de la rive, ils avisèrent des rochers plats et s'y installèrent, face au lac. Skye distribua les bagels.

— Merci pour l'exorcisme. Tu avais raison à propos du fait d'affronter ses peurs.

— J'ai une bonne expérience dans ce domaine.

— Pourtant, dit-elle en haussant les sourcils, je ne t'imagine pas avoir peur de quoi que ce soit.

— Tu te trompes. Par exemple, j'ai eu très peur de te retrouver morte.

— J'apprécie, et je sais que je te dois la vie. Mais ce que je voulais dire, c'est que tu n'as pas l'air de craindre pour ta propre sécurité.

Il se pencha vers elle et lui chuchota à l'oreille.

— Tu veux connaître mon secret ?

Elle hocha la tête.

— Je joue très bien la comédie. Alors, ce bagel ?

— Très bon, mais mon cerveau est en ébullition. Qu'est-ce que tu penses de toute cette folie ?

Austin contempla le bateau de la NUMA qui avait jeté l'ancre, se rappela le vers de Coleridge, un « *vaisseau peint sur une mer peinte* », tout en essayant d'organiser ses pensées.

— Récapitulons, déclara-t-il en sirotant une gorgée de café. Les scientifiques qui travaillent sous le glacier découvrent le corps d'un homme conservé dans la glace depuis apparemment assez longtemps. Un vieux casque et un coffre-fort se trouvent non loin de lui. Un homme armé se faisant passer pour un journaliste s'empare du coffre-fort et inonde le tunnel. Apparemment, il ne doit pas connaître l'existence du casque.

— C'est là que ma logique s'y perd. Pourquoi a-t-il essayé de nous tuer ? Nous n'avions pas la possibilité de lui faire le moindre mal. Le temps de ressortir du tunnel, il aurait déjà pu disparaître depuis longtemps.

— Je pense qu'il a inondé le tunnel pour éliminer l'homme de glace. Vous et les autres, vous vous trouviez simplement là au mauvais moment. C'est comme pour le glacier : rien de personnel là-dedans.

Elle grignota un morceau de bagel.

— C'est morbide, mais tu as sans doute raison.

Skye s'interrompit et regarda par-dessus l'épaule d'Austin le nuage de poussière qui se dirigeait vers eux à vive allure. Au bout d'un moment, ils aperçurent la 2 CV. Leblanc stoppa Fifi, et lui, Thurston et Rawlins en descendirent.

— Je suis bien content de vous avoir retrouvés, dit Leblanc, le visage fendu d'un large sourire. J'ai appelé le bateau depuis la centrale et on m'a dit que vous étiez revenus à terre.

— Nous voulions vous dire au revoir, déclara Thurston.

— Vous partez ? demanda Skye.

— Oui, répondit le glaciologue en tendant la main vers le glacier. Ça ne sert à rien de rester ici tant que l'observatoire est noyé sous l'eau. Nous regagnons Paris. Un hélicoptère va nous emmener à l'aéroport le plus proche.

— Paris ? fit Skye. Est-ce qu'il vous reste de la place pour moi ?

— Oui, bien sûr, dit Leblanc. Monsieur Austin, ajouta-t-il en lui tendant la main, je voudrais vous remercier de nous avoir sauvé la vie. Je n'aurais pas voulu laisser Fifi orpheline. Elle restera à la centrale avec M. Lessard. Nous allons essayer de convaincre la compagnie d'électricité de drainer l'eau de l'observatoire. Peut-être pourrons-nous revenir la saison prochaine.

— Je suis désolée de filer comme cela, dit Skye à Austin. Mais je n'ai rien de plus à faire ici et je voudrais compiler toutes mes données pour les analyser.

— Je comprends. Le projet du *Mummichug* se termine. Je vais rester à bord pour écrire mon rapport pendant que le bateau se dirigera vers le fleuve. Ensuite, je me ferai conduire à une gare et je rentrerai à Paris en TGV pour notre dîner.

— Bien. A une condition : c'est moi qui invite.

— Je serais fou de refuser. Tu me feras visiter la ville.

— J'en serais ravie, dit Skye. Vraiment.

Austin la raccompagna sur le bateau afin qu'elle récupère ses affaires et la reconduisit sur la rive où attendait l'hélicoptère. Austin était de nouveau sur le lac lorsque l'appareil le survola, et il vit Skye lui faire signe par le hublot.

De retour à bord, Austin enleva la cassette vidéo et le DVD des caméras du submersible et les emmena dans le labo du navire pour les télécharger sur un ordinateur. Il imprima des images du fuselage de l'avion et les examina. Puis il finit par trouver parmi les photos du moteur celle qu'il cherchait et sur laquelle on apercevait les inscriptions du bloc-moteur.

A l'aide du curseur, il zooma, redéfinit l'image en la grossissant jusqu'à ce qu'il puisse voir le nom du fabricant et le numéro de série. Puis il se cala dans son fauteuil, observa l'image quelques instants, et il s'empara du téléphone satellite. Austin composa un numéro.

— La boutique du vélo volant d'Orville et Wilbur, annonça une voix.

Austin sourit en se représentant le profil de faucon et le visage étroit de son correspondant.

— Je ne me laisserai pas avoir, Ian. Je suis au courant que les frères Wright ont fermé leur boutique de bicyclette il y a bien longtemps.

— Salut Kurt, je tentais le coup, ne m'en veux pas, mais je suis plongé jusqu'au cou dans une collecte de fonds pour le centre Hudvar-Hazy à l'aéroport de Dulles, et je n'ai pas de temps à perdre en bavardages.

Ian MacDougal était un ancien pilote de chasse dans la marine, responsable des archives du Musée national de l'air et de l'espace. Il était l'équivalent en aéronautique de St Julian Perlmutter, dont la vaste bibliothèque d'ouvrages maritimes faisait l'envie de nombreuses institutions académiques. Sa connaissance de l'histoire maritime était également connue dans le monde entier. Le grand et mince MacDougal était physiquement à l'opposé du corpulent Perlmutter, son style moins extravagant, mais sa connaissance encyclopédique des avions et de leur histoire était à la hauteur de celle, maritime, de St Julian.

— Tu peux compter sur un don généreux de ma part, Ian, et je vais essayer d'être bref, lança Austin. Je suis en France, j'ai simplement besoin d'identifier un avion que j'ai découvert au fond d'un lac dans les Alpes.

— Ça, on peut toujours compter sur toi pour de nouveaux

défis, répondit MacDougal, qui semblait ravi d'être distrait de sa mission financière. Raconte-moi tout.

— Connecte ton ordinateur et je t'enverrai des photos numériques.

— C'est comme si c'était fait.

Austin avait déjà sélectionné les photos, qui traversèrent l'Atlantique sur des ailes virtuelles en quelques millisecondes. Il entendait MacDougal à l'autre bout du fil marmonner dans sa barbe.

— Eh bien? demanda-t-il au bout d'un moment.

— S'il faut que je me lance, je dirais, d'après la forme conique caractéristique de l'abri du moteur, que nous avons affaire à un Morane-Saulnier. Il s'agit d'un avion de combat monoplan de la Première Guerre mondiale conçu à partir d'un avion de course. Cette petite buse était capable de distancer presque n'importe quel autre appareil de l'époque. Le système de tir synchronisé était une véritable révolution pour l'époque. Malheureusement, un des avions alliés s'est écrasé et Fokker a copié le système, qu'il a amélioré. Il y a une morale à cette histoire.

— Je te laisse te débattre avec les implications morales. A partir des éléments dont tu disposes, est-ce que tu aurais une idée de la manière dont cet avion a pu se retrouver au fond du lac?

— Il est tombé du ciel, c'est évident, et tu sais que cela arrive parfois aux avions. Je préfère ne pas essayer de deviner le reste, mais je connais quelqu'un qui pourrait t'aider. Il est à deux heures de Paris.

Austin griffonna ses coordonnées.

— Merci. Je te ferai parvenir ma contribution pour le musée dès mon retour à Washington. En attendant, mon meilleur souvenir à Wilbur et Orville.

— Je leur transmettrai avec plaisir.

Austin raccrocha et, quelques instants plus tard, appelait le numéro donné par McDougal.

13

SKYE referma d'un coup sec le gros ouvrage de référence qu'elle venait de parcourir et le poussa sur son bureau vers une pile de livres semblables, qui semblaient avoir déjà bien vécu. Elle s'étira pour se délasser un peu puis se cala dans son fauteuil, lèvres pincées, le casque posé devant elle. Elle avait toujours considéré les armes et les armures anciennes comme de simples outils, des objets inanimés dont on faisait un usage sanglant à la guerre, mais ce casque la faisait frissonner. De la surface noire oxydée semblait émaner une vibration malveillante, chose qu'elle n'avait jamais rencontrée auparavant.

Dès son retour à Paris, Skye avait apporté le casque à son bureau de la Sorbonne en espérant l'identifier rapidement grâce aux outils dont elle disposait. Elle avait photographié le casque, scanné la photo dans son ordinateur et cherché, dans une base de données très importante établie à partir de centaines de sources, d'autres casques similaires. Elle avait commencé par ses archives françaises, puis celles d'Italie et d'Allemagne, deux pays autrefois au cœur de la production d'armes.

Comme elle ne trouvait toujours rien, elle avait élargi sa recherche à toute l'Europe, vainement, puis à l'Asie et au reste du monde. Elle avait passé au peigne fin des archives remontant à l'âge de bronze. L'ordinateur ne lui étant d'aucune aide, elle exhuma de sa bibliothèque tous les ouvrages de référence poussiéreux qui pourraient l'éclairer. Elle avait consulté des livres anciens, des manuscrits et des gravures sur ivoire ou métal. En désespoir de cause, elle avait même pensé à la tapisserie de Bayeux, mais la forme conique du heaume de ses chevaliers était tout à fait différente de celle du casque mystérieux.

Ce casque était un véritable casse-tête, car même si le travail était d'une grande finesse, plus caractéristique d'une armure ornementale que d'une véritable arme de guerre, les entailles et les trous visibles à sa surface laissaient penser qu'il avait réellement été porté dans des batailles. Quant à ce qui ressemblait à un impact de balle, c'était une énigme totale.

Non seulement les gravures semblaient très anciennes, mais tout le poids du casque reposait sur la tête, comme pour les plus primitifs. Ce n'est qu'après qu'on leur avait ajouté un *armet*, ce fond évasé qui faisait basculer le poids sur les épaules, via un col appelé *gorget*. Pourtant, le casque était surmonté d'une crête en forme d'éventail, une invention plus tardive qui assurait une meilleure protection contre masses d'armes et épées.

Le style des heaumes avait évolué entre le XIe et le XIIe siècle, passant de la forme conique à une forme plus arrondie. Les protections nasales s'étaient agrandies pour protéger le visage tout entier, on avait imaginé des fentes pour les yeux, et même des ventilations. Les casques allemands étaient souvent lourds et hérissés de pointes tandis que les italiens, à partir de la Renaissance, étaient plus arrondis.

Mais ce que ce casque avait de plus extraordinaire, c'était son métal. Certes, la manufacture de l'acier avait commencé dès l'an 800 avant J.-C., mais il avait fallu des siècles avant de parvenir à forger un métal de cette qualité. Celui qui l'avait fabriqué était un maître. L'entaille au sommet du heaume attestait de la résistance du métal. Une arquebuse l'avait mis à l'épreuve et il s'était révélé impénétrable. Dès qu'on progressait dans la conception d'instruments défensifs, les attaques, ainsi que le prouvait le trou fait par la balle de revolver, devenaient plus redoutables. L'armure était finalement devenue obsolète car trop lourde, en 1522, à la bataille de Bicocca, plus dangereuse même que les projectiles.

En l'observant sous toutes les coutures, Skye remarqua un petit poinçon qu'elle avait d'abord pris pour une éraflure. A l'aide d'une loupe, elle découvrit qu'il s'agissait du poinçon d'un armurier. Son pouls s'accéléra. La marque était semblable au motif de l'aigle à trois têtes qui ornait la queue de l'avion.

Une nouvelle recherche dans sa base de données ne lui permit pas d'identifier ce motif, ce qui ne la surprit pas outre mesure. Les souverains et les princes avaient souvent leur armurier attitré, et la plupart de ces artisans gardaient leur savoir-faire pour eux seuls, sans le transmettre par le biais d'une école, notamment.

Le visage gravé sur la visière était typique de l'armurerie italienne du XVIe siècle. Les artisans décoraient rarement les heaumes destinés au combat, leur préférant des surfaces arrondies et lisses, conçues de manière à dévier les coups. Or l'emboutissage pouvait réduire l'efficacité d'une surface lisse. Skye s'empara de son coupe-papier, une dague italienne, et essaya de piquer le casque pour en éprouver la résistance. Malgré l'emboutissage, le métal avait été si habilement façonné que les flèches ne pouvaient le pénétrer.

Elle se concentra sur l'acier. Aucun détail ne distinguait un armurier d'un autre plus que son habileté à tremper le métal. Elle tapota le heaume comme si elle frappait à une porte et il lui renvoya un son de cloches cristallin. Puis elle traça avec son index une étoile à cinq branches munie de jambes. Elle fit pivoter le casque. Sous un autre angle, la gravure représentait une étoile filante. Elle se rappela avoir vu une épée dans une collection anglaise faite avec un métal provenant d'une météorite. L'acier pouvait être aussi tranchant que le fil d'un rasoir. Pourquoi pas un casque ? Elle prit note mentalement de ne pas oublier de faire vérifier cette hypothèse par un expert en ferronnerie.

Skye frotta ses yeux fatigués et, en soupirant, tendit la main vers le téléphone pour composer un numéro. Une voix d'homme, agréable et alerte, lui répondit.

— Oui, Darnay Antiquités.

— Charles, c'est Skye Labelle.

— Ah, Skye ! s'exclama Charles, ravi de l'entendre. Comment vas-tu ? Et ton travail ? Comme ça, tu étais dans les Alpes ?

— Oui, c'est pour cela que je t'appelle. J'ai découvert un vieux casque au cours de cette expédition. Il est assez extraordinaire et j'aimerais que tu y jettes un coup d'œil. Il ne veut pas me livrer son secret.

— Malgré ton merveilleux ordinateur ? ironisa Darnay.

Darnay et Skye se taquinaient fréquemment sur ce sujet. Il estimait que l'expérience acquise sur le terrain de l'observation était plus parlante que n'importe quelle base de données. Elle lui rétorquait que son ordinateur lui faisait gagner un temps appréciable.

— Mon ordinateur n'est pas en cause ! s'écria-t-elle faussement indignée. J'ai cherché également dans tous les livres de ma bibliothèque. Impossible de l'identifier.

— Je suis très surpris, répondit Darnay, qui connaissait néanmoins la bibliothèque de références de Skye, une des meilleures. Eh bien, ça m'intéresserait d'y jeter un coup d'œil. Tu peux passer maintenant si tu veux.

— Bien. J'arrive tout de suite.

Elle enveloppa le casque dans une taie d'oreiller, puis dans un sac plastique du Printemps et se dirigea vers la station de métro la plus proche. La boutique de Darnay était située sur la rive droite, dans une petite rue, à côté d'une boulangerie d'où s'échappait une délicieuse odeur de pain frais. Sur la porte était inscrit, en petites lettres dorées, ANTIQUITÉS, et dans la vitrine s'entassaient pêle-mêle cornets à poudre, mousquets à silex, épées rouillées. Cette vitrine n'était pas de nature à attirer le chaland : telle était bien l'intention de Darnay.

La clochette tinta lorsqu'elle entra dans la boutique. L'intérieur, sombre, était étroit, miteux et vide, à l'exception d'une armure rouillée et de quelques copies de dagues anciennes sous verre. Un rideau en velours à l'arrière du magasin bougea, et un homme dégingandé vêtu de noir sortit de la lumière. Il jeta un coup d'œil furtif à Skye, se faufila près d'elle aussi silencieusement qu'une ombre et disparut en fermant la porte sans bruit.

Un deuxième homme apparut dans l'arrière-boutique. Petit,

âgé d'environ soixante-dix ans, il ressemblait au comédien Claude Rains. Impeccablement vêtu, costume sombre et cravate élégante en soie rouge, il aurait été tout aussi distingué en bleu de travail. Son regard pétillait d'intelligence. Ses cheveux et sa moustache étaient argentés et il fumait des Gauloises vissées à un fume-cigarette, qu'il ôta pour embrasser Skye sur les deux joues.

— Tu as fait vite, dit-il en souriant. Ce casque doit être une trouvaille de première importance.

Skye lui rendit son baiser.

— Ce sera à toi de me le dire. Qui est cet homme qui vient de sortir ?

— C'est un de mes... fournisseurs.

— Il avait des allures de cambrioleur sournois.

Une expression inquiète se peignit sur le visage de Darnay. Puis il éclata de rire.

— Bien sûr. Sans doute parce qu'il l'est.

Darnay retourna le panonceau qui affichait maintenant FERMÉ, et guida Skye vers son bureau, derrière le rideau. Le contraste était saisissant : l'atelier, contrairement à la boutique vétuste, était bien éclairé, le bureau et l'espace de travail étaient de style contemporain. Au mur étaient accrochées des armes, pour la plupart des pièces de qualité moyenne, qu'il vendait à des collectionneurs peu chevronnés. Les plus belles pièces, il les gardait dans un entrepôt.

S'il aimait taquiner Skye sur sa confiance excessive en la technologie, il menait la plupart de ses affaires par le biais d'Internet. Il envoyait préalablement son catalogue sur papier glacé à une liste d'acheteurs triés sur le volet, très attendu par les collectionneurs et revendeurs du monde entier.

La première fois que Skye avait consulté Darnay, c'était pour qu'il l'aide à repérer des faux. Elle avait rapidement découvert que ses connaissances en armes et armures anciennes surpassaient celles de certains universitaires, y compris les siennes. Ils étaient devenus amis, bien qu'elle se soit rendu compte qu'il évoluait dans le monde interlope du trafic d'antiquités. En bref, c'était un escroc, mais de grande classe.

— Voyons ce que tu as à me montrer, chère amie.

Il tendit la main vers une table bien éclairée qu'il utilisait pour photographier les pièces de son catalogue.

Skye sortit le casque de son sac et le posa sur la table, puis elle enleva la taie d'oreiller d'un geste plein de panache. L'objet inspirait à Darnay un grand respect. Il fit le tour de la table en tirant sur sa cigarette et se pencha vers le casque, collant presque son nez à la surface métallique. Après l'avoir longuement examiné, il le ramassa, le soupesa, puis l'enfila sur sa tête. Puis il se dirigea vers un placard d'où il sortit une bouteille de Grand Marnier.

— Un verre ? proposa-t-il à Skye.

Elle se mit à rire et secoua la tête négativement.

— Alors, qu'est-ce que tu en penses ?

— Extraordinaire.

Il reposa le casque sur la table et se servit un verre.

— Où as-tu trouvé cette pièce magnifique ?

— Elle était prise dans la glace sous le glacier du Dormeur.

— Un glacier ? Encore plus extraordinaire.

— Attends, ce n'est que la moitié de l'histoire. Il a été découvert à côté d'un corps pris également dans la glace, et qui se trouvait là depuis moins de cent ans. L'homme a dû sauter en parachute de son avion, dont nous avons retrouvé l'épave dans le lac tout proche.

Darnay passa l'index à travers le trou du casque.

— Et ça ?

— Nous pensons que c'est une balle d'arme à feu.

L'antiquaire ne sembla pas surpris outre mesure.

— Alors cet homme de glace portait le casque sur sa tête ?

— Peut-être.

— Il ne s'agit pas d'un test d'époque ?

— Je ne le pense pas. Regarde la solidité du métal. Les balles d'arquebuse auraient rebondi là-dessus comme des petits pois. Le trou a été fait par une arme bien plus moderne.

— Donc, cet homme volait au-dessus du glacier avec un casque ancien sur la tête et il a été abattu par une arme moderne.

Elle haussa les épaules.

— On dirait bien.

Darnay sirota son verre.

— C'est fascinant, mais cela n'a aucun sens.

— Rien dans toute cette histoire n'a de sens.

Elle s'installa dans un fauteuil et raconta à Darnay l'agression de Renaud dans la grotte, puis le sauvetage épique. Darnay l'écoutait en fronçant les sourcils.

— Heureusement que tu es saine et sauve ! Ce Kurt Austin est un homme formidable. Je suppose qu'en plus, il est beau ?

— Très beau, répondit Skye en se sentant rougir.

— Je lui sais gré de ce qu'il a fait. Je t'ai toujours considérée comme ma fille, Skye. J'aurais été bouleversé s'il t'était arrivé quelque chose.

— Eh bien, ce n'est pas le cas, grâce à M. Austin et son collègue Joe Zavala. Alors ? demanda-t-elle en revenant au casque.

— Je pense qu'il est plus ancien qu'il n'y paraît. Comme tu le disais, l'acier est d'une qualité remarquable. Le métal utilisé peut parfaitement avoir été forgé dans les étoiles. Le fait que je n'aie jamais rien vu de tel et que tu n'aies trouvé aucune référence dans tes livres me porte à croire qu'il s'agit d'un prototype.

— S'il s'agissait d'un modèle si révolutionnaire, pourquoi s'arrêter là ?

— Tu connais la nature des hommes face aux armes. Ce n'est pas toujours le bon sens qui prévaut. L'armée polonaise, par exemple, voulait absolument utiliser la cavalerie à cheval contre les divisions de Panzer. Billy Mitchell a eu bien du mal à convaincre la hiérarchie militaire de l'utilité du bombardement aérien. Peut-être que quelqu'un, en voyant ce heaume, a décrété que les équipements anciens étaient préférables à celui-ci.

— Et as-tu des idées sur le poinçon de l'armurier ou les armoiries que j'ai découvertes là et sur l'avion ?

— J'ai bien des idées, mais pas très scientifiques.

— Cela m'intéresse tout de même de les entendre. Je vais peut-être même accepter ce Grand Marnier.

Darnay sortit un autre verre et ils trinquèrent.

— Je dirais que l'aigle représente l'alliance de trois groupes. *E pluribus unum*. Un à partir de plusieurs. Cela n'a pas dû être facile, l'aigle semble au bord du démembrement et pourtant, il doit tenir, sinon c'est la mort. Les armes qu'il agrippe dans ses serres me portent à croire que cette alliance a quelque chose à voir avec la guerre.

— Voilà qui n'est pas mal pour un avis non scientifique.

Il sourit et jeta un coup d'œil à sa montre.

— Si seulement nous savions qui est ton homme de glace. Excuse-moi, Skye, mais j'ai une conférence téléphonique entre un fournisseur de Londres et un acheteur des Etats-Unis. Est-ce que cela t'ennuierait que je garde cette pièce ici quelques heures afin de pouvoir l'étudier?

— Pas du tout. Appelle-moi quand tu voudras que je passe la reprendre. Je serai soit à mon bureau, soit chez moi.

Un air soucieux se peignit sur le visage de l'antiquaire.

— Ma chère enfant, nous ne savons pas dans quoi nous nous embarquons. Quelqu'un a voulu tuer pour se procurer cet objet. Il doit avoir une grande valeur. Nous devons nous montrer très prudents. Qui sait que tu es en possession du casque?

— Kurt Austin, l'homme de la NUMA dont je t'ai parlé. Il est digne de confiance. Ceux qui étaient dans la grotte aussi. Et Renaud également.

— Ah, Renaud, fit-il avec un soupir. Ce n'est pas bon. Il va vouloir le récupérer.

Les yeux sombres de la jeune femme pétillèrent de colère.

— Plutôt mourir, déclara-t-elle avant de sourire nerveusement en se rendant compte de ce qu'elle venait de dire. Je peux faire traîner les choses, dire qu'il se trouve chez l'expert en métaux.

Le téléphone de Darnay se mit à sonner.

— C'est ma conférence. Je te rappelle plus tard.

En quittant la boutique, elle se rendit à son appartement plutôt qu'à son bureau. Elle voulait consulter son répondeur, dans l'espoir d'avoir un message d'Austin. Sa discussion avec Darnay lui avait fait froid dans le dos. Elle avait le sentiment d'être en danger et entendre la voix de Kurt l'aurait rassurée. Elle écouta ses messages, mais aucun de lui.

Elle se sentait épuisée d'avoir tant travaillé. Elle s'allongea sur le canapé, un magazine de mode sur les genoux, dans l'intention de se détendre un peu avant de retourner à l'université. Mais au bout de quelques minutes, le magazine lui glissa des mains et elle sombra dans un profond sommeil.

Peut-être Skye aurait-elle moins bien dormi si elle avait su ce que mijotait Auguste Renaud. Assis à son bureau, il était en proie à une dangereuse colère, penché sur la liste de plaintes qu'il rédigeait à propos de Skye Labelle. Si sa main allait mieux, sa fierté était toujours gravement blessée.

Il concentrait toute sa malveillance sur cette insolente, prêt à faire jouer toutes ses relations, profiter de tous ses appuis politiques pour la détruire, ruiner sa carrière et celle de tous ceux qui étaient ses amis, de près ou de loin. Elle l'avait humilié devant d'autres personnes, bafoué son autorité. Il allait l'expulser de la Sorbonne. Elle devrait implorer sa pitié. Il se voyait tel le Créateur dans un de ces tableaux de la Renaissance, chassant Adam et Eve du jardin d'Eden armé d'un glaive assassin.

Il l'avait croisée dans l'ascenseur le matin même et elle l'avait salué en souriant, ce qui l'avait fait bouillir de rage. Il était parvenu à se maîtriser le temps de gagner son bureau, mais à présent il concentrait sa colère sur le rapport vengeur qu'il rédigeait. Il en était à la description détaillée de sa moralité douteuse lorsqu'il perçut un bruit de pas traînant. Le fauteuil face à son bureau craqua, mais il ne releva pas la tête, supposant qu'il s'agissait d'une secrétaire, et resta penché sur son travail.

— Oui ?

Comme personne ne répondit, il leva les yeux et eut mal au ventre. Le grand type au visage bouffi qui l'avait attaqué sous le glacier se tenait face à lui.

Renaud était un partisan de la survie à tout prix. Il feignit de ne pas le reconnaître et s'éclaircit la gorge.

— Que puis-je faire pour vous ? demanda-t-il.

— Vous ne me reconnaissez pas ?

— Je ne crois pas. Vous cherchez quelqu'un de la fac ?

— C'est vous que je cherche.

Renaud sentit son cœur rater un battement.

— Je suis persuadé que vous faites erreur.

— Je vous ai vu à la télé, déclara l'homme.

Avant même son retour à Paris, Renaud avait appelé un de ses amis journaliste télé, et organisé une interview dans laquelle il s'attribuait tout le mérite de la découverte de l'homme de glace, suggérant même qu'il était également le héros de leur sauvetage après l'inondation.

— Oui. Vous avez vu l'interview ?

— Vous avez déclaré au journaliste que vous aviez trouvé des objets sous le glacier. Il y avait le coffre. Quels sont ces autres objets ?

— Il y en avait un seul. Un casque. Très ancien, semble-t-il.

— Où est-il maintenant ?

— Je croyais l'avoir laissé dans la grotte. Mais une femme l'a emporté en douce.

— Qui est cette femme ?

Le regard de Renaud s'éclaira. Peut-être cette brute le laisserait-il en paix s'il avait une cible plus intéressante. Il pourrait ainsi se débarrasser et de lui, et de Skye.

— Une archéologue, Skye Labelle. Vous voulez ses coordonnées ? proposa-t-il perfidement en cherchant dans l'annuaire de l'université. Elle a un bureau à l'étage du dessous, porte 216. Faites-en ce que vous voulez, ça m'est égal.

Il essaya de cacher sa joie. Il aurait donné cher pour voir la tête de Skye quand ce type franchirait le seuil de sa porte !

L'homme se leva lentement. Bien, il allait partir.

— Désirez-vous quelque chose d'autre ? demanda Renaud avec un sourire magnanime.

Le grand type lui rendit son sourire.

— Oui, répondit-il. Vous tuer.

Il tira une arme de son manteau, un pistolet muni d'un silencieux. L'arme cracha une seule fois et un trou rouge apparut sur le front de Renaud. Il tomba en avant sur son bureau, le sourire toujours figé sur son visage.

Le grand type prit l'annuaire, le fourra dans sa poche et, sans un regard pour le corps sans vie affalé derrière lui, il sortit de la pièce aussi silencieusement qu'il était entré.

14

Le vieil avion dansait dans le ciel au-dessus de la tête d'Austin, exécutant un gracieux ballet qui semblait défier les lois de la gravité et de la physique. Il l'observait, impressionné, depuis le bord de la pelouse de l'aérodrome au sud de Paris. L'appareil accomplissait une spirale aérienne, puis une demi-boucle vers le haut avec un Immelman parfaitement exécuté pour changer de direction.

Austin se raidit tandis que l'avion plongeait et descendait en piqué sur la piste. Il allait trop vite pour atterrir en toute sécurité, on aurait dit un missile téléguidé. Quelques secondes plus tard, le train d'atterrissage, qui ressemblait à une bicyclette, toucha le sol; l'appareil rebondit d'un ou deux mètres au-dessus du sol, puis se posa enfin pour rouler vers le hangar sous le vrombissement guttural du moteur.

Tandis que la double hélice en bois ralentissait, un homme d'âge moyen s'extirpa du cockpit, ôta ses lunettes d'aviateur et avança vers Austin qui se trouvait non loin du hangar. Il avait un sourire fendu jusqu'aux oreilles. S'il avait été un chiot, il aurait remué la queue en frétillant.

— Désolé que l'avion n'ait qu'une seule place, monsieur Austin. J'aurais été ravi de vous emmener faire un tour.

Austin considéra le minuscule appareil, avec son cône d'hélice en ogive, son fuselage en bois et toile et sa dérive triangulaire sur laquelle était peinte une tête de mort. Les montants métalliques qui soutenaient les ailes courtaudes partaient en parasol depuis un support en forme de A, juste à l'avant du cockpit.

— Sauf votre respect, monsieur Grosset, votre avion m'a déjà l'air bien petit pour une personne.

Des rides de sourire creusèrent le visage tanné du Français.

— Je ne vous reproche pas votre scepticisme, monsieur Austin. Le Morane-Saulnier N a l'air d'avoir été fabriqué dans une cave par un écolier. Il ne mesure que six mètres soixante-dix de long, et huit mètres vingt d'envergure. Mais ce petit moustique était l'un des plus redoutables avions de son temps. Il était rapide, plus de cent soixante kilomètres à l'heure, et incroyablement maniable. Entre les mains d'un bon pilote, il pouvait se révéler d'une efficacité mortelle.

Austin s'approcha de l'avion et passa la main sur le fuselage.

— J'ai été surpris par le profil aérodynamique et sa conception monoplan. Pour ce qui est des avions de la Première Guerre mondiale, je me représente toujours des biplans au nez émoussé.

— Et vous avez raison. La plupart des avions utilisés pendant la guerre avaient deux plans. Les Français ont été en avance sur les autres pays avec ces monoplans. En matière d'aérodynamisme, ce modèle était le plus perfectionné pour l'époque. Son grand avantage sur le biplan, défaut corrigé plus tard avec les modèles Sopwith et Nieuport, est sa capacité à prendre plus rapidement de l'altitude.

— Votre Immelmann était magnifique.

— Merci, fit Grosset en s'inclinant. Parfois, ce n'est pas si facile qu'il y paraît. Ce petit avion pèse moins de cinq cents kilos tout compris, mais comme il est propulsé par un moteur Rhône I de 116 chevaux, il est délicat à manœuvrer et il faut le piloter avec douceur. Un pilote a déclaré que le plus grand danger avec le Morane-Saulnier N était non pas le combat mais l'atterrissage, ajouta-t-il en souriant. Vous avez dû remarquer que ma vitesse d'approche était rapide.

Austin éclata de rire.

— C'est un euphémisme, monsieur Grosset. J'ai cru que vous alliez creuser un trou dans le sol.

— Je n'aurais pas été le premier, répondit le pilote avec un rire chaleureux. Ma tâche est simple comparée à celle des pilotes d'autrefois. Imaginez que vous tentez un atterrissage, les ailes de votre avion déchiquetées par les balles ennemies, que vous êtes également peut-être blessé et affaibli, perdant votre sang. Là, c'est un vrai défi.

Austin détecta une pointe de nostalgie dans la voix de Grosset. Avec ses traits délicats et sa fine moustache, le Français était la réincarnation des pilotes d'escadrille casse-cou qui survolaient en rase-mottes les tranchées allemandes en se jouant des tirs antiaériens. Austin avait appelé Grosset, le directeur du musée aérien, après sa conversation avec Ian MacDougal, et lui avait demandé de regarder des photos de l'avion découvert au fond du lac. Grosset avait déclaré qu'il l'aiderait bien volontiers et, fidèle à sa parole, l'avait rappelé pour tenter d'identifier l'appareil, peu de temps après avoir reçu les photos numériques par e-mail.

— Votre avion est en mille morceaux, avait-il dit, mais je suis d'accord avec M. MacDougal pour dire qu'il s'agit d'un appareil de la Première Guerre mondiale, un Morane-Saulnier N.

— J'ai bien peur que mes connaissances des avions anciens soient très limitées, avait répondu Austin. Pourriez-vous m'en dire un peu plus ?

— Je peux faire mieux que cela, je peux vous en montrer un. Nous avons un N dans notre musée aérien.

Ainsi, après être arrivé le matin même à Paris et avoir pris une chambre dans un hôtel, Austin avait sauté dans un TGV qui l'avait conduit au musée plus vite que s'il avait volé dans l'avion de Grosset. Le musée était situé dans un ancien aérodrome, à moins de quatre-vingts kilomètres au sud de Paris.

Après sa démonstration aérienne, Grosset invita Austin à prendre un verre de vin dans son bureau, niché dans un coin du hangar qui abritait nombre de modèles anciens. Ils passèrent devant un Spad, un Corsair et un Fokker pour gagner la petite pièce aux murs recouverts de photos d'avions.

Grosset leur servit deux verres de bordeaux et porta un toast aux frères Wright. Austin suggéra de boire également à la santé d'Alberto Santos-Dumont, un pionnier brésilien de l'aviation qui avait vécu longtemps en France et qui était d'ailleurs considéré par beaucoup comme français.

Les photos qu'Austin avait envoyées à Grosset étaient étalées sur un vieux bureau en bois. Austin saisit un cliché de l'épave, en étudia la structure brisée et secoua la tête d'étonnement.

— Je suis époustouflé que vous ayez réussi à identifier l'avion à partir de ce fouillis.

Grosset posa son verre et parcourut rapidement les photos avant de trouver celle qu'il cherchait.

— Je n'étais pas sûr de moi au départ. J'avais des soupçons, mais comme vous dites, c'est un vrai fouillis. J'avais bien reconnu la mitrailleuse Hotchkiss, mais la plupart des avions de cette époque en étaient équipés. Quant au carénage avant conique, c'était un indice important. Puis j'ai remarqué quelque chose d'intéressant. (Il fit glisser la photo sur le bureau et tendit une loupe à Austin.) Regardez ça de près.

Austin examina le morceau de bois arrondi.

— On dirait une hélice, dit-il.

— Tout à fait. Mais pas n'importe laquelle. Voyez, il y a un déflecteur métallique qui y est accroché.

— A quoi servait-il ?

— Raymond Saulnier avait conçu dès 1914 un mécanisme de synchronisation ingénieux qui lui permettait d'utiliser sa mitrailleuse Hotchkiss par le moyeu de l'hélice. Il arrivait que l'arme fasse long feu, c'est pourquoi il équipa l'hélice de simples pare-balles métalliques.

— J'en ai entendu parler. Une solution techniquement simple pour un problème complexe.

— Mais après la mort de plusieurs pilotes, tués par des balles qui avaient ricoché, cette idée a été temporairement abandonnée. Puis vint la guerre, et avec elle, l'envie impétueuse de trouver de nouvelles façons de tuer l'ennemi. Le pilote français Roland Garros a rencontré Saulnier et ensemble ils ont mis au point ce dispositif de pare-balles en acier qui a fonctionné comme prévu. Il a réussi à abattre plusieurs avions avant d'être contraint d'atterrir derrière les lignes ennemies. Les Allemands ont ensuite utilisé son système pour concevoir la synchronisation du Fokker.

Austin prit une autre photo et arrêta son doigt sur un petit rectangle de couleur claire sur le fuselage derrière le cockpit.

— Que pensez-vous de ceci ? On dirait une plaque.

— Vous avez un œil de lynx, fit Grosset en souriant. Il s'agit du numéro de série du constructeur. (Il lui fit passer une deuxième photo.) J'ai agrandi le cliché sur l'ordinateur. Les lettres et les nombres sont un peu flous mais j'ai réussi à augmenter la résolution afin de les déchiffrer pour pouvoir les comparer avec ceux des archives du musée.

Austin redressa la tête.

— Avez-vous pu en retrouver le propriétaire ?

Grosset hocha la tête.

— On a construit quarante-neuf modèles N. Après avoir constaté les prouesses de Roland Garros, d'autres pilotes français ont obtenu cet avion et l'ont piloté avec une efficacité meurtrière. Les Anglais ont acheté quelques-uns de ces avions « Bullet », comme ils appelaient ce modèle, ainsi que les Russes. Ils étaient plus performants que les Fokker, mais beaucoup de pilotes craignaient leur vitesse d'atterrissage et leur sensibilité. Vous dites que vous avez découvert cette épave dans les Alpes ?

— Oui, au fond d'un lac glaciaire, près du glacier du Dormeur.

Grosset se cala dans son fauteuil et fit craquer ses doigts.

— C'est curieux. Il y a quelques années, on m'a fait venir dans ce coin-là pour identifier des épaves de vieux avions. Il s'agissait d'Aviatiks, de vieux modèles de reconnaissance. J'ai parlé avec les habitants de la région, qui m'ont relaté une histoire de bataille aérienne du temps de leurs grands-parents. Elle se serait produite vers le début de la Première Guerre, mais je n'ai pas pu obtenir de date exacte.

— Et vous pensez que cette bataille aérienne aurait un rapport avec notre découverte ?

— Peut-être. Il pourrait s'agir d'une nouvelle pièce d'un puzzle vieux de près de cent ans : la mystérieuse disparition de Jules Fauchard. Il était le propriétaire de l'avion que vous avez retrouvé.

— Ce nom ne m'évoque rien.

— Fauchard était l'un des hommes les plus riches d'Europe. Il a disparu en 1914, apparemment aux commandes de son Morane-Saulnier. Il avait l'habitude de survoler sa vaste propriété et ses vignobles. Un jour, il n'est tout simplement pas revenu. On a lancé des recherches dans un rayon de plusieurs kilomètres, mais on n'a trouvé aucune trace de lui. Quelques jours plus tard, la guerre a éclaté et plus personne ne s'est soucié de sa disparition, pour regrettable qu'elle soit.

Austin tapota la photo sur laquelle on voyait la mitrailleuse.

— Fauchard avait l'air de se faire du souci pour ses grappes de raisin. Comment un simple citoyen s'est-il trouvé en possession d'un avion de guerre ?

— Fauchard était un fabricant d'armes et bénéficiait d'importants appuis politiques. Se procurer un avion de l'arsenal militaire français était facile pour lui. La vraie question est : comment est-il parvenu jusqu'aux Alpes ?

— Il a pu se perdre ? suggéra Austin.

— C'est peu probable. Son avion ne pouvait pas arriver au lac du Dormeur avec un seul réservoir de carburant. A cette époque, les aéroports étaient rares. Il a dû prévoir et entreposer des réserves de carburant tout au long du trajet. Ce qui suggère que sa fuite était préméditée.

— Vers où pensez-vous qu'il se dirigeait ?

— Le lac est proche de la frontière suisse.

— Le secret bancaire ? Peut-être se rendait-il à Zurich pour encaisser un chèque ?

Grosset s'esclaffa.

— Un homme dans la position de Fauchard n'avait nul besoin de liquidités. (Son visage redevint sérieux.) Avez-vous vu le reportage télévisé sur l'homme retrouvé dans la glace ?

— Non, mais j'ai parlé à l'une des personnes qui a vu le corps. Elle m'a dit qu'il était vêtu d'un long manteau en cuir et qu'il portait un casque ajusté comme ceux des premiers aviateurs.

Grosset se pencha en avant pour se rapprocher d'Austin, une lueur d'excitation dans le regard.

— Cela correspondrait exactement ! Fauchard a pu sauter en parachute et laisser son avion s'écraser dans le lac. Si seulement on pouvait retrouver le corps !

Austin songea au tunnel sombre et inondé.

— Ce serait une tâche monumentale que de pomper l'eau de ce tunnel, dit-il.

— C'est ce que j'ai cru comprendre, fit-il en hochant la tête. Si quelqu'un peut s'en charger, c'est bien les Fauchard.

— Il a encore de la famille ?

— Oh oui, mais je ne m'étonne pas que vous n'en ayez pas entendu parler. Ils sont obsédés par la protection de leur vie privée.

— Ce n'est pas surprenant. Beaucoup de riches familles le sont.

— Cela va plus loin que cela, monsieur. Les Fauchard sont ce que l'on appelle des « marchands de mort ». Des marchands d'armes à grande échelle. Ce genre de commerce est fortement condamné par certains.

— Les Fauchard me font un peu penser aux Krupp.

— On les a comparés aux Krupp, en effet, même si ce n'était pas du goût de Racine Fauchard.

— Racine ?

— Oui, la petite-nièce de Jules. Une femme hors du commun, à ce que l'on m'a dit. C'est elle qui est aujourd'hui à la tête de l'affaire familiale.

— J'imagine que Mme Fauchard aimerait savoir ce qui est arrivé à son grand-oncle disparu ?

— Certes, mais il serait difficile pour un simple mortel de franchir les barrières d'avocats, de conseillers en communication et de gardes du corps qui protègent une personne si riche. (Grosset resta un moment pensif avant de poursuivre :) J'ai un ami qui occupe un poste de direction dans son entreprise. Je peux l'appeler pour lui en parler et voir où cela nous mène. Où pourrais-je vous joindre ?

— Je reprends le train pour Paris. Je vais vous donner mon numéro de portable.

— Bien, fit Grosset.

Il appela un taxi pour raccompagner Austin à la gare, puis ils traversèrent à nouveau le hangar plein d'avions anciens pour attendre le taxi dehors.

Ils échangèrent une poignée de main et Austin remercia Grosset pour son aide.

— C'était un plaisir. Puis-je vous demander ce qui intéresse la NUMA dans cette affaire?

— Rien, en réalité. J'ai découvert l'avion alors que je travaillais sur un projet financé par la NUMA, et je poursuis ces recherches à titre personnel, par simple curiosité.

— Dans ce cas, vous ne comptez pas passer par des intermédiaires si vous êtes amené à rencontrer les Fauchard?

— Non, ce n'est pas mon intention.

Grosset médita la réponse d'Austin.

— J'ai été militaire pendant de longues années et vous m'avez l'air d'être un homme solide et prudent, mais méfiez-vous des Fauchard.

— Pourquoi cela?

— Ils sont riches certes, mais il y a plus que cela...

Il s'interrompit pour choisir judicieusement ses mots.

— On dit qu'ils ont un passé.

Avant qu'Austin ait pu demander à Grosset ce qu'il entendait par là, le taxi arrivait; ils se firent leurs adieux et Austin repartit pour la gare. Assis confortablement dans la voiture, il réfléchit à l'avertissement du Français. Il semblait vouloir dire que les Fauchard avaient plus d'un squelette dans leur placard. Comme n'importe quelle riche famille à la surface de la terre, songea-t-il. Les fortunes qui ont construit les somptueuses demeures et les réputations grandioses ont souvent pour origine l'esclavage, le trafic d'opium, la contrebande ou le crime organisé.

Au bout de sa réflexion, Austin tourna ses pensées vers Skye alors que les paroles de Grosset continuaient à résonner dans son esprit comme un lointain écho.

On dit qu'ils ont un passé.

15

Le bureau de Skye se trouvait dans le département de sciences de la Sorbonne, un édifice en verre et béton d'inspiration Le Corbusier, pris en étau entre deux bâtiments Art nouveau non loin du Panthéon. La rue était habituellement calme, hormis les cohortes d'étudiants qui l'utilisaient comme raccourci. Mais lorsque Skye passa le coin de la rue, elle aperçut des cars de police qui la bloquaient des deux côtés. D'autres voitures officielles étaient garées en bas du bâtiment et l'entrée grouillait de policiers.

Un agent corpulent posté près d'une barrière de sécurité leva la main pour lui interdire le passage.

— Je regrette, mademoiselle. Vous ne pouvez pas passer.

— Qu'y a-t-il ?

— Il y a eu un accident.

— Quel genre d'accident ?

— Je ne sais pas, répondit le policier avec un haussement d'épaules peu convaincant.

Skye sortit de son portefeuille sa carte de l'université et la brandit sous le nez du policier.

— Je travaille ici. Je voudrais savoir ce qui se passe et si je suis concernée ou pas.

Après un coup d'œil sur la photo d'identité, le policier releva les yeux vers Skye.

— Vous devriez vous adresser à l'inspecteur responsable.

Il conduisit Skye vers un homme en civil, debout près d'une voiture de patrouille, qui parlait à deux policiers en uniforme.

— Cette dame dit qu'elle travaille là, expliqua le policier à l'inspecteur, un homme courtaud entre deux âges, le visage affichant un air de lassitude comme ceux qui en ont trop vu.

L'inspecteur scruta la carte d'enseignante de Skye de ses yeux cernés et rougis et la lui rendit après avoir griffonné ses coordonnées sur un calepin.

— Je m'appelle Dubois, déclara-t-il. Suivez-moi, je vous prie, dit-il en désignant un véhicule derrière lui.

Il ouvrit la porte de la voiture, lui fit signe de prendre place à l'arrière et monta à côté d'elle.

— Quand avez-vous quitté votre bureau, mademoiselle ?

Elle jeta un coup d'œil à sa montre.

— Cela fait deux ou trois heures. Peut-être un peu plus.

— Où êtes-vous allée ensuite ?

— Je suis archéologue. J'ai apporté un objet chez un antiquaire pour le faire expertiser, puis je suis rentrée à mon appartement faire une sieste.

L'inspecteur prit note.

— Lorsque vous étiez dans le bâtiment, avez-vous remarqué quelqu'un ou quelque chose d'étrange ?

— Non, tout était normal pour autant que je sache. Pourriez-vous enfin me dire ce qui s'est passé ?

— Quelqu'un a été tué. Connaissiez-vous M. Renaud ?

— Renaud ? Bien sûr ! C'est le directeur de mon département. Vous voulez dire qu'il est mort ?

Dubois hocha la tête.

— Abattu par un inconnu. Quand avez-vous vu M. Renaud pour la dernière fois ?

— Lorsque je suis arrivée ce matin vers 9 heures. Nous avons pris l'ascenseur ensemble. Mon bureau est à un étage sous le sien. Nous nous sommes salués puis nous sommes allés chacun de notre côté.

Skye espérait que son visage ne la trahissait pas, car lorsqu'elle avait salué Renaud, il s'était contenté de la fusiller du regard.

— Connaissez-vous des gens susceptibles de vouloir du mal à M. Renaud ?

Skye hésita avant de répondre. Elle soupçonnait l'inspecteur d'afficher un air détaché pour endormir la méfiance des suspects et leur faire prononcer des paroles qui les incrimineraient. S'il avait interrogé d'autres enseignants, il devait déjà savoir que Renaud était exécré au sein de son département. Et si elle disait le contraire, il aurait des soupçons.

— M. Renaud était une personnalité controversée dans le département, dit-elle au bout d'un moment. Beaucoup de gens n'aimaient guère sa manière de le diriger.

— Et vous, mademoiselle ? Vous aimiez sa manière de diriger ?

— Je faisais partie des gens de la fac qui pensaient qu'il n'était pas la bonne personne pour ce poste.

L'inspecteur sourit pour la première fois.

— Voilà une réponse fort diplomatique. Puis-je vous demander où vous vous trouviez exactement avant de venir ici ?

Skye lui donna l'adresse du magasin d'antiquités de Darnay et la sienne, qu'il nota en lui assurant qu'il ne s'agissait que d'une procédure de routine. Puis il sortit de la voiture, lui tint la portière et lui tendit sa carte.

— Je vous remercie, mademoiselle Labelle. Je vous en prie, appelez-moi si vous pensez à quelque chose qui puisse être relié à cette affaire.

— Oui, bien sûr. J'ai un service à vous demander, inspecteur. Pourrais-je monter à mon bureau au premier ?

Il réfléchit un instant.

— Oui, mais un de mes hommes va vous accompagner.

L'inspecteur Dubois appela le policier à qui Skye avait parlé précédemment et le pria de l'escorter pour passer le cordon de sécurité. On aurait dit que tous les policiers de Paris s'étaient rassemblés sur les lieux. Renaud était peut-être une fripouille, mais c'était aussi une figure éminente de l'université, son assassinat allait faire des vagues.

D'autres policiers et techniciens étaient à l'œuvre à l'intérieur de la faculté, relevant les empreintes ou photographiant les lieux.

Skye, le policier sur les talons, monta à son bureau au premier étage, entra et jeta un coup d'œil circulaire dans la pièce. Bien que ses meubles et ses papiers semblassent en ordre, elle avait l'étrange impression que quelque chose clochait.

Skye scruta la pièce en détail, puis s'approcha de son bureau. Pour tout ce qui était de son travail, elle était ordonnée jusqu'à la maniaquerie. Avant de quitter son bureau le matin même, elle avait empilé ses livres, papiers et dossiers avec une précision millimétrique. Or, à présent, les bords de la pile étaient irréguliers, comme si elle avait été refaite précipitamment.

Quelqu'un avait pénétré dans son bureau !

— Mademoiselle ?

Le policier la considérait d'un œil étonné et elle se rendit compte qu'elle avait le regard dans le vide. Elle hocha la tête, ouvrit un tiroir et prit un dossier au hasard.

— Voilà, j'ai terminé, annonça-t-elle avec un sourire forcé.

Elle se força à marcher calmement malgré son envie de bondir et ses jambes qui semblaient de plomb. Son pouls s'était accéléré et les battements de son cœur résonnaient à ses oreilles comme des coups de tonnerre. La main qui avait dérangé ses papiers était probablement celle qui avait tué Renaud.

Le policier l'escorta jusqu'à la sortie du bâtiment et lui fit franchir les barrières de sécurité. Elle le remercia et rentra chez elle à pied, encore sous le choc, traversant les rues comme une automate, ce qui était pratiquement suicidaire à Paris. Elle ne prêta pas attention aux hurlements de freins, pas plus qu'à la cacophonie de klaxons ni aux invectives des conducteurs.

Sa crise de panique s'était atténuée lorsqu'elle arriva au coin de la petite rue où se trouvait son appartement. Elle se demandait si elle avait bien fait de ne pas révéler à l'inspecteur Dubois que son bureau avait été fouillé. Elle s'imagina l'enquêteur concluant que cette folle paranoïaque devait figurer sur la liste des suspects.

Skye habitait un immeuble mansardé du XIXe, rue Mouffetard, en bordure du Quartier latin. Elle appréciait l'animation bruyante du quartier avec ses boutiques, ses restaurants et ses musiciens de rue. L'ancien hôtel particulier avait été transformé en trois appartements. Celui de Skye se trouvait au deuxième étage et, de son balcon en fer forgé, elle avait vue sur la rue et les innombrables cheminées de Paris. Elle monta les escaliers en courant. Elle fut soulagée en ouvrant sa porte, enfin en sécurité. Mais lorsqu'elle pénétra dans le salon, elle ne put en croire ses yeux.

La pièce avait été saccagée. Les coussins des fauteuils et du canapé étaient éparpillés sur le sol. Les magazines avaient été balayés de la table basse et les livres sortis des étagères et jetés au sol. Dans la cuisine, c'était encore pire. Les placards étaient grands ouverts et le sol couvert de bris de vaisselle. Comme une somnambule, elle se rendit dans la chambre. On avait sorti les tiroirs des placards et vidé leur contenu par terre. Les draps avaient été arrachés du lit et le matelas éventré.

Elle regagna son salon et resta interdite. Cette violation de son intimité la fit trembler de rage. Puis la colère laissa place à la peur lorsqu'elle se rendit compte que la personne qui avait dévasté l'appartement était peut-être encore là. Elle n'avait pas regardé dans la salle de bains. Elle attrapa un tisonnier près de la cheminée et, les yeux rivés sur la porte de la salle de bains, s'apprêtait à sortir à reculons de l'appartement.

Le plancher craqua derrière elle.

Elle fit volte-face et brandit le tisonnier au-dessus de sa tête.

— Euh, bonjour, articula Kurt Austin, les yeux écarquillés de surprise.

Skye faillit s'évanouir. Elle laissa retomber le tisonnier le long de sa jambe.

— Je suis désolée, souffla-t-elle.

— C'est moi qui devrais m'excuser de t'avoir fait peur. La porte était ouverte, alors je suis entré. Est-ce que ça va ? demanda-t-il en remarquant la pâleur de Skye.

— Oui, maintenant que tu es là.

Austin balaya la pièce du regard.

— Je ne savais pas que vous aviez des tornades à Paris.

— Je pense que c'est l'assassin de Renaud qui a fait ça.

— Renaud ? Le type qui était coincé sous le glacier avec toi ?

— Oui, il a été abattu dans son bureau.

La mâchoire d'Austin se contracta.

— Tu as regardé dans les autres pièces?

— Oui, sauf dans la salle de bains. Et je n'ai pas osé ouvrir les placards.

Austin lui prit le tisonnier des mains.

— Petite sécurité, expliqua-t-il.

Il se rendit à la salle de bains et en ressortit un instant plus tard.

— Est-ce que tu fumes? demanda-t-il.

— Non, je ne fume plus depuis des années, pourquoi?

— Tu avais raison de t'inquiéter, déclara-t-il en exhibant un mégot. Il y en avait un tas dans la baignoire. Quelqu'un attendait ton retour.

Skye frissonna.

— Et pourquoi est-il parti?

— Quelle qu'en soit la raison, tu as eu de la chance. Parle-moi de Renaud.

Ils remirent le canapé en état et Skye raconta à Austin en détail sa visite à son bureau de l'université.

— Est-ce que je suis folle de faire le rapprochement entre ce saccage, la fouille de mon bureau et l'assassinat de Renaud?

— Tu serais folle de ne pas le faire. Est-ce qu'il te manque quelque chose?

Elle regarda la pièce en secouant la tête.

— Impossible de le savoir, dit-elle.

Son regard tomba sur le répondeur téléphonique.

— C'est curieux. Quand j'ai quitté l'appartement, il n'y avait que deux messages; maintenant il y en a quatre.

— Il y en a un de moi, je t'ai appelée dès mon arrivée à Paris.

— Quelqu'un a dû écouter les deux derniers messages, parce que le voyant ne clignote pas.

Austin appuya sur le bouton et s'entendit déclarer qu'il n'arrivait pas à joindre Skye à son bureau et qu'il allait passer chez elle au cas où. Puis ce fut la voix de Darnay.

— Skye, c'est Charles. Je me demandais si je pouvais emporter le casque dans ma maison de campagne. Il est encore plus mystérieux que prévu.

— Oh mon Dieu, fit-elle en pâlissant. Celui qui m'attendait a dû entendre ce message.

— Qui est Charles ? demanda Austin.

— Un ami. Il vend des armes et des armures rares. Je lui ai laissé le casque pour qu'il l'examine. Attends..

Elle retrouva son carnet d'adresses sous une pile de papiers et regarda à la lettre D. Une page avait été arrachée. Elle montra le carnet à Austin.

— L'intrus a dû partir à sa recherche.

— Essaie de le prévenir.

Elle prit son téléphone, composa le numéro et attendit un long moment.

— Personne ne répond, dit-elle. Que devons-nous faire?

— Le plus intelligent serait d'appeler la police.

Elle fronça les sourcils.

— Charles n'apprécierait pas. Ses affaires sont à la limite de la légalité, parfois au-delà. Il ne me pardonnerait jamais si la police venait mettre le nez dedans.

— Même si sa vie en dépendait ?

— Il n'a pas répondu au téléphone. Peut-être qu'il n'est même pas là et que nous nous inquiétons pour rien.

Austin était moins optimiste mais il ne voulait pas perdre un temps précieux en vaine discussion.

— Où est sa boutique ?

— Sur la rive droite. A dix minutes en taxi.

— J'ai ma voiture. On y sera en cinq minutes.

Ils se précipitèrent vers l'escalier.

La vitrine de l'antiquaire était plongée dans le noir et la porte fermée. Skye sortit l'une des rares clés que Darnay avait confiées à ses amis et ouvrit la porte. Un rai de lumière filtrait sous le rideau du bureau.

Austin le souleva doucement. L'étrange vision qui l'attendait ressemblait à une mise en scène théâtrale, comme dans un musée de cire. Un homme aux cheveux gris était agenouillé, le menton posé sur une caisse en bois comme un condamné à mort, la tête sur le billot. Il était échevelé, pieds et poings liés, et bâillonné.

Un homme de grande taille se tenait au-dessus de lui, dans la posture du bourreau, agrippant une longue épée à deux mains, le haut du visage dissimulé par un masque noir. Le bourreau sourit à Austin. Il ôta son masque, le jeta et brandit le glaive au-dessus du cou de Darnay. La lumière scintilla cruellement sur la lame à double tranchant.

— Je vous en prie, restez, dit-il d'une voix étrangement haut perchée pour un homme de sa stature. Votre ami en perdrait la tête si vous partiez.

Skye qui avait rejoint Austin enfonça ses ongles dans son bras, mais il n'en fut même pas conscient. Il se rappela le récit de l'archéologue et sut qu'il avait devant lui le faux journaliste qui avait inondé le tunnel du glacier.

— Pourquoi partirions-nous ? fit-il sur un ton nonchalant. Nous venons à peine d'arriver.

L'homme au teint pâle sourit, mais son épée restait suspendue au-dessus de la nuque de Darnay.

— Cet homme a fait preuve d'une grande sottise, dit-il en regardant une étagère remplie de vieux casques. Il refuse de me dire lequel est celui que je cherche.

L'entêtement de Darnay lui avait sans doute sauvé la vie, songea Austin. Il avait dû se douter que son agresseur le tuerait dès qu'il aurait obtenu ce qu'il cherchait.

— Je suis sûr que n'importe lequel vous irait comme un gant, lança Austin.

L'homme ignora la suggestion et posa les yeux sur Skye.

— Vous, vous allez me le dire, hein ? C'est vous l'experte.

— Vous avez tué Renaud, n'est-ce pas ? demanda Skye.

— Ne gaspillez pas vos larmes pour lui, répondit l'homme. C'est lui qui m'a dit où vous trouver.

Son glaive s'éleva de quelques centimètres.

— Montrez-moi le casque que vous avez sorti du glacier et je vous laisserai tous partir.

Dans tes rêves, se dit Austin. Une fois que l'assassin de Renaud aurait le casque, il se débarrasserait d'eux trois. Il décida de tenter quelque chose, même si cela impliquait de risquer la vie de Darnay. Il avait avisé une hallebarde sur le mur à quelques pas de lui. Il s'en approcha et souleva l'arme de ses crochets.

— Je vous suggère de lâcher cette épée, dit-il sans élever la voix ni perdre son calme.

— Voudriez-vous que je la laisse tomber sur le cou de M. Darnay ?

— Vous pourriez le faire, répliqua Austin sans quitter des yeux le visage de l'agresseur pour éviter qu'il ne retourne la situation, mais dans ce cas, votre grosse tête chauve roulerait immédiatement à côté de la sienne.

Il souleva sa hallebarde pour donner du poids à ses propos. L'arme était primitive, mais effrayante. La tête en acier et carbone était allongée et conçue de manière à pouvoir être utilisée comme une lance. Une pointe sortait du fer de hache comme un bec acéré de cigogne. Des *langelets* de métal partaient de la tête de la hache pour protéger la hampe en bois.

L'homme prit compte de l'avertissement d'Austin. Il devinait à son ton sans réplique que s'il tuait Darnay ou Skye, il ne leur survivrait pas longtemps. Il lui faudrait s'occuper d'Austin en premier. Ce dernier anticipait son geste et se préparait à l'accueillir. Il savait par expérience que les grands costauds ont tendance à sous-estimer leurs adversaires de moindre stature. L'homme fit un pas en direction de Kurt, leva son épée et l'abattit brusquement, lui faisant faire un vague arc de cercle. Austin n'était pas préparé à cela et il réalisa que c'est lui qui avait sous-estimé son adversaire. Malgré sa corpulence, l'homme se mouvait avec une rapidité toute féline. Les réflexes d'Austin prirent le dessus avant même que son esprit ait vu l'éclat métallique et enregistré l'information. Ses bras se soulevèrent, la hallebarde devant lui.

La lame de l'épée tinta en heurtant la gaine de la hallebarde. La puissance du choc se répercuta comme des coups de poignard dans les bras d'Austin, mais il parvint à repousser la lame, qui s'arrêta à quelques centimètres de sa tête, à faire glisser à nouveau sa main sur le manche et tournoyer la hallebarde comme un Louisville Slugger. Ce mouvement agressif lui avait été inspiré par la nécessité pressante de défendre sa vie. Mais il y avait une autre raison : ce type ne lui revenait vraiment pas.

La lame mortellement acérée de la hallebarde aurait éviscéré le grand costaud s'il n'avait pas anticipé le mouvement et esquivé le coup en se penchant en arrière. Austin commençait à comprendre que le corps à corps médiéval ne se résumait pas à porter des coups : le poids de la hallebarde le fit tournoyer et il fit un tour entier sur lui-même avant de retrouver son équilibre.

Face de lune, désarçonné par la férocité inattendue de l'attaque, avait vite retrouvé ses esprits. Constatant qu'Austin était en situation de faiblesse, il changea de tactique. Il brandit l'épée avec détermination et se précipita droit sur lui.

C'était astucieux. Il aurait suffi que la pointe de l'épée pénètre de quelques centimètres dans la défense d'Austin pour le tuer. Mais celui-ci rentra la poitrine et sauta en arrière, se présentant de flanc à son assaillant. Il esquiva ainsi l'attaque meurtrière, glissa contre la hallebarde mais la pointe de la lame fit un trou dans sa chemise et l'égratigna. Austin repoussa l'arme et réagit par une nouvelle attaque.

Il commençait à avoir la hallebarde bien en main. C'était l'équivalent pour l'époque d'un M-16. Armé de cette hallebarde, un fantassin pouvait faire basculer un chevalier de sa monture, pénétrer son armure et le transpercer. La longue hampe donnait plus de force à Austin et il se rendit compte que des mouvements courts et vifs rendaient l'arme redoutable.

Face de lune faisait lui aussi des progrès. Il frappa vainement la pointe acérée en reculant devant l'avancée résolue d'Austin. Il s'arrêta dos à la table sur laquelle étaient disposés tous les casques. Dans l'incapacité de reculer davantage, il leva son épée pour parer à la cinglante contre-attaque. Austin le prit de vitesse avec une soudaine accélération. Le grand costaud heurta la table et les casques furent projetés au sol.

Face de lune trébucha sur un casque avant de retrouver l'équilibre. Il rugit comme un lion blessé et se jeta sur Austin, faisant tournoyer son épée dans toutes les directions, en des coups furieux presque impossibles à anticiper. La sueur coulait dans les yeux d'Austin, brouillant sa vue, et il battit en retraite sous la sauvagerie de l'attaque, jusqu'à se retrouver dos au mur.

Voyant qu'Austin ne pouvait aller plus loin, Face de lune eut un grognement de triomphe et leva son épée, se préparant à l'abattre en un coup qui l'anéantirait une bonne fois pour toutes. Mais Austin devina le mouvement et, voyant qu'il ne pourrait ni l'arrêter avec la hallebarde ni le contrer par un autre coup, passa à l'offensive. Soulevant très haut sa hallebarde, il se jeta en avant, bras tendus, le manche à la hauteur de la pomme d'Adam de son adversaire, de sorte à le frapper en travers de la gorge. Les yeux de l'homme semblèrent sortir de leurs orbites et il émit un grognement étranglé.

Austin avait maîtrisé son mouvement, pourtant il s'était mis dans une position vulnérable. Face de lune haletait mais la graisse de son cou de taureau avait évité à la trachée d'être écrasée. Il ôta sa main gauche de la garde de l'épée et empoigna le manche de la hallebarde. Austin tenta de nouveau d'étrangler son adversaire. Lorsqu'il constata qu'il n'y arrivait pas, il tira brutalement sa hallebarde en arrière mais son adversaire la tenait fermement et ne voulait pas lâcher prise.

Austin leva le genou et donna un coup dans l'entrejambe de l'homme, qui se contenta de pousser un grognement. Il doit avoir des testicules en acier, songea Austin, qui utilisa toute sa force de levier pour essayer d'arracher la hallebarde à son adversaire en lui tordant le bras. Sa tactique fut anéantie lorsque Face de lune lâcha entièrement son épée pour concentrer sa force sur la hache. On aurait dit deux gamins se battant pour une batte de base-ball, sauf que dans le cas présent, le perdant rentrerait chez lui les pieds devant.

La supériorité physique du costaud commençait à se faire sentir. Ses mains étaient au bord du manche, la force de frappe à son avantage. Son sourire de dément se transforma en un rictus de triomphe lorsqu'il parvint à arracher la hache des mains d'Austin.

Celui-ci balaya la pièce du regard. Elle était pleine d'armes, mais aucune ne se trouvait à sa portée. Face de lune avança en souriant, acculant Austin à un mur. Puis, toujours souriant, il souleva la hache pour porter le coup qui allait couper Austin en deux.

Voyant que le buste de l'homme était temporairement vulné-

rable, Austin utilisa la force de ses jambes et projeta sa tête dans le ventre de son adversaire, avec la force d'un bélier. L'autre laissa échapper un sifflement de ballon de baudruche et lâcha la hache.

Austin se redressa, jambes écartées, prêt à bourrer de coups de poing son visage. Le coup de tête avait manifestement mis à mal Face de lune. Son teint était encore plus pâle et il avait comme le souffle coupé.

Il dut tout à coup décider que, malgré le plaisir qu'il aurait pris à découper et trancher Kurt Austin, la mort était la mort. Il passa la main sous sa veste et en sortit un pistolet muni d'un silencieux. Austin se prépara à recevoir une balle à bout portant, mais relâcha vite sa garde : le sourire de l'homme avait disparu, remplacé par une expression de stupeur. Une flèche avec une plume était fichée comme par magie dans son épaule droite. Il lâcha son arme.

Austin se retourna et vit Skye qui tenait une arbalète. Elle s'apprêtait à lui décocher une autre flèche et remontait frénétiquement le mécanisme. Les yeux de Face de lune allaient de Skye à Austin, puis il ouvrit la bouche et poussa un cri. Il s'arrêta seulement pour extirper un casque du tas qui encombrait le sol et rampa vers la sortie. Dans sa précipitation, il déchira le rideau de l'atelier.

Le pistolet à la main, Austin le suivit prudemment. Il entendit le carillon de la porte d'entrée mais, le temps d'arriver sur le trottoir, la rue était déserte. Il rentra, sans omettre de fermer la porte à clé. Skye avait détaché Darnay.

Austin aida l'antiquaire à se relever. Il était couvert de bleus à force d'avoir été frappé et raide d'être resté à genoux trop longtemps mais, en dehors de cela, il semblait indemne. Austin se tourna vers Skye.

— Tu ne m'avais pas dit que tu étais championne d'arbalète !

Skye avait l'air stupéfaite.

— Je n'arrive pas à croire que je l'ai eu, dit-elle. J'ai fermé les yeux et j'ai tiré en gros dans sa direction.

Elle vit la chemise tachée de sang.

— Tu es blessé !

Austin jeta un coup d'œil à sa blessure.

— Ce n'est qu'une égratignure, dit-il, mais ce type me doit une chemise neuve.

— Vous savez fort bien manier un fauchard, lui dit Darnay en s'époussetant les coudes et les genoux.

— Qu'est-ce que vous avez dit? fit Austin.

— L'arme que vous avez utilisée avec brio, c'est un fauchard, une arme d'hast du XVe siècle semblable à la hallebarde. On a failli l'abolir au Moyen Age en raison des terribles blessures qu'elle provoquait. L'arme que vous avez utilisée est un mélange entre un fauchard et une hache d'abordage. Vous semblez surpris?

— Non, il se trouve seulement que j'entends souvent ce nom ces temps-ci.

— Votre discussion sur les armes est tout à fait fascinante, intervint Skye, mais quelles sont vos suggestions, maintenant?

— Il est encore temps d'appeler la police, proposa Austin.

Darnay eut l'air inquiet.

— Je préférerais m'en abstenir. Mes affaires...

— Skye m'a déjà prévenu. Mais vous avez raison. La police pourrait avoir du mal à avaler cette histoire du géant qui nous a attaqués avec une épée.

L'antiquaire laissa échapper un soupir de soulagement et passa en revue le désordre sur son bureau.

— Je n'aurais jamais cru que cette pièce verrait une réédition de la bataille d'Azincourt.

Skye fouillait dans le tas de casques.

— Il n'est pas là, déclara-t-elle, blême.

Darnay eut un sourire, s'approcha d'un mur et appuya sur un lambris. Un panneau rectangulaire bascula, faisant apparaître un vaste coffre à combinaison qu'il ouvrit en quelques clics. Il y plongea la main et en sortit le casque de Skye.

— On dirait que cette petite chose suscite bien des convoitises.

— Je suis désolée de t'avoir entraîné là-dedans, dit Skye. Ce type horrible faisait le guet dans mon appartement et il a entendu ton message. Je n'aurais jamais imaginé...

- Ce n'est pas ta faute. J'ai toujours envie d'examiner cette beauté. Comme je le disais au téléphone, il me faudrait plus de temps. Je pense qu'il serait plus prudent de fermer boutique quelque temps et de travailler depuis ma villa en Provence. J'aimerais beaucoup que tu m'y retrouves. Je vais m'inquiéter pour toi tant que ce sale type sera en liberté.

Skye réfléchit un instant.

— Merci, mais j'ai trop de travail. Le département va être en plein chaos avec la disparition de Renaud. Garde le casque aussi longtemps que tu voudras.

— Très bien, mais tu devrais envisager de passer la nuit dans mon appartement.

— Accepte l'invitation de M. Darnay, lui suggéra Austin. Nous y verrons plus clair demain matin.

Skye réfléchit rapidement et décida qu'elle devait d'abord passer prendre quelques vêtements chez elle. Austin la fit attendre dans le hall de l'immeuble tandis qu'il s'assurait que l'appartement était vide. Il ne pensait pas que Face de lune se sente très fringant avec une flèche d'arbalète dans l'épaule, mais l'homme semblait être résistant à la douleur et avoir un certain talent pour l'effet de surprise.

Skye préparait son sac lorsque le téléphone d'Austin bipa.

Austin discuta quelques instants et, lorsqu'il raccrocha, son visage affichait un large sourire.

— Quand on parle du loup..., fit-il. C'était la secrétaire de Racine Fauchard. Je suis convié demain à une audience avec la grande dame en personne.

— Fauchard? Je n'ai pas pu m'empêcher de remarquer ta réaction quand Charles en a parlé. De quoi s'agit-il?

Austin gratifia Skye d'un bref résumé de sa visite au musée aérien et lui expliqua le lien entre l'homme de glace et la famille Fauchard.

Skye boucla son sac avec un bruit sec.

— Je veux y aller avec toi.

— Je crois que ce n'est pas une bonne idée. Cela pourrait être dangereux.

Elle éclata d'un rire moqueur.

— Une vieille dame ? Dangereuse ?

— Cela peut sembler ridicule, reconnut Austin, mais toute cette affaire de l'aviateur pris dans la glace, du casque et de la brute qui a assassiné Renaud me paraît liée aux Fauchard. Je ne veux pas t'entraîner là-dedans.

— Je suis déjà en plein dedans, Kurt. C'est moi qui ai été emprisonnée sous le glacier. C'est mon bureau et mon appartement que ce type a fouillés, manifestement à la recherche du casque que j'avais sorti du glacier. C'est mon ami Charles Darnay qui aurait été tué si tu n'avais pas été là.

Elle contempla le casque posé sur son lit.

— En plus, je suis experte en armes et mes connaissances pourraient s'avérer utiles.

— Arguments persuasifs, concéda Austin en pesant le pour et le contre. Eh bien d'accord. Voilà ce que je te propose : je te présenterai comme mon assistante, sous un nom d'emprunt.

Skye se pencha vers lui et déposa un baiser sur sa joue.

— Tu ne le regretteras pas, dit-elle.

— Mmm, acquiesça Austin, presque convaincu par la plaidoirie de Skye.

Skye était une femme remarquable et le temps passé en sa compagnie n'était jamais perdu. Rien ne reliait de façon certaine l'homme qu'il avait surnommé Face de lune à la famille Fauchard. En même temps, l'avertissement de Grosset résonnait dans sa tête comme l'écho d'un glas dans la nuit.

On dit qu'ils ont un passé.

16

Le fermier fredonnait une version nostalgique du *Souvenir* lorsque la tache rouge surgit devant son pare-brise dans un bruit fracassant. Il donna un coup de volant vers la droite et envoya son véhicule, lourdement chargé, la tête la première dans un fossé. La camionnette heurta le talus, catapultant les cages en bois sur le sol. Le choc brisa les cages en mille morceaux, libérant des centaines de poulets qui se mirent à pousser des piaillements rauques. Le conducteur s'extirpa de la cabine et brandit le poing en direction de l'avion écarlate au blason à tête d'aigle sur la queue. Puis il s'efforça de se mettre à l'abri tandis que l'avion effectuait un nouveau passage en vrombissant sous une véritable explosion de plumes.

L'appareil reprit de l'altitude et effectua un looping triomphant. Le pilote riait aux larmes, si bien qu'il manqua perdre le contrôle de l'avion. Il s'essuya les yeux avec sa manche avant de survoler à basse altitude les vignobles qui s'étendaient sur des centaines d'hectares tout autour de lui. Appuyant sur un interrupteur, il largua un nuage de pesticides contenus dans les deux réservoirs accrochés sous l'avion. Puis il remonta en piqué. Les collines couvertes de vignobles se changèrent en forêts denses, laissant apparaître çà et là des lacs à l'eau sombre qui donnaient au paysage un aspect particulièrement mélancolique. L'avion passa au ras de la cime des arbres, pour se diriger vers quatre pointes qui se dressaient sur une colline au-dessus de la forêt. A mesure que l'avion se rapprochait, les pointes se transformèrent en tours, reliées par un épais rempart en pierres crénelé. Une large douve remplie d'une eau verte stagnante entourait les remparts, et tout autour s'étendaient de grands jardins à la française, des petits sentiers qui s'enfonçaient dans les bois. L'avion passa en vrombissant au-dessus du toit de l'imposant château, puis survola les arbres pour aller se poser sur une grande étendue herbeuse. Il roula ensuite jusqu'à une berline Jaguar garée au bord de la piste d'atterrissage. A peine le pilote fut-il descendu du cockpit qu'une équipe de maintenance surgit de nulle part pour pousser l'avion dans un petit hangar en pierres.

Sans un regard pour ses employés, Emile Fauchard regagna sa voiture d'une démarche gracieuse et athlétique ; ses muscles saillants ondulaient sous la combinaison de pilote en cuir italien noir. Il ôta prestement ses lunettes qu'il tendit, ainsi que ses gants, au chauffeur qui l'attendait. Il sourit en repensant à l'expression affolée du conducteur du camion, s'installa sur la moelleuse banquette arrière, ouvrit le minibar et se servit un verre de cognac.

Fauchard avait la beauté classique des stars du film muet, et un profil que n'aurait pas désavoué la famille Barrymore. Toutefois, malgré cette perfection physique, Emile Fauchard était un être répugnant. Ses yeux noirs arrogants avaient autant de chaleur que ceux d'un cobra. Son beau visage sans aucun défaut ressemblait à une statue de marbre soudainement animée, sans humanité.

Les viticulteurs des environs murmuraient que Fauchard avait conclu un pacte avec le diable. Peut-être était-il le diable en personne, prétendaient même certains. Les plus superstitieux, pour ne pas prendre de risque, faisaient le signe de croix lorsqu'ils le rencontraient, vestige de l'époque où l'on croyait au mauvais œil.

La Jaguar suivit une avenue bordée d'arbres et s'enfonça dans le tunnel de verdure, puis elle remonta l'allée vers l'entrée principale du château. Elle franchit le pont à une arche qui enjambait la douve et passa la grille qui s'ouvrait sur une grandiose cour pavée.

Le château fort des Fauchard datait de l'époque féodale et ne possédait rien de la finesse architecturale de la Renaissance. C'était un édifice de grande taille, d'une austérité massive, flanqué de tours médiévales symétriques à celles du rempart. De larges fenêtres avaient été creusées à la place de certaines meurtrières et, à l'intérieur, quelques bas-reliefs avaient été ajoutés ici et là. Ce maquillage ne pouvait pourtant faire oublier l'aspect militaire et maussade du bâtiment. Un homme de forte carrure au crâne rasé, l'air agressif comme un pitt-bull, montait la garde devant les doubles portes en bois sculptées. Il était parvenu on ne sait comment à faire entrer son corps rectangulaire comme un réfrigérateur dans un uniforme de majordome.

— Votre mère est dans la salle d'armes, déclara-t-il d'une voix rauque. Elle vous attend.

— Je m'en doute, Marcel, répondit Emile qui passa vivement devant lui en le frôlant.

Marcel était responsable de la petite armée qui entourait sa mère comme une garde prétorienne. Même Emile ne pouvait l'approcher sans se heurter à l'un ou l'autre de ses domestiques aux allures de gangsters. La plupart des serviteurs balafrés qui occupaient les postes habituellement réservés à des employés de maison étaient d'anciens condamnés du grand banditisme, bien que Racine eût une préférence pour les anciens de la Légion étrangère comme Marcel. En règle générale, ils restaient discrets, mais Emile avaient toujours la sensation qu'ils étaient là à épier, même lorsqu'ils restaient invisibles. Il abhorrait les gardes du corps de sa mère ; à cause d'eux, il se sentait étranger dans sa propre maison et, pire, il n'avait aucun pouvoir sur eux.

Il entra dans une vaste antichambre décorée de tapisseries et longea une galerie de portraits qui semblait s'étendre à l'infini. Il y en avait des centaines. Emile jeta à peine un regard à ses ancêtres, tableaux qui n'avaient pas plus de signification pour lui que des visages sur des timbres-poste. Il n'attachait aucune importance au fait que beaucoup d'entre eux avaient connu une mort violente à l'intérieur même du château. Les Fauchard y résidaient depuis des siècles, depuis qu'ils avaient assassiné le premier propriétaire. Pas un office, pas une chambre à coucher ni une salle à manger qui n'ait vu quelque membre de la famille Fauchard ou quelque de leurs ennemis se faire étrangler, poignarder ou empoisonner. Si le château était encore hanté par les fantômes de ceux qui y avaient été tués, tous les couloirs du vaste édifice seraient encombrés de spectres cherchant le repos.

Il passa sous une arche qui menait à la salle d'armes, une immense salle voûtée dont les murs étaient décorés d'armes de toutes les époques, depuis les lourds glaives en bronze jusqu'aux mitrailleuses automatiques, tous classés par ordre chronologique. Le point central de la salle d'armes exposait des chevaliers en armure qui chargeaient contre un ennemi invisible. D'immenses vitraux mettaient en scène non des saints mais des guerriers et ornaient tout un mur de la salle, comme s'il s'agissait d'une chapelle consacrée à la violence.

Emile passa une autre porte pour entrer dans la bibliothèque d'histoire militaire qui jouxtait la salle d'armes. La lumière qui filtrait d'une ouverture octogonale illuminait le vaste bureau en acajou, placé au centre de la pièce aux murs tapissés de livres. Contrastant avec le côté militaire de la pièce, le bureau était sculpté de motifs floraux et pastoraux. Une femme vêtue d'un tailleur sombre y était assise, triant des papiers.

Bien que Racine Fauchard ne fût plus très jeune, elle était toujours d'une beauté renversante. Aussi mince qu'un mannequin, elle se tenait encore aussi droite qu'un *i*, contrairement à beaucoup de femmes qui se voûtent avec l'âge. Sa peau était couverte de fines rides mais son teint était aussi pur que la plus fine des porcelaines. Certaines personnes comparaient le profil de Racine au célèbre buste de Néfertiti. D'autres disaient qu'elle ressemblait plutôt à la figure de proue d'une voiture de collection. Ceux qui la rencontraient pour la première fois auraient pu supposer, à cause de ses cheveux argentés, qu'elle avait entre quarante et cinquante ans.

Mme Fauchard leva les yeux vers son fils et le fixa de ses prunelles de la couleur de l'acier poli.

— Je t'attendais, Emile, dit-elle d'une voix douce où perçait cependant une implacable autorité.

Son fils se laissa tomber sur un siège en cuir du XIVe siècle qui valait plus à lui tout seul que ce que beaucoup de gens gagnaient en une décennie.

— Désolé, mère, dit-il avec un air insouciant. J'étais en train de traiter les vignes avec le Fokker.

— Je t'ai entendu frôler les tuiles du toit, déclara Racine en levant des sourcils finement dessinés. Combien de vaches et de moutons as-tu terrifiés ce matin ?

— Aucun, répondit-il avec un sourire, mais en revanche j'ai mitraillé un convoi de prisonniers et j'ai libéré des soldats alliés.

Il éclata de rire à la vue du visage interdit de sa mère.

— Bon d'accord, j'ai frôlé un camion de poulets qui s'est renversé dans le fossé.

— Tes facéties aériennes sont des plus amusantes, Emile, mais je suis lasse de devoir rembourser les fermiers et éleveurs des dégâts que tu causes. Il y a d'autres façons de passer le temps, comme s'occuper de l'avenir de l'empire Fauchard, par exemple.

Le ton glacial de la voix fit frémir Emile qui se redressa dans son fauteuil, comme un écolier turbulent qui vient de se faire réprimander pour une mauvaise farce.

— Je sais bien, mère. C'est seulement un moyen de détente. Je réfléchis mieux quand je suis là-haut.

— J'espère que tu as réfléchi à la manière dont tu pourrais braver les dangers qui pèsent sur notre famille et qui menacent notre quiétude. C'est toi l'héritier de tout ce que les Fauchard ont bâti depuis des siècles. Tu ne devrais pas prendre ce devoir à la légère.

— Ce n'est pas le cas. D'ailleurs, reconnaissez que vous avez déjà enterré un problème potentiellement embarrassant sous des milliers de tonnes de glace.

Les lèvres de Racine s'étirèrent en un mince sourire, révélant des dents blanches et parfaites.

— Je doute que Jules aurait apprécié de s'entendre traiter de problème embarrassant. Sébastien ne mérite pas mes félicitations. A cause de sa maladresse, nous avons failli perdre la relique à jamais.

— Il ignorait qu'elle se trouvait sous la glace. Il pensait surtout à rapporter le coffre-fort.

— Complètement inutile, dit-elle en ouvrant le couvercle de la boîte en métal cabossé posée sur son bureau. Les documents qui risquaient d'être incriminants ont été détruits par des fuites d'eau depuis des années.

— Nous ne le savions pas.

Elle ignora son excuse.

— Vous ne saviez pas non plus que l'archéologue s'était échappée avec la relique. Nous devons récupérer ce casque. La réussite ou l'échec de toute notre entreprise repose à présent là-dessus. Ce fiasco à la Sorbonne a été mal pensé et a attiré l'attention de la police. Ensuite Sébastien a bâclé son travail une deuxième fois : le casque qu'il a rapporté de chez l'antiquaire n'était qu'une babiole fabriquée en Chine pour une pièce de théâtre.

— Je suis en train d'étudier la question.

— Eh bien cesse d'étudier et agis. Notre famille n'a jamais toléré l'échec, quel qu'il soit. Nous ne devons jamais faire preuve de faiblesse sous peine d'être détruits. Sébastien est devenu un poids mort. On a pu le voir à la Sorbonne. Occupe-toi de ça.

Emile hocha la tête.

— Je vais m'occuper de lui.

Racine savait que son fils mentait. Sébastien était un molosse entraîné à tuer sur commande et il n'était loyal qu'envers Emile. Dans la chambre de pression surchauffée qu'était la famille Fauchard, elle ne pouvait plus tolérer que son fils ait un tel serviteur, et ce pour des raisons évidentes. Elle savait bien que les liens familiaux n'avaient jamais empêché une dague de trouver sa cible ou un oreiller d'étouffer quelqu'un lorsque les enjeux étaient la fortune et le pouvoir.

— Fais-le, et vite.

— Comptez sur moi. En attendant, notre secret n'a rien à craindre.

— Rien à craindre ! Nous avons failli tout perdre à cause d'une découverte fortuite. La clé de l'avenir de notre famille est entre des mains étrangères. Je tremble en pensant à tous les autres champs de mines. Suis mon exemple. Lorsque mon chimiste, le Dr MacLean, s'est égaré dans la nature, je l'ai ramené dans la plus grande discrétion.

Emile pouffa de rire.

— Mère, c'est tout de même vous qui avez provoqué tous les « accidents » de ces scientifiques alors que leurs travaux n'étaient pas terminés.

Racine crucifia son fils du regard.

— Une erreur de jugement. Je n'ai jamais dit que j'étais infaillible. C'est une preuve de maturité que d'admettre ses erreurs et de les rectifier. Le Dr MacLean travaille à la formule en ce moment même. En attendant, nous devons retrouver la relique pour pouvoir réunir toute notre famille. Tu as fait des progrès ?

— L'antiquaire, Darnay, a disparu. Nous le recherchons.

— Et la femme, l'archéologue ?

— On dirait qu'elle a quitté Paris.

— Continue tes recherches. J'ai envoyé mes propres agents pour la retrouver. Nous devons agir en douceur. D'autre part, notre entreprise est menacée dans son ensemble : l'institut océanographique de Woods Hole s'associe à la NUMA pour explorer la Cité perdue.

— Kurt Austin, le type qui a sauvé les gens du glacier, est aussi de la NUMA. Est-ce qu'il y a un rapport?

— Pas que je sache, répondit Racine. Cette expédition se préparait déjà avant qu'Austin n'apparaisse sur le devant de la scène. Je crains plutôt que ces océanographes découvrent le résultat de nos travaux et soulèvent certaines questions.

— Nous ne pouvons pas nous le permettre.

— Je suis d'accord. C'est pourquoi j'ai élaboré un plan. Le véhicule de profondeur *Alvin* doit effectuer plusieurs plongées. Il disparaîtra dès la première.

— Est-ce bien prudent ? Ils organiseraient alors une vaste opération de sauvetage, enquêteurs et journalistes envahiraient les lieux.

Un sourire dénué d'humour vint aux lèvres de Racine.

— C'est vrai, mais seulement si la disparition est communiquée au monde extérieur. Or, avant de constater la disparition de l'*Alvin*, le bâtiment de soutien s'évanouira avec tout son équipage. Les secours devront fouiller des milliers de kilomètres carrés d'océan.

— Tout un bateau et son équipage ! Vos talents m'ont toujours impressionné, mère, mais je ne vous savais pas magicienne.

— Alors suis mon exemple. Transforme ton échec en succès. Un bateau vient de quitter l'île, avec une cale pleine de nos *erreurs*. Il sera contrôlé à distance par un autre navire à plusieurs milles de là. Il jettera l'ancre près du site où les plongées doivent avoir lieu. Lorsque le submersible aura été mis à l'eau, le bateau lancera un *Mayday*, un incendie se déclarera à bord, le navire des chercheurs enverra une annexe et l'équipage sera accueilli par nos jolis morfales. Lorsqu'ils auront fini leur travail, le porte-conteneur s'approchera du navire des chercheurs, coque contre coque, et les explosifs seront actionnés par une commande à distance. Les deux bateaux disparaîtront. Pas de témoins. Il ne faut pas que ce qui s'est passé avec les gens de la télé se reproduise.

— On a frôlé la catastrophe, reconnut Emile.

— La vraie télé-réalité ! s'exclama-t-elle. Nous avons eu de la chance que la seule survivante ait été considérée comme une folle mythomane. Encore une chose, Kurt Austin veut s'entretenir avec moi. Il prétend avoir une information qui pourrait intéresser notre famille au sujet du corps trouvé dans la glace.

— Il est au courant pour Jules ?

— Nous allons le découvrir. Je l'ai invité ici. Si je me rends compte qu'il en sait trop, je te le livrerai.

Emile se leva et fit le tour du bureau. Il déposa un baiser sur la joue de sa mère. Racine le regarda quitter la salle d'armes : Emile était maintenant un Fauchard. Comme son père, il était brillant, cruel, sadique, meurtrier et cupide. Mais, comme son père aussi, Emile manquait de bon sens et était trop impulsif. C'étaient ces mêmes défauts qui avaient poussé Racine à tuer son mari bien des années plus tôt, lorsque les actions de celui-ci risquaient de compromettre ses plans.

Emile voulait prendre la place de sa mère, mais elle tremblait pour l'avenir de l'empire Fauchard et ses plans soigneusement élaborés. Elle savait aussi qu'Emile n'hésiterait pas à l'assassiner le moment venu, et c'est pourquoi elle n'avait pas voulu lui révéler la signification véritable de la relique. Elle détesterait devoir se séparer de sa seule progéniture, mais il faut être prudent lorsque l'on a une vipère dans son sein.

Elle décrocha son téléphone. Il fallait retrouver l'éleveur de poulets pour lui offrir une compensation financière et lui rendre sa dignité.

Elle poussa un lourd soupir en pensant que le travail d'une mère n'est jamais terminé.

17

SUR une mer d'huile et poussé par des vents favorables, le navire de recherche *Atlantis* avait progressé rapidement depuis les Açores et avait jeté l'ancre au nord de la dorsale médio-atlantique, au-dessus d'une montagne sous-marine qui s'élevait en pente raide depuis le fond, deux mille quatre cent kilomètres à l'est des Bermudes, pile au sud des Açores. Dans un lointain passé, le massif émergeait de l'océan, mais aujourd'hui, son sommet aplati se trouvait à quelque sept cent cinquante mètres au-dessous du niveau des vagues.

L'*Alvin* devait plonger le lendemain matin. Après le dîner, Paul et Gamay s'étaient réunis avec les autres scientifiques à bord pour organiser la plongée. Ils décidèrent de recueillir des échantillons minéraux et végétaux dans la zone de la Cité perdue et d'étudier la flore autant que possible.

Le Groupe Alvin, une équipe de sept pilotes et ingénieurs, se leva à l'aube et, à 6 heures, parcourut une check-list de quatorze pages. A 7 heures, ils s'affairaient autour du sous-marin pour vérifier l'état des batteries, les systèmes électroniques et les divers instruments. Ils chargèrent à bord caméras et appareils photo, sans oublier le déjeuner et des vêtements chauds supplémentaires.

Puis ils installèrent des piles de barres de métal à l'extérieur de la coque en guise de lest. Le voyage de l'*Alvin* vers le fond de l'océan s'apparentait davantage à une descente en chute libre qu'à une vraie plongée. Lorsqu'il serait temps de remonter, le submersible larguerait les poids et remonterait à la surface. Pour des raisons de sécurité, on pouvait libérer les bras articulés s'ils se trouvaient bloqués et, si le submersible rencontrait des ennuis, il pouvait se délester également de la fibre de verre à l'extérieur de la coque, permettant à la cabine sphérique de remonter seule à la surface. En cas de problème, l'équipage avait de quoi survivre soixante-douze heures.

Paul Trout était un pêcheur vétéran qui comprenait la nature imprévisible de l'océan. Même s'il avait consulté les rapports météorologiques, il se fiait surtout à son propre instinct et à son expérience. Il surveillait les conditions météo et marines, debout sur le pont de l'*Atlantis*. A part quelques inoffensifs cirrus, le ciel d'un bleu profond était sans nuages et il avait déjà vu des flots plus agités dans sa baignoire. Les conditions étaient idéales pour une plongée.

Gamay se tenait non loin de lui, absorbée dans une conversation téléphonique avec le Dr Osborne. Ils discutaient des dernières photos par satellite de l'infestation par la Gorgone.

— L'algue prolifère plus rapidement que ce que nous avions prévu, dit Osborne. De grandes masses se dirigent vers la côte Est des Etats-Unis. Et quelques souches sont déjà apparues dans le Pacifique.

— Nous nous apprêtons à lancer l'*Alvin*, déclara Gamay. L'océan est calme, donc l'eau devrait être assez claire.

— Vous aurez besoin de toute la visibilité possible, dit Osborne. Ouvrez l'œil pour marquer les zones où l'algue est en train de croître. La source de l'infestation est peut-être difficile à localiser à première vue.

— Les caméras tourneront 24 heures sur 24, nous découvrirons peut-être quelque chose en visionnant ensuite les images, dit Gamay. Je vous transmettrai les photos dès que nous aurons mis en évidence quelque anomalie.

Lorsque Gamay eut raccroché, elle transmit à Paul les propos d'Osborne. C'était l'heure d'y aller. Un groupe de professionnels se rassembla à la poupe. L'un d'eux, un homme svelte aux cheveux poivre et sel, s'approcha pour leur souhaiter bonne chance. Charlie Beck était le chef d'une équipe appelée à bord afin d'entraîner l'équipage du bateau aux procédures de sécurité.

— Vous avez du cran de descendre dans ce truc, dit-il. Les véhicules de transport des Seals m'ont toujours rendu claustrophobe.

— Nous serons un peu à l'étroit, reconnut Gamay, mais ce n'est que pour quelques heures.

Lorsqu'il n'était pas en plongée, le sous-marin était remisé sur le pont arrière dans un petit bâtiment spécial. Les portes de ce hangar s'ouvrirent et l'*Alvin* en sortit, glissant sur des rails en direction de la poupe avant de s'arrêter sous un portique de levage. Les Trout et le pilote montèrent quelques marches et traversèrent une petite passerelle jusqu'au-dessus du sous-marin, peint en rouge, que l'on appelait la « voile ». Ils enlevèrent leurs chaussures et se glissèrent par l'écoutille de cinquante centimètres de large.

Deux plongeurs montèrent sur le sous-marin et l'arrimèrent au câble de treuil du portique ; pendant ce temps, on mit à la mer un bateau gonflable. Contrôlé par un mécanicien depuis la « niche », une cabine au-dessus du hangar, le treuil souleva le véhicule de 18 tonnes au-dessus du pont et le mit à l'eau, toujours avec les plongeurs qui y étaient accrochés. Ces derniers détachèrent les câbles fixés à des pattes à la proue du submersible, firent une dernière vérification avant de dire adieu par le hublot, puis nagèrent jusqu'au bateau gonflable pour regagner le navire.

Les Trout s'installèrent dans la petite cabine, une sphère en titane pressurisée de deux mètres de diamètre. A l'intérieur, chaque centimètre carré de la sphère était couvert de panneaux qui permettaient de contrôler le courant, le pilotage du ballast, le niveau d'oxygène et de dioxyde de carbone, ainsi que d'autres instruments. Sur un tabouret surélevé, le pilote – une femme – manœuvrait le véhicule grâce à une manette devant elle.

Les Trout se glissèrent de chaque côté d'elle, et s'assirent sur des coussins qui assuraient un minimum de confort. Malgré ces conditions spartiates, Paul était surexcité. Seule sa pudeur Nouvelle-Angleterre l'empêchait de crier de joie. Pour ce géologue des profondeurs, l'espace réduit de l'*Alvin* était plus agréable qu'une cabine de luxe à bord du *Queen Elizabeth 2*.

Depuis sa construction pour la marine américaine dans les années soixante, les exploits de l'*Alvin* en avaient fait le sous-marin le plus célèbre au monde. Le petit véhicule trapu du nom de l'écureuil chanteur était capable de plonger à quatre mille deux cents mètres, faisant la une des journaux lorsqu'il avait découvert une bombe à hydrogène au large des côtes espagnoles. Lors d'une autre expédition, il avait transporté les premiers visiteurs près de la dépouille du *Titanic*.

Il était très difficile d'obtenir une place à bord de l'*Alvin*. Trout s'estimait très chanceux. Sans le caractère urgent de cette expédition, malgré sa position à la NUMA et ses réseaux personnels, il aurait pu encore attendre des années ce privilège.

Le pilote était une jeune biologiste marine de Caroline du Sud, du nom de Sandy Jackson. Par son attitude calme et posée, ses paroles laconiques et son accent traînant, elle ressemblait à l'aviatrice de légende Jacqueline Cochran. C'était une mince jeune femme d'une trentaine d'années qui cachait, sous son jean et son pull en laine, une silhouette nerveuse de marathonienne. Ses cheveux poil de carotte étaient ramassés sous une casquette de *Alvin* beige et bleu marine, qu'elle portait la visière en arrière.

Alors que Gamay avait opté pour une combinaison d'une pièce confortable, Paul n'avait pas jugé utile de changer ses habitudes vestimentaires, même pour une plongée en profondeur. Il était habillé impeccablement, comme d'habitude : jean délavé fait sur mesure, chemise de chez Brooks Brothers, nœud papillon coloré, une tenue qu'il affectionnait particulièrement. Sa veste d'aviateur était faite du cuir italien le plus fin. Même son caleçon long en soie était taillé sur mesure. Unique concession au style scientifique de Woods Hole : une paire de bottes de chantier usées. Ses cheveux châtain clair étaient soigneusement départagés par une raie et coiffés en arrière vers les tempes, ce qui lui donnait l'air d'un personnage de F. Scott Fitzgerald.

— Ce voyage va être tranquille, déclara Sandy tandis que les réservoirs se remplissaient d'eau et que le sous-marin entamait sa descente de sept cent cinquante mètres. L'*Alvin* plonge d'environ trente mètres à la minute, ce qui signifie que nous serons au fond dans moins d'une demi-heure. En général, nous écoutons de la musique classique pour la descente et du rock doux à la remontée, les informa Sandy, mais c'est comme vous voulez.

— Mozart conviendrait parfaitement, déclara Gamay.

Quelques instants plus tard, la mélodie légère d'un concerto pour piano emplissait la cabine.

— Nous sommes à la moitié de la descente, annonça Sandy au bout d'une quinzaine de minutes.

Cette nouvelle fut bien accueillie par Paul.

— J'ai tellement hâte de découvrir cette métropole sous-marine, fit-il avec un grand sourire.

Tandis que l'*Alvin* poursuivait sa plongée, l'*Atlantis* décrivait des cercles au-dessus d'eux ; l'équipage s'était réuni, avec à sa tête le responsable scientifique, dans le laboratoire supérieur, entre la passerelle et la salle des cartes, pour suivre la descente sur des moniteurs.

Sandy donna leur position, accusa réception de la réponse brouillée, puis se tourna vers les Trout.

— Que savez-vous au sujet de la Cité perdue ? leur demanda-t-elle.

— D'après ce que j'ai lu, elle a été découverte par accident en 2000, dit Gamay. Une véritable surprise !

— Une surprise, c'est peu dire, commenta Sandy. Je me souviens, nous étions carrément en état de choc, oui ! Nous remorquions l'*Argo II* derrière le bateau, à la recherche d'une activité volcanique près de la dorsale médio-atlantique. Autour de minuit, le chef du deuxième quart a aperçu sur ses écrans de contrôle comme des sapins de Noël couverts de neige, et il a compris que nous étions tombés sur des sources hydrothermales. Près des autres sources, nous avions également découvert des vers tubicoles et des mollusques, sauf qu'ici ce n'était pas le cas. La nouvelle s'est alors répandue comme une traînée de poudre. En quelques instants, tout le monde à bord du bateau s'est entassé dans la petite salle de contrôle. On commençait à voir les tours.

— J'ai entendu un scientifique déclarer que si la Cité perdue se trouvait sur la terre ferme, on en aurait fait un parc national.

— Ce n'est pas seulement ce que nous avons trouvé qui en fait quelque chose d'unique, mais l'endroit où nous l'avons trouvé. La plupart des sources déjà découvertes, comme les fumeurs noirs par exemple, étaient proches des fractures formées au milieu de l'océan par les plaques tectoniques. La Cité perdue, elle, se trouve à quinze kilomètres du volcan le plus proche. Nous avons envoyé l'*Alvin* dès le lendemain.

— J'ai entendu dire que certaines colonnes étaient plus hautes qu'une vingtaine d'étages, dit Paul.

Sandy alluma les projecteurs extérieurs et jeta un regard par son hublot.

— Eh bien, jugez par vous-même.

Paul et Gamay se mirent à scruter le paysage marin. Ils avaient eu beau voir des photos et des vidéos de la Cité perdue, rien n'aurait pu les préparer à la scène unique qui se déroulait sous leurs yeux.

Les grands yeux noisette de Paul clignaient d'excitation tandis que le véhicule traversait une fantastique forêt de hautes colonnes. Gamay, tout aussi fascinée, s'extasia sur les colonnes qui lui rappelaient les nuages de neige se formant au sommet des montagnes, lorsque le brouillard glacé dépose des tas de givre sur les branches des arbres.

Les piliers de mica et de carbonate étaient classés par couleurs, du blanc pur au beige. Gamay savait que les colonnes les plus claires étaient actives, alors que les plus foncées étaient éteintes. Les tours s'élançaient comme des flèches duveteuses. De délicates collerettes blanches jaillissaient de chaque côté, comme les champignons parasites sur les vieux troncs d'arbres. De nouveaux cristaux se formaient en continu, faisant penser à de la dentelle espagnole.

Soudainement, Sandy fit ralentir l'*Alvin* et approcha d'une cheminée, dont l'extrémité aplatie mesurait au moins neuf mètres de large. La tour semblait vivante, en mouvement. La cheminée était couverte d'une végétation qui ondulait au gré des courants sous-marins, dansant en rythme.

Gamay en avait le souffle coupé

— On se croirait dans un rêve.

— Moi qui l'ai déjà vue, je suis toujours aussi fascinée, avoua Sandy en approchant l'*Alvin* du sommet de la grande colonne. Et voilà le plus intéressant. L'eau tiède qui vient du plancher marin remonte et se trouve piégée sous ces collerettes. Ces nattes que vous voyez sont en réalité des colonies microbiennes denses. Les collerettes retiennent ces fluides alcalins à 70 °C, qui remontent par les cheminées depuis le dessous de la croûte océanique, vieille d'un milliard et demi d'années. L'eau contient du méthane, de l'hydrogène et des minéraux émis par les sources. Certains pensent que cet environnement est à l'origine de toute vie, ajouta-t-elle à voix basse.

Trout se tourna vers sa femme.

— Moi mon domaine, c'est les cailloux, dit-il. Toi, en tant que biologiste, qu'en penses-tu ?

— C'est possible, dit Gamay. Les conditions réunies ici sont peut-être les mêmes que celles du début de la vie sur la Terre. Ces microbes qui vivent autour des colonnes ressemblent aux premières formes de vie ayant évolué dans l'océan. Si ce processus est aussi efficace sans activité volcanique, cela augmenterait grandement le nombre de sites sur le plancher océanique pouvant avoir vu les débuts de la vie microbienne. Des sources comme celle-ci pourraient être des incubateurs de vie sur d'autres planètes également. Il y a de la vie sur les lunes de Jupiter, en dépit des océans gelés. La dorsale médio-atlantique fait des centaines de kilomètres de long, donc le potentiel de nouvelles découvertes est infini.

— Fascinant ! s'exclama Trout.

— A quelle distance se trouve l'épicentre de l'algue Gorgone ? demanda Gamay.

Sandy regarda son écran en plissant les yeux.

— A environ un kilomètre et demi à l'est. La vitesse de l'*Alvin* n'est pas franchement décoiffante – deux nœuds, maximum –, alors détendez-vous et profitez du voyage, comme disent les pilotes de ligne.

Les tours s'éloignèrent et disparurent peu à peu à mesure que le submersible s'écartait de la Cité perdue. Cependant, au bout de quelques instants, les phares mirent en évidence de nouvelles flèches.

Sandy laissa échapper un léger sifflement.

— Ouah ! C'est une nouvelle Cité perdue. Incroyable !

Le sous-marin se fraya un passage au milieu d'une forêt de tours qui s'élançaient dans toutes les directions, bien au-delà de la portée des puissants phares.

— A côté de ça, la première Cité perdue a l'air d'un patelin, dit Trout en jetant des regards émerveillés par son hublot. Ici, nous avons carrément des gratte-ciel. Celui-ci ressemble à l'Empire State Building !

— Beurk, fit Gamay un instant plus tard. Je crois que nous y sommes. Ça me fait penser au kudzu.

Ils arrivaient à un rideau d'algues vert qui flottait comme un linceul brumeux au milieu des colonnes.

L'*Alvin* remonta d'une dizaine de mètres, passa au-dessus du nuage pour redescendre après l'avoir dépassé.

— C'est bizarre de rencontrer ces algues à cette profondeur, remarqua Gamay, sceptique.

Trout regardait par son hublot.

— Ce n'est pas tout ce qui est bizarre, murmura-t-il. Est-ce que c'est moi qui ai des visions, sur la droite ?

Sandy fit pivoter l'*Alvin* de manière à diriger toute l'intensité des projecteurs vers le fond de l'océan.

— C'est impossible ! s'exclama-t-elle comme si elle venait de découvrir un McDonald au coin de cette métropole sous-marine.

Elle approcha le sous-marin à quelques mètres du fond : on distinguait deux traces parallèles, écartées d'au moins dix mètres l'une de l'autre.

— On dirait que nous ne sommes pas les premiers visiteurs, dit Trout.

— Comme si un bulldozer géant était passé par ici, dit Sandy. Impossible pourtant...

Elle s'interrompit, puis reprit à mi-voix.

— Peut-être s'agit-il de la véritable Atlantide ?

– Bien essayé, dit Paul, mais ces traces ont l'air bien plus récentes.

Elles partaient d'abord en ligne droite, puis tournaient pour passer entre deux tours hautes de près de cent mètres. A plusieurs reprises, ils découvrirent des tours renversées comme des quilles. D'autres piliers avaient été réduits en poudre par des pneus géants. Quelque chose de très grand et très puissant semblait avoir élagué une bande de cette nouvelle Cité perdue.

— On dirait une opération de déforestation sous-marine, fit Trout.

Gamay filma la scène et prit des photos. Ils avaient pénétré d'environ huit cents mètres l'intérieur de ce site hydrothermal. Comparée à cette forêt de séquoias, la première Cité perdue était comme une forêt de pins. Certaines tours étaient si hautes que leurs sommets restaient invisibles. De temps à autre, il leur fallait faire des détours afin d'éviter de grosses plaques d'algues.

— Je remercie le ciel qu'on ait ces caméras, dit Sandy. Les autres, à la surface, ne nous croiraient jamais.

— Moi-même, j'ai du mal à y croire, dit Trout. Je... mais qu'est-ce que c'était ?

— Je l'ai vu aussi, dit Gamay. Une grosse ombre est passée au-dessus de nous.

— Une baleine ? suggéra Paul.

— Pas à cette profondeur, répondit Gamay.

— Et un calmar géant ? Il paraît qu'il peuvent plonger plus profond que les baleines.

— Tout est possible dans un endroit comme celui-ci, soupira Gamay.

Paul demanda à Sandy d'effectuer une rotation à trois cent soixante degrés.

— Pas de problème, répondit Sandy en manœuvrant le véhicule.

L'*Alvin* se mettait à pivoter au milieu d'une concentration de colonnes qui leur masquait la vue lorsque les tours, juste devant le submersible, se mirent à vibrer comme les cordes d'un piano. Puis deux ou trois flèches s'écroulèrent au ralenti et se désintégrèrent dans un nuage de fumée. Trout eut la vague impression qu'une chose noire et d'une taille monstrueuse émergeait de l'écran de fumée pour se diriger droit sur eux.

Il hurla au pilote de faire demi-tour, tout en sachant que l'*Alvin* était bien trop lent pour échapper à tout poursuivant plus rapide qu'une méduse, mais Sandy était hypnotisée par le monstre qui approchait et restait sans réaction.

Le véhicule de 17 tonnes se mit à trembler et un bruyant *clang* métallique ébranla la coque pressurisée.

Sandy essaya de faire marche arrière, mais les commandes ne répondaient plus.

Trout regarda par son hublot.

Là où, un instant auparavant, les phares éclairaient une forêt de tours blanches et beiges, une monstrueuse bouche béait devant eux.

Inexorablement, l'*Alvin* était attiré vers l'énorme gueule rougeoyante.

18

L'*ALVIN* n'avait pas répondu à l'appel et, bien qu'il ne soit pas encore l'heure de remonter à la surface, l'inquiétude grandissait à chaque instant à bord de l'*Atlantis*. Au début l'équipage n'avait ressenti qu'une légère appréhension. Le sous-marin n'avait en effet jamais connu de défaillance et était équipé de systèmes de rechange fiables en cas d'urgence. Pourtant, lorsque l'étrange navire arriva, la tension était palpable.

Charlie Beck s'appuya au bastingage pour observer le petit porte-conteneurs, qui n'était plus de première jeunesse, à travers ses jumelles. La coque était vérolée par les taches de rouille et aurait eu grand besoin d'une couche de peinture. Tout sur ce navire respirait l'abandon. Sur la coque balafrée, en dessous du nom *Celtic Rainbow*, se trouvait celui du pays d'enregistrement : Malte.

Beck sentait que le navire n'était sans doute pas plus celte que maltais, se cachant sous une fausse immatriculation. Le bateau pouvait parfaitement avoir changé cinq fois de nom en un an. Son équipage devait être composé probablement de marins sous-payés de pays du tiers-monde. C'était le parfait exemple de bateau potentiellement pirate ou terroriste, que certains, dans la sécurité marine, appellent la flotte al-Qaida.

En tant que combattant professionnel, Charlie Beck vivait dans un monde relativement peu complexe : ses clients lui donnaient une mission à accomplir, et il l'accomplissait. Dans ses rares moments de réflexion, Beck songeait qu'il devrait ériger un monument à la mémoire du pirate Barbe Noire. Sans William Teach et ses successeurs assoiffés de sang, il ne posséderait ni sa Mercedes, ni son hors-bord de Chesapeake Bay, ni sa belle maison dans la campagne virginienne. Il ne serait qu'un gratte-papier dépressif, assis derrière un bureau dans le labyrinthe du Pentagone, à contempler son pistolet de service, envisageant de se mettre une balle dans la tête.

Beck était le propriétaire de 2SM, abréviation de Services de Sécurité Maritime, une entreprise qui offrait ses services aux armateurs qui craignaient les pirates. Ses hommes parcouraient le monde entier pour apprendre aux équipages à reconnaître les attaques en mer et à se défendre. Dans les eaux particulièrement dangereuses, des équipes de 2SM bien armées assuraient elles-mêmes la sécurité des navires.

Au départ, ils n'étaient que quelques anciens des Forces spéciales de la marine, qui aimaient l'action. Mais, la piraterie prenant de l'ampleur, l'entreprise n'avait cessé de grandir. Après les attentats du World Trade Center, la conscience de la menace terroriste s'était encore amplifiée et Beck s'était retrouvé à la tête d'une gigantesque compagnie commerciale au capital de plusieurs millions de dollars.

Les armateurs s'étaient toujours souciés des pirates, mais ce fut l'attaque du navire de recherche *Maurice Ewing* qui alerta la communauté scientifique. Le *Ewing* était parti pour une expédition océanographique au large de la Somalie lorsqu'un groupe d'hommes, à bord d'un petit bateau, avait mitraillé le navire avant de tirer une grenade au lance-roquette.

La grenade ayant manqué son but, le *Ewing* avait pu prendre la fuite, mais cet incident avait démontré qu'un navire de recherche en pleine expédition scientifique pouvait autant attirer la convoitise qu'un porte-conteneurs chargé de marchandises de valeur. Pour un pirate, un navire de recherche, même pacifique; était intéressant : il pouvait revendre au marché noir un ordinateur portable volé, pour une somme supérieure à ce qu'il gagnerait en un an à faire un travail respectable.

Beck, qui avait le sens des affaires, avait repéré une niche. Le profit n'était d'ailleurs pas son unique motivation. Ce dur à cuire avait son côté sentimental : il aimait particulièrement la mer, et il prenait les attaques contre des océanographes comme un affront personnel.

L'entreprise de Beck avait alors conçu un programme destiné spécialement aux navires de recherche, plus vulnérables aux attaques puisqu'ils restaient ancrés de longs moments à forer le plancher de l'océan ou à rester immobiles à surveiller leurs sous-marins, cibles faciles pour des pirates.

Beck et une équipe d'anciens Seals avaient embarqué sur l'*Atlantis* à la demande du service opérations de l'Institut d'océanographie de Woods Hole. Après un arrêt de quelques jours pour explorer la Cité perdue, l'*Atlantis* avait prévu de voguer vers l'océan Indien, et c'est pour ce voyage qu'ils avaient engagé une équipe de 2SM. Beck, qui travaillait sur le terrain dès qu'il en avait la possibilité, voulait que ses hommes et l'équipage du bateau soient bien préparés. Il avait lu un article sur la Cité perdue dans une revue scientifique et il avait eu envie de se joindre à l'expédition.

Beck approchait de la soixantaine, ses cheveux étaient devenus poivre et sel et des rides d'expression s'étaient formées au coin de ses yeux gris. Il menait une incessante bataille, à coups de régimes et de sport, pour éviter la bedaine de l'âge mûr. Son allure svelte et sa minceur sèche l'avaient aidé à survivre à l'entraînement souvent difficile, parfois brutal, des Seals, et il dirigeait sa société avec une discipline toute militaire.

Au cours du voyage, Beck et ses trois hommes, tous d'anciens Seals, avaient averti et formé les scientifiques et l'équipage, leur apprenant que l'effet de surprise et la vitesse restaient les deux grands avantages du pirate. Ils leur conseillèrent donc de changer régulièrement d'horaires, de contrôler l'accès au navire lorsqu'ils étaient au port, de se munir de torches puissantes, de rester sur le qui-vive lors de leurs quarts de nuit, et ils leur montrèrent comment repousser un abordage à l'aide de lances à incendie. Enfin, si tout cela échouait, il fallait donner aux pirates ce qu'ils voulaient. Un ordinateur portable ne valait pas une vie humaine.

L'entraînement s'était bien passé mais, à mesure que les travaux scientifiques prenaient plus d'importance, les efforts de sécurité s'étaient relâchés. Contrairement à l'Asie du Sud-Est et à l'Afrique, les eaux qui entouraient la dorsale médio-atlantique n'étaient pas infestées de pirates. Une grande excitation avait gagné l'équipage lorsque l'*Alvin* avait été mis à l'eau, mais depuis il n'y avait plus grand-chose à faire qu'à attendre.

Puis l'étrange bateau était apparu : c'était plus qu'une coïncidence aux yeux de Beck.

Bien qu'il sache que l'*Atlantis* ne se trouvait pas dans une zone considérée comme dangereuse et qu'il n'y eût rien d'ouvertement inquiétant dans l'apparence ou le comportement du porte-conteneurs, il l'observa attentivement alors qu'il s'était arrêté en pleine mer, puis grimpa sur la passerelle pour s'entretenir avec le capitaine. En entrant dans la timonerie, Beck entendit une voix éraillée dans la radio.

— *Mayday, mayday.* Venez.

Le capitaine avait le micro à la main et s'apprêtait à répondre.

— Message de détresse reçu. Ici le navire de recherche *Atlantis.* Veuillez déclarer la raison de votre appel de détresse.

L'appel se répéta sans plus de précision.

Tandis que le capitaine essayait d'établir le contact, sans plus de succès, une fumée noire et graisseuse s'éleva du pont du navire.

Le capitaine l'observa avec ses jumelles.

— On dirait qu'ils ont un incendie dans une cale.

Il ordonna à l'homme de barre de se rapprocher de l'autre bateau. L'appel de détresse ne cessait pas. L'*Atlantis* s'arrêta à deux cents mètres du porte-conteneurs. Beck regarda le pont du bateau : la fumée sortait toujours de la cale, pourtant il ne semblait y avoir personne sur le pont. Avec un incendie à bord, les marins auraient dû se presser contre le bastingage pour attirer l'attention, monter dans des chaloupes ou sauter par-dessus bord.

Les antennes de Beck se mirent à vibrer.

— Qu'en pensez-vous ? demanda-t-il au capitaine.

Le capitaine abaissa ses jumelles.

— Je ne comprends pas. Un incendie ne peut pas neutraliser

l'équipage tout entier. On manœuvrait forcément ce bateau il y a quelques minutes encore. Pourtant, quelqu'un sur la passerelle lance l'appel de détresse. Je devrais envoyer un groupe à bord pour voir ce qui se passe. Peut-être que l'équipage est blessé ou piégé en dessous.

— Prenez mes hommes, dit Beck. Ils sont bien entraînés et capables de donner les premiers soins. En plus, ajouta-t-il en souriant, ils deviennent paresseux, un peu d'exercice leur ferait du bien.

— Comme vous voudrez, dit le capitaine. J'ai déjà assez de soucis avec l'*Alvin*.

Il ordonna à son second de préparer un petit canot.

Les hommes de Beck se tenaient sur le pont, les yeux rivés sur le navire en train de brûler. Il leur enjoignit de préparer leurs armes et leurs munitions.

— Les gars, vous vous ramollissez un peu, dit-il. Considérez ça comme un exercice, mais gardez vos armes chargées. Restez sur le qui-vive.

L'équipe se mit aussitôt en action. Les hommes, qui s'ennuyaient ferme, accueillirent favorablement cette distraction. Les hommes des Forces spéciales de la Navy sont réputés pour leur style vestimentaire non conventionnel. Un œil averti aurait reconnu le « do-rag », le bandeau noir que beaucoup préfèrent au traditionnel chapeau souple. Aussi, ils avaient troqué leurs tenues de camouflage contre des jeans et des chemises en toile.

Même une petite équipe de Seals comme celle de Beck pouvait s'avérer redoutable. Ils gardaient leurs armes cachées et enveloppées dans des chiffons. Beck avait un faible pour un fusil d'assaut à canon court de calibre 12, capable de couper un homme en deux. Ses hommes étaient équipés de Car-15 noirs, une version compacte du M-16, le fusil d'assaut favori des Seals.

Beck et ses hommes grimpèrent dans le zodiac et parcoururent rapidement la distance qui séparait les deux navires. Beck, qui était à la barre, mit le cap sur le porte-conteneurs. Lorsqu'il constata qu'on ne leur tirait pas dessus, il s'approcha pour regarder de plus près et accosta près de l'échelle qui pendait le long de la coque près de la proue.

A l'abri des flancs du bateau, ils enfilèrent leurs masques à gaz et épaulèrent leurs armes. Puis, ils grimpèrent sur le pont enfumé. Beck fit équipe avec le moins expérimenté et envoya les deux autres à l'opposé, avec l'ordre de se rendre à la poupe.

Ils se retrouvèrent un moment plus tard sans rencontrer âme qui vive et ils se dirigèrent vers la passerelle. Ils progressaient par bonds, deux par deux, couverts par l'autre équipe.

— *Mayday, mayday*. Venez.

La voix provenait de la timonerie, dont la porte était ouverte. Mais lorsqu'ils entrèrent, la pièce était vide.

Beck s'approcha du magnétophone posé près du micro, qui répétait le même message, sans arrêt. Une alarme résonna dans sa tête.

— Putain ! Qu'est-ce que c'est que cette puanteur ?

L'odeur passait à travers leurs masques.

— Peu importe, fit Beck en inclinant son fusil. Retour au bateau. Au pas de course.

Les paroles de Beck venaient tout juste de franchir ses lèvres quand un hurlement glaçant emplit la timonerie. Une apparition terrifiante surgit par la porte ouverte. Par pur réflexe, le capitaine remonta son fusil d'un seul geste et tira en prenant appui sur sa hanche.

Il y eut de nouveaux cris, mêlés à ceux de ses hommes, poussés par des créatures monstrueuses aux longs cheveux blancs, aux dents jaunes, les yeux rougeoyants, le corps bondissant.

Son fusil lui fut arraché. Des mains parcheminées lui enserrèrent la gorge. Il fut traîné sur le pont et l'odeur insoutenable de chair pourrie lui emplit les narines.

19

La Rolls Royce Silver Cloud filait à travers la campagne française baignée par le soleil, passant devant des fermes, des champs vallonnés et des meules de foin jaunes. Darnay avait proposé de leur prêter sa voiture avant de prendre l'avion pour la Provence. Contrairement à son collègue Dirk Pitt, qui aimait les voitures de collection, Austin conduisait aux Etats-Unis un véhicule banalisé de la flotte de la NUMA. Tandis que la Rolls filait par monts et par vaux, Austin avait l'impression d'être aux commandes d'un tapis volant.

Skye était assise à côté de lui et ses cheveux, joliment ébouriffés par la brise tiède, s'échappaient par la fenêtre ouverte. Elle remarqua le sourire qui flottait sur les lèvres de son compagnon.

— Un penny pour tes pensées.

— J'étais en train de me réjouir de la chance que j'ai. Je suis au volant d'une voiture superbe et je traverse une campagne magnifique tout droit sortie d'un tableau de Van Gogh. Il y a une jolie femme à mes côtés. Et tout cela payé par la NUMA.

Skye regarda avec regret le paysage qui se déroulait sous leurs yeux.

— C'est dommage que tu sois en service. Sinon, nous pourrions oublier les Fauchard et aller nous balader. J'en ai tellement assez de toute cette affaire sordide.

— Cela ne devrait pas être trop long, dit Austin. Nous sommes passés devant une charmante auberge, il y a un moment.

Après notre visite chez les Fauchard, nous pourrions nous y arrêter pour ce fameux dîner que nous avons ajourné.

— Voilà une bonne raison de boucler ça le plus rapidement possible.

La voiture approchait d'un croisement, et Skye consulta sa carte.

— Nous ne devrions pas tarder à tourner.

Quelques minutes plus tard, Austin empruntait une petite route goudronnée. Des chemins de terre partaient de la route pour accéder aux vignobles qui s'étendaient à perte de vue. Au bout d'un moment, les vignes se clairsemèrent et la voiture arriva devant un grillage électrifié. Des panneaux interdisant l'accès, rédigés en plusieurs langues, y étaient accrochés. La barrière étant ouverte, ils poursuivirent leur chemin et s'enfoncèrent dans une forêt compacte. D'épais troncs d'arbres bordaient la route des deux côtés et le feuillage filtrait les rayons du soleil.

La température baissa de plusieurs degrés. Skye croisa les bras et rentra la tête dans les épaules.

— Tu as froid? demanda Austin. Je peux fermer les fenêtres si tu veux.

— Ça va, répondit-elle. Je n'étais pas préparée à ce brusque changement de décor après les champs et les vignes. Cette forêt est tellement... menaçante.

Austin observa les bois. Ils étaient si denses qu'il ne voyait rien après la première rangée d'arbres. De temps à autre, les bois s'ouvraient sur un marécage. Il alluma les phares, mais ils ne firent que souligner l'aspect lugubre des lieux.

Puis le paysage se mit à nouveau à changer. La route s'élargit, bordée des deux côtés par de grands chênes. Leurs branches s'entrelaçaient, créant un long tunnel de verdure qui dura près de deux kilomètres, avant de s'interrompre brusquement. La route commença à monter.

— Mon Dieu! s'exclama Skye en apercevant l'édifice massif en granit qui apparaissait sur une petite colline.

Austin embrassa du regard les toits pointus et les hauts remparts crénelés.

— On dirait que nous sommes passés à travers un gouffre temporel pour atterrir en Transylvanie au XIVe siècle.

— C'est magnifique, murmura Skye à mi-voix, dans le genre menaçant.

Austin était moins enthousiasmé par l'architecture des lieux. Il lui jeta un regard oblique.

— On disait la même chose du château de Dracula.

Il fit avancer la Rolls sur une allée de graviers blancs qui dépassa une fontaine sculptée. La scène, plutôt macabre, représentait un groupe d'hommes en armure qui se livraient un combat mortel. Les combattants avaient les traits déformés par la souffrance de l'agonie.

— Charmant ! fit Austin.

— Beurk, c'est absolument grotesque.

Austin gara la Rolls près d'un pont à une arche qui enjambait une large douve. L'eau stagnante, brun verdâtre, empestait. Ils empruntèrent le pont à pied et franchirent une porte menant dans la vaste cour carrée qui entourait le bâtiment principal et le séparait des remparts. Personne ne venant à leur rencontre, ils traversèrent la cour et montèrent l'escalier jusqu'à la terrasse qui bordait la façade principale.

Austin posa la main sur le heurtoir en métal massif qui ornait la porte en bois cerclée de fer.

— Cela ne te rappelle rien ?

— C'est le même aigle que sur le casque et l'avion.

Tout en hochant la tête, Austin souleva le heurtoir et le laissa retomber deux fois.

— Je prédis que c'est un bossu édenté nommé Igor qui va nous ouvrir la porte, dit-il.

— Dans ce cas, je pars en courant vers la voiture.

— Et tu ferais bien de ne pas te trouver sur mon passage, rétorqua Austin.

L'homme qui vint leur ouvrir n'était ni édenté ni bossu. Il était grand, blond, et vêtu d'une tenue de tennis blanche. Il était difficile de lui donner un âge, entre 40 et 50 ans, il avait un visage sans rides, un corps athlétique.

— Vous devez être M. Austin, dit l'homme avec un sourire éclatant en lui tendant la main.

— Tout à fait. Et voici mon assistante, Mlle Bouchet.

— Je suis Emile Fauchard. C'est un plaisir de vous rencontrer. C'est très gentil à vous de vous être déplacés depuis Paris. Ma mère vous attend avec impatience. Veuillez me suivre.

Il fit entrer ses invités dans un spacieux vestibule et les précéda d'un pas rapide en empruntant un couloir recouvert de moquette. Sur les hauts plafonds voûtés étaient peintes des scènes mythologiques représentant nymphes, satyres et centaures au milieu de paysages bucoliques. Tout en suivant leur guide, Skye chuchota à l'oreille d'Austin.

— Et alors, où est-il ton bossu ?

— Il a plutôt l'air d'être le boss, répondit Austin, impassible.

Skye leva les yeux au ciel.

Le couloir semblait interminable mais ne manquait pas d'intérêt. Sur les lambris sombres étaient accrochées d'immenses tapisseries, des scènes de chasse médiévales sur lesquelles on voyait, grandeur nature, de nobles seigneurs et des écuyers cribler de flèches cerfs et sangliers.

Fauchard s'arrêta devant une porte, l'ouvrit et leur fit signe d'entrer.

La pièce contrastait avec l'architecture grandiose du reste du château. Elle était petite et intime comme celles des maisons de campagne, avec un plafond bas soutenu par des poutres et des murs aux étagères remplies de livres anciens. Une femme était assise dans un fauteuil en cuir dans un coin de la pièce et lisait à la lumière du jour qui filtrait d'une haute fenêtre.

— Mère, appela doucement Emile. Nos visiteurs sont arrivés. Voici M. Austin et son assistante, Mlle Bouchet.

La femme sourit et reposa son livre, puis se leva pour les saluer. Elle était grande et sa posture presque militaire. Vêtue d'un tailleur noir et d'une étole lavande qui mettaient en valeur son teint pâle et ses cheveux argentés, elle avait beaucoup d'allure. D'un pas aussi gracieux que celui d'une ballerine, elle s'approcha d'eux pour leur serrer la main. Sa poigne était étonnamment énergique.

— Asseyez-vous, je vous en prie, dit-elle en désignant deux confortables fauteuils en cuir. Nos invités doivent avoir soif, après leur long trajet, ajouta-t-elle en regardant son fils.

Elle s'était adressée à eux dans un anglais sans accent.

— Je m'en occupe, dit Emile en sortant.

Quelques instants plus tard, un domestique apporta une bouteille d'eau fraîche et des verres sur un plateau. Austin observa Mme Fauchard tandis qu'elle le congédiait et remplissait les verres. Tout comme à son fils, il était difficile de lui donner un âge. Elle aurait pu avoir aussi bien quarante que soixante ans et, mis à part quelques rides, sa peau était aussi parfaite que l'ivoire d'un camée et ses yeux gris pétillaient de vivacité et d'intelligence. Son sourire pouvait être charmeur ou mystérieux et sa voix n'était que très peu fêlée par l'âge. Elle avait une beauté classique.

— C'est très gentil à vous et votre assistante d'avoir fait tout ce trajet depuis Paris, monsieur Austin.

— Je vous en prie, madame. Vous devez être très occupée et je vous remercie d'avoir bien voulu nous recevoir aussi vite.

Elle leva les mains en signe d'étonnement.

— Comment aurais-je pu ne pas vous recevoir après avoir entendu parler de votre découverte? Honnêtement, j'ai été stupéfaite d'apprendre que le corps retrouvé dans le glacier du Dormeur pouvait être celui de mon grand-oncle, Jules Fauchard. J'ai survolé les Alpes à de nombreuses reprises, sans jamais me douter qu'un illustre membre de ma famille gisait dans la glace, juste en dessous. Etes-vous certain qu'il s'agit de Jules?

— Je n'ai pas vu le corps et je ne peux être catégorique quant à son identité, répondit Austin. Mais le Morane-Saulnier que j'ai découvert dans le lac glaciaire a été identifié, grâce à son numéro de série, comme appartenant à Jules Fauchard. Les indices se recoupent, mais aucune preuve formelle.

Mme Fauchard regardait dans le vide.

— Cela ne peut être que Jules, murmura-t-elle, comme pour elle-même.

Reprenant ses esprits, elle s'expliqua.

— Il a disparu en 1914 après avoir décollé d'ici dans son Morane-Saulnier. Il adorait l'avion et avait pris des cours dans des écoles d'aviation militaire, qui avaient fait de lui un pilote chevronné. Pauvre homme. Il a dû manquer de carburant ou affronter une tempête dans les montagnes.

— Le Dormeur se trouve bien loin d'ici, intervint Skye. Qu'est-ce qui peut l'avoir poussé à se diriger vers les Alpes?

Mme Fauchard sourit avec indulgence.

— Il était un peu fou, vous savez. Cela arrive dans les meilleures familles. (Elle se retourna vers Austin.) Ainsi vous faites partie de la NUMA. Ne soyez pas surpris, on a mentionné votre nom à la télévision et dans tous les journaux. C'était très habile et audacieux de votre part d'avoir utilisé un sous-marin pour secourir les scientifiques piégés sous le glacier.

— Je ne l'ai pas fait tout seul. On m'a beaucoup aidé.

— Modeste, avec cela, dit-elle en lui lançant un regard où perçait davantage qu'un intérêt poli. J'ai lu qu'un homme affreux avait attaqué les scientifiques. Que pouvait-il bien vouloir?

— C'est une question compliquée à laquelle je n'ai pas de réponse simple. Manifestement, il voulait éviter que l'on puisse récupérer le corps. Il a aussi pris un coffre-fort qui contenait peut-être des documents.

— Quel dommage, soupira-t-elle. Ces documents auraient peut-être pu éclairer le comportement étrange de mon grand-oncle. Vous m'avez demandé ce qu'il faisait dans les Alpes, mademoiselle Bouchet. Je ne peux que tenter de deviner. Vous savez, Jules a beaucoup souffert.

— Etait-il malade? demanda Skye.

— Non, mais c'était un homme sensible, passionné d'art et de littérature. Il aurait dû naître ailleurs. Jules supportait mal son appartenance à une famille dont les membres étaient connus comme des « marchands de mort ».

— C'est compréhensible, dit Austin.

— Nous avons entendu bien pire, monsieur, croyez-moi. Et par une ironie du sort, Jules avait un sens inné des affaires. Il était sournois et ses tactiques tortueuses auraient fait honneur à Machiavel. La société familiale a bien prospéré sous sa direction.

— Cette image ne me semble pas correspondre à la sensibilité que vous venez d'évoquer pourtant...

— Jules haïssait vendre des armes. Mais il partait du principe que si nous n'en fabriquions pas, d'autres le feraient à notre place. C'était un grand admirateur d'Alfred Nobel. Comme lui, il a utilisé une bonne partie de la fortune familiale pour promouvoir la paix. Il trouvait son équilibre dans ce paradoxe.

— Quelque chose a dû détruire cet équilibre.

Elle hocha la tête.

— Nous pensons que c'est la perspective de la guerre. Des dirigeants prétentieux et ignorants ont entamé cette guerre, mais tout le monde sait que ce sont les marchands d'armes qui les ont fait basculer dans le précipice.

— Comme les Fauchard et les Krupp?

— Les Krupp sont des arrivistes, dit-elle en plissant le nez comme si elle avait senti une odeur de pourriture. Ce n'étaient que des mineurs enrichis, des parvenus qui ont bâti leur fortune sur le sang et la sueur des autres. Les Fauchard étaient dans le commerce des armes depuis des siècles lorsque les Krupp sont apparus au XIXe. Que savez-vous de notre famille, monsieur Austin?

— Je sais surtout que vous êtes secrets comme des huîtres.

Mme Fauchard se mit à rire.

— Lorsque vous faites du commerce d'armes, le secret n'est pas un gros mot. Toutefois, je préfère le terme de discrétion.

Elle hocha la tête d'un air pensif et se leva.

— Venez avec moi. Je vais vous montrer quelque chose qui vous en apprendra plus qu'un long discours sur la famille Fauchard.

Elle les précéda dans le couloir et les mena devant une série de hautes portes voûtées sur lesquelles figurait le blason du triple aigle en acier noir.

— C'est la salle d'armes du château, dit-elle en passant la porte. Le cœur et l'âme de l'empire Fauchard.

Ils se trouvaient à présent dans une immense salle dont les murs s'élançaient vers un haut plafond nervuré. La pièce était conçue à la façon des cathédrales. Ils se trouvaient dans une longue nef ceinte de colonnes et traversée par un transept, derrière lequel se trouvait le chœur. La nef était bordée d'alcôves, qui contenaient, au lieu de statues de saints, des armes triées par époques. D'autres armes et armures se trouvaient à l'étage qui courait le long de la pièce.

Droit devant eux, en pleine charge, on pouvait admirer quatre chevaliers grandeur nature et leurs montures empaillées, tous vêtus d'armures, lances en avant, comme s'ils défendaient la salle d'armes contre les intrus.

Skye étudia leur équipement avec un œil de professionnelle.

— L'étendue de cette collection est stupéfiante.

Mme Fauchard s'approcha des chevaliers et se plaça à côté d'eux.

— C'était les blindés de l'époque, dit-elle. Imaginez-vous dans la peau d'un pauvre fantassin armé en tout et pour tout d'une lance, et qui voit ces hommes charger au grand galop.

Elle sourit, comme si cette idée l'enchantait.

— Formidables, fit Skye, mais pas invincibles, avec les progrès de l'armement. Les longs arcs anglais décochaient des flèches capables de transpercer les armures de loin. Une hallebarde pouvait pénétrer une armure, une épée à deux mains tranchante venait à bout d'un chevalier pourvu qu'il soit tombé de sa monture. Toutes ces protections auraient été inutiles contre des armes à feu.

— Vous avez compris le cœur du succès de notre famille. Dans le domaine des armes, chaque progrès était suivi d'un autre. C'est un cycle sans fin. Mademoiselle a l'air de savoir de quoi elle parle, dit Mme Fauchard en levant un sourcil finement dessiné.

— Mon frère avait la passion des armes anciennes. Il m'a appris plein de choses.

— Vous avez bien écouté. Chaque pièce se trouvant dans cette salle vient de la famille Fauchard. Qu'en dites-vous?

Skye examina les armes exposées dans l'alcôve la plus proche et secoua la tête.

— Ces casques sont primitifs, mais extrêmement bien faits. Ils ont peut-être plus de deux mille ans.

— Bravo ! Ils sont antérieurs à l'Empire romain.

— Je ne savais pas que les Fauchard étaient une famille si ancienne, dit Austin.

— Je ne serais pas surprise si l'on découvrait une peinture rupestre d'un Fauchard fabriquant une lance à tête de silex pour un client du néolithique.

— Sacré bond dans le temps et dans la géographie entre une caverne du néolithique et ce château !

— Nous avons fait du chemin depuis nos humbles débuts. Nos ancêtres étaient des armuriers basés à Chypre, un carrefour du commerce en Méditerranée. Les Croisés arrivèrent pour construire des avant-postes sur l'île et admirèrent notre savoir-faire. C'était la coutume chez les nobles fortunés d'avoir un armurier attitré. Mes ancêtres se sont installés en France et ont organisé un certain nombre de guildes artisanales. Les familles des guildes firent des mariages entre elles et formèrent des alliances avec deux autres familles.

— D'où les trois aigles sur vos armoiries ?

— Vous êtes très observateur, monsieur Austin. Oui, mais avec le temps, les autres familles se sont marginalisées et les Fauchard finirent par dominer entièrement l'affaire. Ils contrôlaient différents ateliers spécialisés et envoyaient des agents à travers toute l'Europe. De la guerre de Trente Ans aux campagnes napoléoniennes, la demande n'a pas tari. La guerre franco-prussienne fut très lucrative et nous prépara à la Première Guerre mondiale.

— Ce qui nous amène à votre aïeul.

Elle opina.

— Jules devint très morose à mesure que la guerre semblait inévitable. A ce moment-là, nous avions formé un cartel qui avait pris le nom de Javelot Industries. Il essaya de persuader notre famille de se retirer de la course à l'armement, mais il était trop tard. Comme Lénine l'a dit à l'époque, l'Europe était devenue une poudrière.

— Et il a suffi que l'archiduc François-Ferdinand soit assassiné pour y mettre le feu.

— L'archiduc était un voyou, fit-elle avec un geste de dédain de ses longs doigts. Sa mort fut moins une étincelle qu'un prétexte. L'industrie internationale des armes avait conclu des accords sur les droits d'exploitation multilatéraux. Chaque coup de feu tiré, chaque bombe mise à feu par l'un des deux camps engendrait des profits partagés par les propriétaires et les actionnaires. Les morts allemands enrichissaient les Krupp, tout comme les morts français rapportaient de l'argent à Javelot Industries. Jules l'avait anticipé et c'est la conscience de sa propre responsabilité qui a dû le déstabiliser.

— Une autre victime de la guerre ?

— Mon grand-oncle était un idéaliste. Sa passion est responsable de sa mort absurde et prématurée. Le plus triste, c'est que son décès n'a pas plus changé le monde que celui d'un pauvre gars gazé dans les tranchées. Vingt ans plus tard, nos dirigeants nous ont entraînés dans une Deuxième Guerre mondiale. Les usines Fauchard furent bombardées et nos ouvriers tués. Nous avons rapidement remonté la pente lors de la guerre froide, mais le monde a changé.

— Aux dernières nouvelles, pas tant que ça, remarqua Austin.

— Oui, aujourd'hui les armes sont plus mortelles que jamais, et les conflits plus localisés et moins longs. Ce sont des gouvernements tels que le vôtre qui ont remplacé les plus grands marchands d'armes. Depuis que j'ai hérité de la présidence de Javelot Industries, nous nous sommes séparés de nos usines pour ne devenir principalement qu'une holding qui sous-traite marchandises et services. Avec la peur des Etats voyous et des terroristes, nos affaires restent prospères.

— Quelle histoire fascinante, dit Austin. Merci d'avoir été aussi sincère à propos de votre famille.

— Revenons au présent, dit-elle en hochant la tête. Monsieur Austin, quelles sont les chances de repêcher l'avion que vous avez découvert dans le lac ?

— Ce serait un travail délicat, mais pas impossible pour une entreprise de renflouage compétente. Je peux vous recommander quelques noms, si vous le souhaitez.

— Merci beaucoup. Nous aimerions récupérer tout ce qui nous appartient légitimement. Projetez-vous de rentrer à Paris aujourd'hui ?

— C'était notre intention.

— Bien. Je vais vous reconduire.

Mme Fauchard les guida le long d'un couloir qui ne ressemblait en rien au premier, aux murs couverts de centaines de portraits. Elle s'arrêta devant celui d'un homme vêtu d'un long manteau de cuir.

— Voici mon grand-oncle Jules Fauchard, déclara Mme Fauchard.

L'homme du tableau avait un nez aquilin et une moustache, et posait devant un avion semblable à celui qu'avait vu Austin au Musée de l'aéronautique. Il portait le même casque que celui que Skye avait donné à Darnay.

Un léger cri de surprise échappa à la jeune femme. Il était à peine audible, mais Mme Fauchard se tourna vers elle.

— Y a-t-il un problème, mademoiselle ?

— Non, répondit Skye en s'éclaircissant la gorge. J'admirais ce casque. Se trouve-t-il dans la collection de votre armurerie ?

— Non, il n'y est pas, répondit Racine en lui lançant un regard glacial.

Austin tenta de changer de sujet.

— Il ne ressemble guère à vous et votre fils, dit-il.

Racine sourit.

— Les Fauchard avaient des traits rudes, comme vous le voyez. Nous, nous tenons plutôt de mon grand-père, qui n'était pas un Fauchard par le sang. Il a pris le nom quand il s'est marié. C'était un mariage arrangé, fait pour rapprocher les intérêts des deux familles. Il n'y avait pas d'héritier mâle à l'époque, et donc ils en ont fabriqué un.

— Vous avez une famille fascinante, dit Skye.

— Et vous ne connaissez pas la moitié de l'histoire.

Pendant quelques secondes, elle regarda Skye d'un air songeur puis sourit.

— Je viens d'avoir une idée formidable. Si vous restiez dîner ? J'ai déjà quelques invités, de toute façon. Nous organisons un « masque » comme autrefois. Un petit bal costumé.

— Nous avons une longue route jusqu'à Paris, intervint Austin. De plus, nous n'avons pas de costumes.

— Nous pouvons vous loger ici, et nous avons toujours quelques costumes supplémentaires. Nous trouverons bien quelque chose. Il y a tout ce qu'il faut pour que vous soyez installés confortablement. Vous pourrez partir tôt demain matin. Je ne tolérerai pas de refus.

— Vous êtes très aimable, madame, dit Skye, mais nous ne voudrions pas nous imposer.

— Vous ne vous imposez pas. A présent, si vous voulez bien m'excuser, je dois parler à mon fils de l'organisation de la soirée. Faites comme chez vous, libre à vous de vous promener au rez-de-chaussée du château. Au premier étage, ce sont les chambres.

Sans un mot de plus, Mme Fauchard s'élança avec légèreté dans le couloir, les laissant en compagnie de ses ancêtres.

— Mais qu'est-ce qui t'a pris ? demanda Austin dès que Mme Fauchard eut disparu.

— Mon plan a fonctionné ! s'exclama Skye en se frottant les mains. J'ai étalé à dessein ma connaissance des armes pour attirer son attention. Une fois l'hameçon lancé, je n'ai eu qu'à remonter la ligne. Ecoute, Kurt, tu disais que la famille Fauchard était la clé de toute cette histoire, du glacier à l'agression dans la boutique de Darnay. Nous ne pouvions pas partir les mains vides. Quel est le problème ?

— Tu es peut-être en danger, voilà le problème. Tu es restée bouche bée devant le portrait du vieux Jules. Elle sait que tu as vu le casque.

— Ça, ce n'était pas prévu. J'ai été vraiment surprise en voyant Jules coiffé de ce casque. Ecoute, je suis prête à prendre le risque. En plus, un bal costumé, ça peut être amusant. Elle ne tentera rien en présence des autres invités. Elle a l'air très aimable, et ne ressemble en rien au dragon auquel je m'attendais.

Austin n'était pas convaincu. Racine Fauchard était une femme charmante, mais il soupçonnait que son numéro d'hôtesse parfaite n'était que pure comédie. Il avait vu son visage s'assombrir à la réaction de Skye devant le portrait de Jules. C'était Racine Fauchard, et non Skye, qui avait lancé l'hameçon et les avait pris au piège. Une alarme résonnait dans sa tête, mais il se força à sourire. Il ne voulait pas inquiéter Skye.

— Jetons un coup d'œil au château, dit-il.

Ils mirent une heure à explorer le rez-de-chaussée, grand de plusieurs centaines de mètres carrés, mais ils en virent surtout les couloirs. Toutes les portes qu'ils essayèrent d'ouvrir étaient fermées à clé. Tout en s'enfonçant dans le labyrinthe, Austin essayait de mémoriser le plan des lieux. Finalement, ils se retrouvèrent devant la porte principale. Son malaise augmenta.

— Bizarre, dit-il. Un bâtiment de cette taille doit exiger beaucoup de personnel, mais nous n'avons pas vu âme qui vive à part les Fauchard et le domestique qui a apporté de l'eau.

— Oui, c'est étrange, dit Skye.

Elle appuya sur la poignée de la porte d'entrée qui s'ouvrit.

— Regardez, monsieur Inquiet. Nous pourrons partir dès que nous en aurons envie.

Ils sortirent sur la terrasse et traversèrent la cour pavée. Le pont-levis était toujours abaissé, mais la herse, qui était remontée à leur arrivée, avait été descendue. Austin mit la main sur les barreaux et regarda à travers la grille de fer.

— Nous n'allons pas partir de sitôt, dit-il avec un sourire contraint.

La Rolls Royce avait disparu de l'allée.

20

L'*ALVIN* s'était envolé comme une mouette au-dessus d'un rouleau avant de retomber en chute libre dans un choc de métal contre métal qui ébranla les trois passagers jusqu'aux os et les projeta hors de leur siège. Trout essaya d'éviter la collision avec Gamay et la frêle Sandy, mais sa silhouette de deux mètres n'était pas taillée pour les acrobaties et il se cogna violemment contre la cloison. Des étoiles dansèrent sous ses paupières, et, lorsqu'elles se dissipèrent, il aperçut le visage de Gamay près de lui. Elle avait l'air inquiète.

— Ça va ? demanda-t-elle d'une voix soucieuse.

Trout hocha la tête. Puis il se remit sur son siège et tâta précautionneusement son crâne meurtri du bout des doigts. Le cuir chevelu était endolori mais ne saignait pas.

— Que s'est-il passé ? demanda Sandy.

— Je ne sais pas, répondit Paul. Nous allons voir.

Il fit abstraction de la nausée qui lui tordait l'estomac et rampa vers un hublot. Pendant un instant, il se demanda si le choc sur la tête ne lui donnait pas des hallucinations. Un homme au visage renfrogné lui faisait face. Il tapa sur le Plexiglas avec le canon d'un fusil et fit un geste vers le haut. Le message était clair : Ouvrez l'écoutille.

Gamay avait le visage collé à un autre hublot.

— Il y a un type très laid, ici. Il a un flingue.

— Idem, fit Trout. Ils veulent qu'on descende.

— Qu'est-ce qu'on fait? demanda Sandy.

Quelqu'un se mit à cogner contre la coque.

— Notre comité d'accueil s'impatiente, dit Gamay.

— Je vois ça, répondit Trout. A moins de trouver un moyen pour transformer l'*Alvin* en sous-marin de combat, je suggère que nous fassions ce qu'ils nous disent.

Il se leva et ouvrit le panneau. L'air tiède et humide s'engouffra à l'intérieur de l'habitacle et le même homme qu'il avait vu par le hublot se posta au-dessus de l'ouverture circulaire. Il fit un geste à Trout et s'écarta. Trout passa la tête et les épaules par l'ouverture et découvrit que l'*Alvin* était encerclé par six hommes armés.

Lentement, Trout monta sur la coque. Sandy sortit ensuite et ses joues perdirent toute couleur devant le comité d'accueil. Elle resta figée sur place jusqu'à ce que Gamay lui donne un coup de coude par en dessous et que Paul l'aide à monter sur le pont.

L'*Alvin* avait été hissé dans un hangar violemment éclairé, aussi vaste qu'un garage pour trois voitures. L'air était chargé de senteurs marines. L'eau dégoulinait de la coque et formait des ruisseaux sur le pont. On entendait le ronronnement étouffé de moteurs au loin. Trout supposa qu'ils se trouvaient dans le sas d'accès d'un gigantesque sous-marin. A une extrémité de la pièce, les parois s'incurvaient en un pli horizontal comme l'intérieur d'une immense gueule mécanique. Le sous-marin n'avait dû faire qu'une bouchée de l'*Alvin*, comme un mérou le ferait d'une crevette.

Un garde appuya sur un interrupteur mural et une porte s'ouvrit dans la cloison étanche en face de la bouche mécanique. Il leur fit ensuite signe avec le canon de son fusil. Les prisonniers franchirent le sas et arrivèrent dans une pièce plus petite qui ressemblait à une usine. Pendues aux murs se trouvaient une bonne dizaine de combinaisons spatiales, dont les bras croisés se prolongeaient par des pinces. De par son travail à la NUMA, Trout savait qu'il s'agissait de véritables submersibles adaptés au corps humain que l'on utilisait pour de longues plongées à des profondeurs extrêmes.

La porte se referma en grinçant, et les prisonniers furent conduits à un couloir, encadrés par six gardes, trois à l'avant et trois à l'arrière. Leurs combinaisons bleu marine étaient unies, sans indication d'aucune sorte. Les hommes musclés aux cheveux tondus avaient une mine patibulaire, et se déplaçaient avec l'assurance de militaires entraînés. Ils avaient entre trente et cinquante ans, donc trop vieux pour être de nouvelles recrues. Comme ils gardaient le silence et ne s'exprimaient que par gestes, arme pointée, il était impossible de deviner leur nationalité. Trout devina que c'était des mercenaires, sans doute d'anciens hommes des Forces spéciales.

Le cortège chemina à travers un dédale de couloirs et, finalement, les prisonniers furent poussés dans une cabine. La porte se referma sur eux. Le petit espace ne comptait que deux couchettes, une chaise, un placard vide et un cabinet de toilette.

— Douillet, commenta Gamay en découvrant la pièce exiguë.

— Ce doit être une cabine de troisième classe, dit Trout.

Il fut saisi de vertige et s'adossa à la cloison afin de retrouver l'équilibre. En voyant l'inquiétude sur le visage de Gamay, il voulut la rassurer.

— Ça va, dit-il. Mais je dois m'asseoir.

— Tu as besoin d'être soigné, dit Gamay.

Tandis que Trout s'asseyait au bord d'une couchette, Gamay s'approcha du cabinet de toilette et fit couler de l'eau froide sur une serviette. Trout plaça la serviette sur sa tempe pour empêcher qu'elle n'enfle trop. Sandy et Gamay se relayèrent pour le soigner. Au bout d'un moment, les élancements se calmèrent. Trout rajusta avec soin le nœud papillon qui pendait à son cou et se passa la main dans les cheveux.

— Tu te sens mieux ? demanda Gamay.

— Tu m'as toujours dit que je finirais par attraper la grosse tête, répondit Trout, soudainement ragaillardi.

Sandy se mit à rire malgré sa frayeur.

— Comment pouvez-vous rester si calmes ? s'étonna-t-elle.

Le flegmatisme de Trout était moins une bravade qu'un trait de caractère, il était pragmatique et avait foi en ses propres capacités. En tant que membre de l'équipe des missions spéciales de la NUMA, Trout était habitué au danger. Son côté universitaire tranquille cachait une réelle bravoure héritée de ses robustes aïeux de Nouvelle-Angleterre. Son arrière-grand-père avait été sauveteur en mer et sa maxime était « Quand faut y aller, faut y aller, quitte à ne pas revenir ». Son grand-père et son père, pêcheurs, lui avaient transmis leurs forces de marins et appris à respecter la mer, si bien que Trout s'en remettait toujours à sa propre ingéniosité.

Quant à Gamay, avec son corps mince de sportive et sa grâce innée, sa superbe chevelure auburn et son sourire étincelant, on la prenait souvent pour un mannequin ou une actrice. Peu de gens auraient deviné son enfance de garçon manqué dans le Wisconsin. Bien qu'elle soit devenue une femme attrayante, elle ne tenait pas à être mise sous verre. Rudi Gunn, le directeur adjoint de la NUMA, avait reconnu cette intelligence, c'est pourquoi il avait suggéré de l'intégrer à l'agence avec son mari. L'amiral Sandecker avait volontiers accepté la suggestion de Gunn. Depuis, Gamay avait donné maintes fois des preuves de sa perspicacité et de son habileté lors des nombreuses missions qui lui avaient été confiées.

— Ça n'a rien à voir avec le calme, répondit Gamay. Nous sommes seulement réalistes. Qu'on le veuille ou non, nous sommes pour l'instant coincés ici. Essayons de raisonner avec sagacité pour comprendre ce qui a pu se passer.

— Les scientifiques ne sont pas censés tirer de conclusions sans pouvoir les étayer par des faits, rétorqua Sandy. Et nous avons peu de cartes en main.

— Vous avez bien compris la méthode scientifique, dit Paul. Comme le disait Ben Jonson, il n'y a rien de tel que la perspective de la pendaison pour aiguiser l'esprit humain. Puisque nous ne connaissons pas tous les faits, nous nous appuierons sur les estimations scientifiques. De plus, nous n'avons rien d'autre à faire. D'abord, nous savons de façon certaine que nous avons été enlevés et que nous sommes retenus prisonniers dans un grand sous-marin de forme curieuse.

— Pourrait-il s'agir du véhicule qui aurait laissé les traces dans la Cité perdue ? demanda Sandy.

— Nous n'avons rien pour étayer cette théorie, déclara Trout.

Mais il ne serait pas impossible de concevoir un sous-marin capable de rouler sur le plancher océanique. La NUMA en a eu un, il y a quelques années.

— Dans ce cas, que fait-il ici ? Qui sont ces gens ? Et qu'est-ce qu'ils nous veulent ?

— J'ai le sentiment que nous allons bientôt le savoir, dit Gamay.

— Là, cela relève plus de l'autopersuasion que de l'estimation scientifique, dit Sandy.

Gamay posa un doigt sur ses lèvres et fit un geste en direction de la porte. La poignée tournait. Puis la porte s'ouvrit et un homme entra. Il était tellement grand qu'il devait courber la tête pour passer sous le montant. Le nouveau venu était vêtu d'une combinaison comme les autres, mais de couleur citron vert. Il referma doucement la porte derrière lui et regarda les prisonniers.

— Je vous en prie, pas d'inquiétude, dit-il. Je suis de votre côté.

— Laissez-moi deviner, lança Trout. Vous êtes le capitaine Nemo et nous sommes à bord du *Nautilus*.

L'homme cilla, surpris. Il s'attendait à ce que les prisonniers soient intimidés.

— Non, je suis Angus MacLean, dit-il avec un léger accent écossais. Dr MacLean, chimiste. Mais vous avez raison sur ce sous-marin. Il est aussi fantastique que celui du capitaine Nemo.

— Et nous sommes tous des personnages de Jules Verne ? demanda Gamay.

MacLean poussa un lourd soupir.

— J'aimerais que ce soit aussi simple. Je ne veux pas vous alarmer inutilement, déclara-t-il avec gravité, mais votre vie dépend peut-être de la conversation que nous allons avoir dans les minutes qui viennent. Veuillez décliner vos noms et professions. Je vous supplie d'être sincères. Il n'y a pas de cachot sur ce bâtiment.

Les Trout comprirent le message. Un refus de coopérer entraînerait leur mort. Paul plongea ses yeux dans le regard bleu bienveillant de MacLean, et décida de lui faire confiance.

— Je m'appelle Paul Trout, et voici ma femme, Gamay. Nous faisons tous les deux partie de la NUMA. Et voici Sandy Jackson, le pilote de l'*Alvin*.

— Quelle est votre formation scientifique ?

— Je suis géologue océanographe. Gamay et Sandy sont toutes deux biologistes marines.

Le visage sérieux de MacLean s'éclaira d'un sourire de soulagement.

— Merci, Seigneur, murmura-t-il. Il y a de l'espoir.

— Peut-être voudrez-vous bien répondre à une question ? demanda Trout. Pourquoi nous avoir kidnappés et détourné l'*Alvin* ?

MacLean partit d'un rire désabusé.

— Je n'ai rien à voir là-dedans. Je suis autant prisonnier que vous sur ce bateau.

— Je ne comprends pas, objecta Sandy.

— Je ne peux pas vous expliquer maintenant. Tout ce que je peux dire, c'est que nous avons de la chance de pouvoir utiliser vos compétences professionnelles. Comme moi, ils vous garderont en vie aussi longtemps qu'ils auront besoin de vous.

— Mais qui sont *ils* ? demanda Trout.

MacLean passa ses longs doigts dans ses cheveux grisonnants.

— Ce serait dangereux pour vous de le savoir.

— Qui que vous soyez, intervint Gamay, dites aux gens qui nous ont kidnappés et qui ont pris notre sous-marin que notre navire de soutien enverra des secours à la seconde où ils s'apercevront que nous sommes en retard.

— Ils m'ont dit que ce n'était pas un problème. Je n'ai aucune raison de ne pas les croire.

— Qu'est-ce qu'ils voulaient dire ? demanda Trout.

— Je ne sais pas. Mais ce que je sais, c'est que ces gens ont une mission à accomplir et qu'ils iront jusqu'au bout.

— Quelle mission ? s'enquit Gamay.

Les yeux bleus s'assombrirent.

— Il y a des questions qu'il n'est pas sage de poser, et auxquelles il ne serait pas sage de répondre, dit MacLean en se levant de sa chaise. Je dois aller rendre compte de mon interrogatoire.

Il désigna l'applique murale et mit un doigt sur ses lèvres, pour leur signifier qu'ils étaient écoutés.

— Je reviendrai bientôt avec à manger et à boire. Je vous suggère de vous reposer.

— Vous lui faites confiance? demanda Sandy dès que MacLean les eut laissés seuls.

— Son histoire a l'air assez folle pour être vraie, déclara Gamay.

— Vous avez des suggestions sur ce que nous devrions faire? demanda Sandy en les regardant à tour de rôle.

Trout s'allongea sur une couchette et tenta de s'étirer, bien que ses longues jambes dépassent du matelas.

Il leva le doigt en direction de la lampe et déclara :

— Si personne ne veut de cette couchette, je vais suivre le conseil de MacLean et me reposer.

L'Ecossais revint environ une demi-heure plus tard avec des sandwichs au fromage, un thermos de café chaud et trois tasses. Plus important, il souriait.

— Félicitations, dit-il en leur distribuant les sandwichs. Vous êtes maintenant officiellement employés pour notre projet.

Gamay déballa son sandwich et en avala une bouchée.

— Ce projet, c'est quoi au juste?

— Je ne peux pas tout vous dire. Disons simplement que vous ferez partie d'une équipe de chercheurs. Chacun disposera seulement des informations utiles à son travail. J'ai été autorisé à vous faire visiter les lieux pour vous donner une idée de vos futures tâches. Je vous expliquerai en chemin. Notre baby-sitter nous attend.

Il frappa à la porte. Un garde à la mine patibulaire ouvrit, puis s'écarta pour les laisser sortir. Le garde sur les talons, ils suivirent MacLean dans les couloirs pour arriver à une vaste pièce aux murs couverts d'écrans de télévision et de voyants lumineux.

Le garde se posta à un endroit d'où il pouvait les avoir à l'œil mais, à part cela, n'interféra pas.

— Nous sommes dans la salle de contrôle, déclara MacLean.

Trout balaya la pièce du regard.

— Mais où est l'équipage ?

— Ce bâtiment est presque entièrement automatisé. L'équipage est réduit au strict minimum : les gardes et bien sûr les plongeurs.

— J'ai vu les combinaisons dans la pièce près du sas d'accès.

— Vous êtes très observateur, dit MacLean en hochant la tête. Eh bien, si vous regardez cet écran, vous verrez les plongeurs à l'œuvre.

Un écran mural affichait l'image d'une colonne comme celles de la Cité perdue. Ils perçurent un mouvement au bas de l'écran ; un plongeur montait le long de la colonne, à l'aide de propulseurs verticaux intégrés à sa combinaison rembourrée. Il était suivi de trois autres, portant le même équipement, et tous tenaient dans les pinces mécaniques qui leur servaient de mains d'épais tuyaux en caoutchouc.

Sans bruit, ces grotesques silhouettes remontèrent jusqu'en haut de l'écran. Comme des abeilles butinant le nectar, ils s'arrêtèrent sous la roche en forme de chapeau de champignon.

— Que font-ils ? demanda Paul.

— Je sais, répondit Sandy. Ils recueillent des bio-organismes dans les colonies de microbes qui vivent autour des sources.

— C'est exact. Ils prélèvent des colonies entières, précisa MacLean. Les cellules vivantes et le liquide dans lesquels elles se sont développées sont acheminés, grâce aux tuyaux, jusqu'à des réservoirs.

— Vous voulez dire qu'il s'agit d'une expédition scientifique ? demanda Gamay.

— Pas exactement. Regardez la suite.

Deux plongeurs s'étaient écartés des autres et se dirigeaient vers une autre colonne ; ceux qui restaient se mirent à la démanteler à l'aide de scies.

— Ils détruisent les colonnes ! s'exclama Sandy. C'est criminel !

MacLean jeta un coup d'œil au garde pour voir s'il avait remarqué l'éclat de Sandy. Mais il était appuyé contre le mur, absent, une expression d'ennui sur le visage. MacLean lui fit un signe pour attirer son attention et tendit la main vers une autre porte. Le garde bâilla et leur fit un signe d'approbation. MacLean escorta les autres jusqu'à une pièce pleine de grandes cuves circulaires en plastique.

— Nous pouvons parler ici, dit MacLean. Ce sont les réservoirs de stockage des échantillons biologiques.

— La capacité de stockage doit être énorme, fit remarquer Gamay.

— Il est très difficile de maintenir ces organismes en vie loin de leur habitat naturel. C'est pourquoi ils abattent certaines colonnes. Seul un petit pourcentage de la récolte survivra lorsque nous reviendrons à terre.

— Vous avez dit à terre ? répéta Trout.

— Oui, les spécimens recueillis seront apportés dans un labo caché sur une île. Nous faisons des voyages pour décharger les réservoirs de temps à autre. J'ignore où elle se trouve.

— Je me demande si ce travail a quelque chose à voir avec la Gorgone...

— De quoi parlez-vous ? demanda MacLean.

Trout expliqua la raison de leur expédition.

— Une souche d'algue mutante menace toute la vie sous-marine, et nous pensons que ce dérèglement trouve son origine ici.

— Est-ce vraiment possible ? demanda MacLean.

— Nous ignorons encore trop de choses, répondit Gamay. Mais d'après ce que j'ai vu, je peux affirmer que les travaux effectués sur la Cité perdue pourraient détruire l'équilibre naturel.

Sandy hocha la tête.

— Je ne suis pas généticienne, mais il est envisageable que l'arrivée de microbes allogènes ou de leurs sous-produits dans l'océan aient pu causer cette mutation.

C'est comme si MacLean venait de recevoir des électrochocs.

— Seigneur, murmura-t-il, comme si ce projet n'était pas déjà suffisamment hideux ! Et voilà que vous parlez de la possibilité d'une catastrophe écologique, qui aurait de terribles conséquences pour l'espèce humaine.

— C'est très frustrant, intervint Gamay. Je sais que vous avez a cœur de nous protéger, mais il faut que vous soyez plus explicite à propos de ce qui se passe.

— Vous avez raison, répondit MacLean après un moment de réflexion. J'ai à cœur de vous protéger. C'est pourquoi je vous dirai seulement que vous avez été enrôlés pour rechercher la pierre philosophale.

Paul et Gamay échangèrent des regards incrédules.

— Pour autant que je sache, la pierre philosophale était supposée changer les métaux comme le plomb en or, déclara Trout. Il doit s'agir d'autre chose que d'un délire d'alchimiste.

La mâchoire de MacLean se durcit.

— Vous avez raison. Il y a autre chose. Cela fait partie d'un terrible complot. Je sais le comment mais j'ignore le pourquoi.

— Vous avez toute mon attention, dit Trout. Il va falloir nous en dire plus.

MacLean vit que le garde les observait.

— Désolé, notre baby-sitter semble sortir de sa léthargie. Il faudra poursuivre cette discussion plus tard.

— Dites-moi un mot de cette île. Ce sera peut-être notre seule chance de fuir.

— Fuir ? Il n'y a aucun espoir de fuite.

— Il y a toujours de l'espoir. A quoi ressemble cette île ?

MacLean vit le garde s'approcher et baissa la voix, ce qui rendit ses paroles encore plus sinistres.

— C'est pire que tout ce que Dante a pu imaginer.

21

AUSTIN, tout en balayant du regard les remparts abrupts et les fortifications robustes qui entouraient le château Fauchard, éprouvait un immense respect pour les artisans qui avaient mis en place ces lourds blocs de pierre. Mais il tempérait son admiration en se rappelant que ces ouvrages de guerre efficaces, construits pour repousser les assiégeants par des artisans morts depuis longtemps, rendaient toute évasion quasiment impossible.

— Bon, fit Skye, qu'est-ce que tu en penses?

— Si Alcatraz était construit sur la terre ferme, il ressemblerait à cela.

— Alors que faisons-nous?

— Continuons notre promenade, dit-il en prenant le bras de Skye.

Après avoir découvert la herse abaissée et constaté la disparition de leur voiture, Austin et Skye avaient flâné dans la cour, comme des touristes. De temps à autre, ils s'arrêtaient et bavardaient avant de repartir. Cette nonchalance de façade avait pour but de tromper l'ennemi. Austin espérait que si quelqu'un les regardait, il serait persuadé qu'ils étaient parfaitement à l'aise.

Au cours de la promenade, les yeux turquoise d'Austin scrutaient les remparts, cherchant les failles. Son cerveau enregistrait le moindre détail. Ainsi, une fois revenus à leur point de départ, il aurait pu dessiner de mémoire un schéma précis du plan complexe du château.

Skye s'arrêta pour secouer une grille en fer forgé qui bloquait un petit escalier menant aux remparts. Elle était verrouillée.

— Il va nous falloir des ailes pour franchir ces remparts, soupira-t-elle.

— J'ai laissé les miennes au nettoyage à sec, rétorqua Austin. Nous trouverons autre chose. Rentrons et fouinons encore un peu.

Emile Fauchard les attendait sur la terrasse. Il les accueillit de son sourire le plus éblouissant.

— Avez-vous fait une agréable visite du château? demanda-t-il.

– On n'en fait plus des comme ça de nos jours, dit Austin. Au fait, nous avons remarqué au passage que notre voiture n'était plus là.

— Ah oui, nous l'avons déplacée pour laisser le maximum de place aux invités qui vont arriver. Les clés étaient sur le contact. J'espère que ça ne vous dérange pas.

— Mais pas du tout, répondit Austin avec un sourire forcé. Cela m'évite d'avoir à le faire moi-même.

— Parfait. Rentrons, alors. Les invités ne vont pas tarder.

Ils entrèrent dans le château, et Emile les précéda jusqu'au premier étage en empruntant le large escalier qui partait de la véranda, pour les mener à deux chambres adjacentes. Celle d'Austin était une véritable suite, avec salle de bains et salon, décorée dans le style baroque, moult dorures et velours écarlates comme un bordel victorien.

Son costume était posé sur le lit à baldaquin. Il lui allait bien, sauf au niveau des épaules, un peu trop étroites pour sa carrure. Après s'être regardé dans un miroir sur pied, il frappa à la porte de Skye. Skye passa la tête par l'entrebâillement de la porte, qu'elle ouvrit à peine. Elle éclata de rire en voyant Austin vêtu d'un costume de bouffon à carreaux noir et blanc coiffé de son bonnet à clochettes.

— Mme Fauchard a plus d'humour que je ne pensais, dit-elle.

— Mes professeurs ont toujours prétendu que j'étais le clown de la classe. Voyons un peu à quoi tu ressembles.

Skye suivit Austin dans sa chambre et fit lentement le tour de la pièce, comme un mannequin sur un podium. Elle était vêtue d'un justaucorps noir qui mettait en valeur toutes les courbes de sa silhouette. Elle était chaussée de ballerines et avait passé des gants de fourrure, et ses cheveux étaient retenus par un serre-tête sur lequel étaient attachées deux oreilles dressées.

— Qu'est-ce que tu en penses ? demanda-t-elle après une nouvelle pirouette.

Austin regarda Skye d'un regard d'homme admiratif et non dénué de désir.

— Miaou ! comme disait mon grand-père.

On toqua légèrement à la porte. C'était Marcel, le domestique au crâne d'œuf. Il lança à Skye le regard concupiscent du lion qui guette un savoureux gnou, puis ses petits yeux se posèrent sur le costume d'Austin et ses lèvres se pincèrent en un sourire de mépris à peine dissimulé.

— Les invités arrivent, déclara Marcel d'une voix aussi grinçante que des cailloux crissant sur une pelle. Mme Fauchard vous prie de me suivre dans la salle d'armes où seront servis le cocktail et le dîner.

Son intonation de voyou détonnait étrangement avec sa rigidité de majordome.

Austin et sa féline compagne revêtirent leurs loups en velours noir et suivirent le domestique corpulent jusqu'au rez-de-chaussée et à travers le labyrinthe de couloirs. Ils entendirent les voix et les rires bien avant d'arriver à la salle d'armes. Une vingtaine d'hommes et de femmes vêtus de costumes fantasques étaient serrés autour d'un buffet dressé devant une collection de masses d'armes. Des domestiques qui ressemblaient à des clones de Marcel se frayaient avec difficulté un passage parmi les invités, chargés de plateaux de caviar et de champagne. Un quatuor à cordes de musiciens déguisés en rongeurs jouaient une musique en sourdine.

Austin attrapa au vol deux flûtes sur un plateau et en tendit une à Skye. Puis ils dénichèrent un coin sous les lances des chevaliers, d'où ils pouvaient boire leur champagne tout en observant les autres. Il semblait y avoir autant d'hommes que de femmes, bien qu'il soit difficile de s'en assurer sous les déguisements.

Austin essayait de deviner le thème de la soirée lorsqu'un corpulent corbeau arriva, tanguant comme un bateau par gros temps. L'oiseau chancela sur ses jambes jaunes et pencha en avant son bec noir et brillant, dangereusement près des yeux d'Austin ; il entonna d'une voix éméchée, avec un accent britannique :

— *Une fois, sur le minuit lugubre...* Merde, c'est quoi ensuite ?

Rien de plus difficile à comprendre qu'un aristocrate british avec un coup dans le nez, songea Austin, mais il récita la suite du vers :

— *Tandis que je méditais, faible et fatigué...*

L'oiseau applaudit des ailes avant d'attraper au vol une flûte de champagne. Comme le long bec le gênait pour boire, il remonta son masque sur le front. Son visage flasque et rubicond rappela à Austin le symbole anglais John Bull.

— Toujours un plaisir de rencontrer un gentleman cultivé, fit l'oiseau.

Austin se présenta, ainsi que Skye. L'oiseau tendit une aile.

— Je me nomme Nevermore pour les festivités de ce soir, mais quand je n'incarne pas le corbeau de Poe, je m'appelle Cavendish. Lord Cavendish, ce qui prouve bien le délabrement de notre fier empire qui a anobli un vieil ivrogne comme moi. Pardonnez-moi, je vois que mon verre est vide. Plus jamais, vieille branche.

Il rota bruyamment et s'éloigna en titubant à la recherche d'une autre flûte de champagne.

Edgar Allan Poe. Bien sûr.

Cavendish était un Corbeau bien éméché. Skye incarnait le Chat noir et Austin était Fortunato, le bouffon de *La Barrique d'amontillado*.

Austin observa les autres invités. Il vit une femme cadavérique, drapée dans un linceul blanc souillé et ensanglanté. *La Chute de la maison Usher*. Une autre femme portait un costume couvert de carillons miniatures. *Les Cloches*. Un singe était appuyé au buffet, éclusant un martini. *Le Double Assassinat de la rue Morgue*. Le singe parlait à un insecte géant, une tête de mort sur sa carapace. *Le Scarabée d'or*. Mme Fauchard n'avait pas seulement le sens de l'humour, songea Austin, mais également un goût pour le grotesque.

La musique cessa et le silence se fit dans la pièce. Une silhouette se tenait sur le seuil, s'apprêtant à entrer dans la salle d'armes. Cavendish, de retour avec un verre à la main, murmura : « Seigneur ! » Il se mêla aux autres invités comme s'il cherchait refuge au sein du groupe.

Tous les yeux étaient rivés sur la grande femme qui avait l'air tout droit sortie du tombeau. Le sang éclaboussait son linceul blanc et son visage, livide et décharné. Les lèvres étaient flétries et les yeux enfoncés dans leurs orbites squelettiques. A son entrée, on entendit des cris étouffés de frayeur. Elle s'arrêta de nouveau, puis regarda chaque personne dans les yeux. Ensuite, elle traversa la pièce comme si elle flottait sur un coussin d'air. Une fois arrivée devant une immense horloge en ébène, elle frappa dans ses mains.

— Bienvenue au Masque de la Mort rouge, proclama la voix claire de Racine Fauchard. Continuez vos célébrations, mes amis. Rappelez-vous, poursuivit-elle, la voix tremblante et dramatique, la vie est fugace lorsque la Mort rouge dépeuple la contrée.

Les lèvres ridées se tordirent en un sourire hideux. Un rire nerveux parcourut l'assemblée et le quatuor se remit à jouer. Les domestiques qui étaient restés figés poursuivirent leur ballet. Austin s'attendait à ce que Mme Fauchard salue ses invités mais, à sa grande surprise, elle se dirigea vers lui et ôta son masque macabre, révélant un visage parfait.

— Vous êtes très beau avec votre bonnet et vos collants, monsieur Austin, dit-elle sur un ton séducteur.

— Je vous remercie, madame. Pour ma part, je n'ai jamais rencontré une peste plus charmante.

Mme Fauchard inclina la tête avec coquetterie.

— Vous savez parler aux femmes. (Elle se tourna vers Skye.) Vous faites un très joli chat noir, mademoiselle Bouchet.

— Merci, madame, répondit Skye avec un sourire timide. J'essaierai de ne pas dévorer les musiciens, malgré mon amour des souris.

Mme Fauchard observa Skye du regard jaloux d'une ancienne beauté sur une femme plus jeune.

— Ce sont des rats, en fait. Je regrette de ne pas avoir pu vous donner le choix des costumes. Mais cela ne vous ennuie pas de jouer les bouffons, n'est-ce pas, monsieur Austin ?

— Pas du tout. Les bouffons étaient parfois de bons conseillers à la cour des rois. Mieux vaut jouer l'imbécile que d'en être un.

Mme Fauchard se mit à rire de bon cœur et jeta un coup d'œil vers la porte.

— Bien, je vois que le prince Prospero est arrivé.

Une silhouette en collants et tunique de velours violet bordée d'or, masque assorti, se dirigeait vers eux. Il enleva son chapeau en velours chargé de fioritures et fit une révérence devant Mme Fauchard.

— Charmante entrée, mère. Nos invités ont été terrifiés.

— C'était le but. Je vais aller saluer les autres dès que j'aurai parlé à M. Austin.

Emile s'inclina de nouveau, cette fois devant Skye, et prit congé.

— Vous avez des amis intéressants, dit Austin en parcourant l'assemblée du regard. Ces gens sont-ils vos voisins ?

— Ce sont les héritiers des plus grandes familles d'armuriers dans le monde, cette immense richesse est tout entière fondée sur la mort et la destruction. Leurs ancêtres ont façonné les lances et les flèches qui ont tué des centaines de milliers de gens, construit les canons qui ont dévasté l'Europe au siècle dernier et manufacturé les bombes qui ont anéanti des villes entières. Vous devriez être honoré de vous trouver en si auguste compagnie.

— J'espère que vous ne vous sentirez pas insultée si je vous dis que je ne suis pas impressionné.

Mme Fauchard partit d'un petit rire aigu.

— Ce n'est pas moi qui vous en tiendrai rigueur. Ces idiots se pavanent et bavassent mais sont des décadents qui vivent des richesses accumulées par la sueur de leurs aïeux. Leurs compagnies et leurs cartels n'ont plus rien aujourd'hui de leur splendeur passée; ce ne sont plus que des corporations anonymes cotées à la Bourse de New York.

— Et lord Cavendish? demanda Austin.

— Encore plus pitoyable que les autres, parce qu'il n'a plus que son nom, mais sans la fortune. Sa famille détenait autrefois le secret de l'acier trempé avant que les Fauchard le leur volent.

— Et les Fauchard, justement? Sont-ils immunisés contre la décadence?

— Personne ne l'est. Pas même ma propre famille. C'est pourquoi je continuerai à diriger Javelot Industries aussi longtemps que je vivrai.

— Personne n'est éternel, dit Skye.

— Qu'avez-vous dit? s'exclama Mme Fauchard en tournant brusquement la tête pour foudroyer Skye de ses yeux qui brillaient autant que des charbons ardents.

La réflexion de Skye était anodine et elle ne pensait pas provoquer une telle colère.

— Je voulais seulement dire que nous mourrons tous un jour.

La flamme dans les yeux de Racine vacilla puis s'éteignit.

— En effet, mais certains plus tôt que d'autres. Les Fauchard prospéreront pendant les décennies et les siècles à venir. Croyez-moi. A présent, si vous voulez bien m'excuser, je dois aller m'occuper de mes invités. Le dîner sera bientôt servi.

Elle remit son masque macabre et rejoignit son fils d'un pas souple. Skye semblait secouée.

— Pourquoi tant d'histoires?

— Mme Fauchard n'aime pas vieillir. Je la comprends. Elle a dû être une beauté autrefois. Elle m'aurait séduit.

— Si ça te plaît de faire l'amour à un cadavre, lança Skye avec un haussement d'épaules.

Austin sourit.

— On dirait que le chat sort ses griffes.

— Très acérées, et j'adorerais m'en servir contre ta chère amie. Je me demande pourquoi cette soirée t'inquiétait tant, moi je m'ennuie à mourir.

Austin guettait l'arrivée d'autres domestiques. Une bonne dizaine d'hommes l'air peu amène étaient entrés silencieusement dans la salle d'armes et s'étaient postés à toutes les issues.

— Accroche-toi, murmura Austin. J'ai le sentiment que la soirée ne fait que commencer.

22

CAVENDISH était magnifiquement ivre. L'Anglais avait relevé son bec de corbeau sur le dessus de sa tête afin de permettre à sa bouche en bouton de rose un accès plus rapide à son gobelet de vin. Il avait bu pendant tout le dîner, de style médiéval, pour avaler plus gloutonnement les plats de gibier exotique – qui incluaient toutes sortes d'animaux, depuis l'alouette jusqu'au sanglier – et son appétit ne reculait devant rien. Austin picorait par politesse et prenait une gorgée de vin de temps à autre, conseillant à Skye de faire de même. Ils auraient besoin de garder la tête froide si son intuition s'avérait exacte.

Dès que les assiettes à dessert furent desservies, Cavendish se leva en chancelant et fit tinter sa cuiller sur son verre. Tous les regards se tournèrent vers lui. Il leva sa coupe.

— J'aimerais porter un toast à nos hôtes.

— Santé, répondirent les autres convives éméchés en levant leurs verres.

Encouragé par cette réaction, Cavendish sourit.

— Comme beaucoup d'entre vous le savent, les Fauchard et les Cavendish ont une histoire intimement liée depuis des siècles. Nous savons tous que les Fauchard ont, euh, « emprunté » le procédé qui consiste à forger l'acier à grande échelle, assurant ainsi leur propre ascension tandis que les miens amorçaient leur déclin.

— Les aléas de la guerre, lança le singe du *Double Assassinat de la rue Morgue.*

— Je bois aux aléas de la guerre, lança Cavendish en prenant une lampée de vin. Malheureusement, ou heureusement étant donné la propension des Fauchard à mourir de fatals accidents, nous ne nous sommes jamais alliés avec eux par le mariage.

— Les aléas de l'amour, fit la femme drapée dans les clochettes.

Les convives approuvèrent par des rires gras et Cavendish attendit que le silence soit revenu avant de poursuivre.

— Je doute que le mot amour ait jamais été employé dans cette maisonnée. Mais l'amour est à la portée de n'importe qui. En revanche, combien de familles peuvent-elles se vanter d'avoir initié à elles seules la « der des der » ?

Un lourd silence s'abattit sur la tablée. Les invités lancèrent des regards furtifs à Mme Fauchard qui présidait, son fils à sa droite. Elle avait toujours le même sourire de statue de cire, mais ses yeux lançaient les mêmes éclairs que lorsque Skye lui avait rappelé qu'elle était mortelle.

— M. Cavendish est un flatteur, mais il exagère quand il évoque l'influence de la famille Fauchard, dit-elle d'une voix glaciale. La Grande Guerre a eu de nombreuses causes : la cupidité, la bêtise et l'arrogance, entre autres. Toutes les familles représentées dans cette pièce ont hurlé avec les loups nationalistes, précipitant ainsi cette guerre qui a fait notre fortune à tous.

Cavendish ne se laissa pas décourager pour autant.

— Je rends à César ce qui est à César, ma chère Racine. Il est vrai que nous autres marchands d'armes possédions les journaux et avons corrompu les politiciens qui réclamaient la guerre à grands cris, mais c'est la famille Fauchard, avec une infinie sagesse, qui a payé pour faire assassiner l'archiduc François-Ferdinand, plongeant ainsi le monde dans un chaos sanglant. Nous sommes tous au courant des rumeurs sur le fait que Jules Fauchard a essayé de se désolidariser de sa famille, ce qui lui a valu de quitter prématurément cette terre.

— Monsieur Cavendish, gronda Mme Fauchard sur le ton de l'avertissement.

Mais on ne pouvait plus arrêter le Britannique.

— Ce que peu d'entre nous savent, en revanche, c'est que les Fauchard ont également financé un certain caporal autrichien pendant son ascension politique et encouragé des membres de l'armée impériale du Japon à s'en prendre aux Etats-Unis. (Il s'interrompit pour boire.) Cela a dégénéré davantage que vous ne l'aviez prévu, vous avez ainsi un peu perdu le contrôle lorsque vos usines d'esclaves ont été détruites par les bombardements. Mais, comme il a été dit tout à l'heure, ce sont les aléas de la guerre.

La tension dans la pièce avait atteint un degré difficilement supportable. Sous le masque de la Mort rouge qu'elle avait ôté, les traits défigurés par la haine, Racine Fauchard était plus terrible encore que la peste. Austin ne doutait pas que si elle avait été capable de télékinésie, les armes auraient sauté du mur pour hacher Cavendish en petits morceaux.

L'un des invités brisa le silence.

— Cavendish, vous en avez assez dit. Asseyez-vous.

Pour la première fois, l'Anglais remarqua le regard foudroyant de Racine Fauchard. Il retrouva assez de lucidité pour réaliser qu'il s'était emporté et qu'il était allé trop loin. Son sourire idiot s'évanouit, et il s'affaissa comme une fleur à la chaleur d'une lampe à ultraviolets. Il se rassit pesamment, plus sobre que lorsqu'il s'était levé quelques instants auparavant.

Mme Fauchard se mit debout comme le cobra qui attaque et leva son verre.

— Merci. A présent, je porte un toast à la grande famille défunte des Cavendish.

Le teint rougeaud de l'Anglais vira au gris. Il murmura un remerciement.

— Je vous prie de m'excuser. Je ne me sens pas bien. Une légère indigestion, peut-être.

Quittant son fauteuil, il se dirigea vers la sortie et disparut. Mme Fauchard se tourna vers son fils.

— Occupe-toi de notre invité, s'il te plaît. Il ne faudrait pas qu'il tombe dans les douves.

Cette remarque ironique sembla briser la tension, et la conversation reprit comme s'il ne s'était rien passé. Austin, quant à lui, était moins optimiste. En regardant Cavendish quitter la pièce, il s'était dit que le lord anglais avait signé son arrêt de mort.

— Que se passe-t-il ? demanda Skye.

— Les Fauchard n'apprécient pas vraiment de voir leur linge sale étalé sur la place publique, surtout en présence d'étrangers.

Austin vit Mme Fauchard se pencher pour murmurer quelque chose à son fils. Emile sourit et se leva de table. Il emmena Marcel avec lui et tous deux sortirent de la pièce. On servait les digestifs lorsqu'Emile revint seul, dix minutes plus tard. Il regardait directement Skye et Austin en chuchotant quelque chose à l'oreille de sa mère. Celle-ci hocha la tête tout en restant impassible, mais Austin le remarqua et comprit immédiatement : son nom et celui de Skye venaient d'être ajoutés à l'arrêt de mort de Cavendish.

Quelques minutes plus tard, Marcel revint de sa mission. Quand Emile le vit, il se leva et tapa dans ses mains.

— Mesdames et messieurs du Masque de la Mort rouge, le prince Prospero a préparé une réjouissance mémorable qui couronnera ces festivités.

Il fit signe à un domestique qui alluma une torche à la flamme d'un braséro avant de la lui tendre. Cérémonieusement, Emile sortit des plis de sa tunique une grande clé en forme de squelette, et montra aux invités le chemin en descendant l'allée centrale, et franchissant la croisée du transept à l'arrière de la salle d'armes. Il s'arrêta pour insérer la clé dans la serrure d'une petite porte en bois sur laquelle étaient sculptés des crânes et des os humains. Lorsqu'il ouvrit la porte, sa torche flamboya en crépitant dans l'air froid, tandis qu'une odeur de renfermé s'échappait de l'autre côté.

— Suivez-moi si vous l'osez, lança Emile avec un mauvais sourire, puis il passa en se courbant sous le chambranle.

Riant et se dandinant, les invités restèrent un instant immobiles, puis ils suivirent Emile en file indienne comme les enfants de Hamelin ensorcelés par le joueur de flûte. Austin mit la main sur le bras de Skye et l'empêcha de rejoindre les autres.

— Fais semblant d'être ivre, chuchota-t-il.

— Je préférerais l'être, répondit Skye. Merde ! Voilà la harpie.

Mme Fauchard arrivait vers eux de sa démarche aérienne.

— La Mort rouge doit prendre congé, monsieur Austin. Je regrette que nous n'ayons pas eu l'occasion de faire plus ample connaissance.

— Moi aussi. Intéressant, le toast porté par sir Cavendish, répondit-il d'une voix faussement avinée.

— Les grandes familles sont souvent la cible de ragots malveillants. (Elle se tourna vers Skye.) Il est temps de mettre fin à cette mascarade. Je crois que vous détenez une relique qui appartient à ma famille.

— De quoi voulez-vous parler ?

— Ne jouez pas à ce petit jeu avec moi. Je sais que vous avez le casque.

— Alors c'est vous qui avez envoyé cet homme affreux ?

— Sébastien ? Non, c'est le molosse de mon fils. Si cela peut vous consoler, il sera éliminé en raison de son échec. Peu importe, nous saurons bien vous faire avouer où vous avez caché ce qui nous appartient. Quant à vous, monsieur Austin, je vous fais mes adieux.

— A la prochaine fois, lança Austin en titubant légèrement.

Elle le dévisagea d'un air presque triste.

— Oui, à la prochaine fois.

Escortée par un groupe de serviteurs, Mme Fauchard se dirigea vers la sortie. Marcel, qui s'était tenu en retrait, s'approcha, un sourire de gangster de cinéma sur les lèvres.

— M. Emile aurait le cœur brisé si vous n'assistiez pas au petit divertissement qu'il vous a préparé.

— J'manqu'rais ça pour rien au monde ! s'écria Austin, d'une voix délibérément pâteuse.

Marcel alluma une autre torche et fit un geste en direction de la porte. Austin et Skye rejoignirent la file des invités bruyants. Marcel leur emboîta le pas pour s'assurer qu'ils le suivaient.

Ils descendirent en procession un petit escalier en pierre qui menait à un couloir d'environ deux mètres de large. A mesure que les convives s'enfonçaient plus profondément dans les entrailles du château, les rires commencèrent à diminuer. Puis, perdant tout entrain, ils se turent complètement en arrivant dans une partie du tunnel aux murs tapissés d'étagères remplies d'ossements humains, des pieds jusqu'à la hauteur du visage des visiteurs. Emile s'arrêta devant une étagère, prit un crâne au hasard et le leva au-dessus de sa tête en souriant aux visiteurs, comme s'il singeait leurs costumes.

— Bienvenue dans les catacombes du château Fauchard ! s'exclama-t-il avec l'enthousiasme d'un guide à Disneyland. Je vous présente l'un de mes ancêtres. Excusez-le s'il est un peu réservé. Il ne reçoit pas souvent de visites.

Il rejeta le crâne dans un coin, provoquant une avalanche de fémurs, de côtes et de clavicules qui tombèrent avec fracas. Puis il pressa le pas, exhortant ses invités à faire de même s'ils ne voulaient pas manquer le spectacle. Ils passèrent devant plusieurs portes cadenassées, et Emile expliqua qu'il s'agissait de cachots et de salles de torture. Des vasques enflammées avaient été installées dans chaque pièce, de sorte qu'une lumière vacillante passait à travers les vitraux de différentes couleurs.

L'étrange lumière colorée illuminait les visages de silhouettes de cire, si réalistes que cela n'aurait étonné personne s'ils s'étaient mis à bouger. Dans une salle, un orang-outang forçait une femme à entrer dans une cheminée. Dans une autre, un homme sortait de sa tombe avec une pelle. En fait, dans chaque salle était mise en scène une nouvelle de Poe.

Emile revint vers Austin. La lueur de la torche donnait à ses traits taillés à la serpe un côté satanique qui s'accordait bien aux lieux.

— Eh bien, monsieur Austin, que pensez-vous de mon divertissement jusqu'ici ?

— Je ne m'étais pas autant amusé depuis ma visite du musée Grévin.

— Vous me flattez. Bravo ! Le meilleur est à venir.

Emile poursuivit sa route jusqu'à une pièce qui flamboyait d'une lueur écarlate, donnant l'impression que tous ceux qui s'y trouvaient étaient des victimes de la Mort rouge. Dans le sol était creusée une fosse circulaire. Un pendule tranchant comme un rasoir se balançait au-dessus d'un cadre en bois. Ligoté sur le cadre, des rats courant sur sa poitrine, se trouvait un grand oiseau noir. C'était la scène du *Puits et le Pendule*, dans laquelle la victime est torturée par l'Inquisition espagnole. Sauf que la victime était Cavendish, ligoté et bâillonné.

— Vous remarquerez quelques différences dans cette scène-ci, déclara Emile. Les rats que vous voyez courir dans ce cachot sont des vrais. Tout comme la victime. Lord Cavendish est fair play, comme disent les Anglais, et il a gracieusement accepté de participer à notre divertissement.

Comme Emile faisait signe à ses invités d'applaudir poliment, Cavendish tenta de se débarrasser des liens qui l'entravaient.

Le pendule s'abaissa en se balançant, jusqu'à ne se trouver qu'à seulement quelques centimètres du torse haletant.

— Il va se faire tuer ! hurla une femme.

— Haché menu, répliqua Emile, soudain hilare.

Il baissa ensuite la voix pour chuchoter, comme un acteur de théâtre.

— Lord Cavendish est un cabotin, j'en ai peur. Ne vous inquiétez pas, chers amis. La lame est en bois. Je ne veux pas que notre invité reparte en plusieurs morceaux. Mais si cela vous inquiète...

Il claqua des doigts ; le pendule ralentit et s'arrêta. Cavendish fut pris d'une violente convulsion, puis resta immobile.

Emile conduisit les visiteurs dans le dernier cachot. Bien qu'il n'y ait aucune mise en scène, il était d'une certaine façon encore plus effrayant. Les murs étaient couverts de velours noir, ce qui anéantissait le peu de lumière qui filtrait à travers le vitrail, lui aussi noir. L'atmosphère était fort oppressante. Il y eut un soupir de soulagement collectif lorsque Emile indiqua à ses invités le couloir qui les mènerait à l'extérieur. Quand Austin et Skye s'avancèrent, il leur barra la route.

Austin chancela comme un homme ivre et fit une révérence avec son bonnet de bouffon.

— Après vous, Gaston.

Emile avait abandonné son rôle de Prospero et sa voix était à présent glaciale et tranchante comme l'acier.

— Tandis que Marcel reconduit nos invités, j'ai quelque

chose à vous montrer, à vous et à la jeune dame, dit-il en soulevant un pli du velours noir.

Derrière la draperie, il leur montra une ouverture, creusée entre les pierres, d'environ soixante centimètres de large.

— Et alors? demanda Austin en clignant des yeux. Ça fait partie du jeu?

— Oui, répondit Emile avec un sourire mauvais. Ça fait partie du jeu, répéta-t-il en s'armant d'un pistolet.

Austin regarda son arme et émit un petit rire d'ivrogne.

— Un sacré jeu! fit-il en secouant la tête, faisant tinter ses clochettes.

Il passa par l'ouverture, suivi de Skye. Emile ferma la marche. Ils descendirent encore deux escaliers. La température baissa et l'air se chargea d'humidité. L'eau ruisselait sur les murs et gouttait sur leurs têtes. Ils continuèrent leur descente jusqu'à ce qu'Emile leur ordonne enfin de s'arrêter devant une niche d'environ un mètre cinquante de large sur un mètre vingt de profondeur.

Il fixa sa torche à un support mural et ôta le drap qui recouvrait une pile de briques. Une truelle et un seau rempli de mortier étaient posés sur le sol, à côté des briques. Il sortit d'un renfoncement une bouteille de vin couverte de poussière et de toiles d'araignées. La bouteille était fermée par un bouchon en caoutchouc qu'Emile ôta avec ses dents. Il tendit la bouteille à Austin :

— Buvez, monsieur Austin.

Austin regarda la bouteille.

— Nous devrions peut-être laisser le vin respirer un peu.

— Cela fait des siècles qu'il décante, fit Fauchard avec un geste de son arme. Buvez.

Austin sourit bêtement comme s'il croyait que l'arme était un jouet et porta la bouteille à sa bouche. Un peu de vin lui coula sur le menton et il s'essuya avec sa manche. Il proposa ensuite la bouteille à Fauchard, qui déclina.

— Non, merci. Je préfère rester conscient.

— Hein?

— Vous nous avez créé beaucoup d'ennuis, déclara Emile.

Ma mère m'a demandé de me débarrasser de vous de la manière que je jugerais la plus adéquate. Un bon fils obéit toujours à sa mère. Sébastien, viens dire bonjour à « Mlle Bouchet ».

Une silhouette sortit de l'ombre et la torche illumina les traits pâles de l'homme qu'Austin avait surnommé Face de lune. Il portait son bras droit en écharpe.

— Je crois que vous vous êtes déjà rencontrés, dit Emile. Il a un cadeau pour vous, mademoiselle.

Sébastien jeta une flèche d'arbalète aux pieds de Skye.

— Ceci est à vous.

— Que se passe-t-il ? demanda Austin.

— Le vin que vous venez de boire contient un agent paralysant, expliqua Emile. Dans quelques instants, vous serez incapable de bouger mais vos autres sens, par contre, fonctionneront normalement. Ainsi, vous aurez conscience de ce qui vous arrive.

Il sortit des fers de sous sa cape et les fit danser devant le visage d'Austin.

— Peut-être que si vous dites « Pour l'amour de Dieu, Montrésor », je vous laisserai partir.

— Salopard ! gronda Austin.

Il appuya sa main sur le mur comme si ses jambes se dérobaient sous lui, mais ses yeux étaient fixés sur la flèche à quelques pas.

Skye avait poussé un cri de frayeur en apercevant Sébastien. Mais lorsqu'elle vit l'état d'Austin, elle bondit sur l'arme de Fauchard et l'attrapa par le poignet. Sébastien s'approcha d'elle par-derrière et lui enserra la gorge de son bras valide. Sa force était toujours impressionnante et, par manque d'air, Skye commença à défaillir.

Austin se redressa à la vitesse de l'éclair. Tenant la bouteille par le goulot, il l'abattit sur la tête de Sébastien. Elle se brisa, déversant sur le molosse un torrent de vin et d'éclats de verre. Sébastien relâcha Skye qui tomba par terre, puis il resta immobile, l'air hébété, avant de basculer comme un arbre déraciné.

Emile fit un pas de côté pour éviter le corps de Sébastien et pointa le canon de son arme vers Austin. Celui-ci se jeta contre lui de toutes ses forces, l'envoyant valser dans l'alcôve. Il tâtonna, à la recherche du revolver, mais Fauchard parvint à tirer avant lui. Il manqua son coup et la balle percuta le mur à quelques centimètres du visage d'Austin. Des fragments de pierre ricochèrent sur la joue d'Austin, et il fut temporairement aveuglé par la flamme produite par le coup de feu. Il trébucha sur les briques, et tomba à genoux. Fauchard s'écarta en sautillant.

— Dommage, vous ne goûterez pas le lent supplice que je vous avais préparé, déclara Emile. Puisque vous êtes à genoux, pourquoi ne pas en profiter pour m'implorer de vous laisser en vie ?

— Non merci, déclina Austin.

Ses doigts se recroquevillèrent sur la flèche de l'arbalète. Il s'empara de la mince baguette de bois et la ficha dans le pied d'Emile.

La pointe acérée traversa la pantoufle dorée. Emile laissa échapper un hurlement qui ricocha sur la voûte, et baissa son arme.

Austin s'était déjà relevé. Il visa un point douloureux sur la mâchoire d'Emile, et mit tout son poids et toute son énergie dans un crochet du droit qui détacha presque la tête de Fauchard de ses épaules. Le pistolet tomba, et Emile s'affaissa sur le sol à côté de son comparse. Austin aida Skye à se relever. Elle avait la main sur sa gorge meurtrie et peinait à reprendre son souffle.

Après s'être assuré qu'elle respirait à nouveau normalement, il se pencha sur l'homme au visage de cire.

— Pour Sébastien, on dirait que le vin lui est monté à la tête.

— Emile a dit que le vin était drogué. Comment as-tu... ?

— Je l'ai laissé couler sur mon menton. Un vin aussi vieux, ça a probablement un goût de vinaigre.

Austin attrapa Emile par les chevilles et le traîna dans l'alcôve. Puis il attacha l'un des fers au poignet de Fauchard et l'autre à un anneau mural. Otant son bonnet de bouffon pour l'enfoncer sur les oreilles de Fauchard, il lui susurra :

— Pour l'amour de Dieu, Montrésor.

Austin prit la torche sur le support et ouvrit la marche dans le tunnel. Malgré son numéro d'homme soûl, il s'était efforcé de mémoriser chaque pas de l'itinéraire qu'ils avaient emprunté. Ils retrouvèrent bientôt les oubliettes et découvrirent le corps de Cavendish. Les rats s'étaient enfuis à leur approche. Le visage rubicond du Britannique était figé dans un rictus d'horreur.

Austin posa les doigts sur le cou de Cavendish mais ne sentit pas battre son pouls.

— Il est mort.

— Je ne comprends pas, objecta Skye. Il n'y a pas de sang.

Austin passa le doigt sur le bord de la lame, posée si près qu'elle effleurait les plumes de la poitrine de Cavendish.

— Fauchard disait la vérité, pour une fois. La lame est bien en bois. Sauf qu'il n'avait pas mis lord Cavendish dans la confidence et je crois que notre ami est mort de peur. Viens, on ne peut plus rien pour lui.

Ils longèrent les couloirs jusqu'à un escalier en colimaçon raide et étroit. L'odeur de moisi diminuait à mesure qu'ils montaient, et l'air frais leur fouetta bientôt le visage. Ils arrivèrent à une porte qui donnait sur la cour d'honneur du château et suivirent les éclats de rire jusqu'à l'avant du château. Les invités étaient en train de franchir la herse. Marchant lentement et titubant comme s'ils étaient ivres, Austin et Skye rattrapèrent les autres. Ils se mêlèrent au groupe, passèrent la porte, puis franchirent le pont de pierre. Les voitures des convives étaient alignées dans l'allée circulaire, et ils se faisaient leurs adieux avec effusion. Bientôt, tous les invités furent partis et il ne resta plus que Skye et Austin. Une autre voiture arriva. C'était la Rolls Royce de Darnay. Austin ouvrit la portière pour Skye. Il entendit quelqu'un crier quelque chose en français et, se retournant, aperçut Marcel qui traversait le pont en courant. Un domestique entendit l'ordre de Marcel et s'interposa entre Austin et la voiture. Le garde passait la main dans sa veste de smoking quand Austin le démolit avec un direct au plexus. Il cria à Skye de monter à l'arrière et fit le tour de la voiture en courant. Il ouvrit la portière, tira le chauffeur de son siège et s'en débarrassa en lui flanquant un coup de coude dans la mâchoire, puis il se glissa derrière le volant.

Il passa la première d'un coup sec et appuya sur l'accélérateur.

La Rolls décolla dans un crissement de pneus et contourna la fontaine en dérapant. Austin fut alerté par un mouvement sur sa gauche, et vit quelqu'un courir vers la voiture. Il braqua le volant dans la direction opposée. Un autre garde s'avança alors dans la lumière des phares, une arme dans chaque main.

Austin se baissa, protégé par le tableau de bord, et accéléra. L'homme rebondit sur le capot et heurta le pare-brise avant de rouler au sol. Mais le pare-brise, sous l'impact, s'était fissuré en étoile. Tout à coup, la fenêtre côté passager se brisa. Austin vit des éclairs d'armes à feu devant lui et eut soudain l'impression que quelqu'un se jetait avec un marteau-piqueur sur la calandre. Il braqua, sentit l'impact d'un autre corps, et tourna le volant dans la direction opposée.

Une lumière l'éblouit et l'empêcha de voir à travers le pare-brise endommagé. Austin appuya de nouveau sur l'accélérateur en croyant se diriger vers la sortie, mais il avait perdu le sens de l'orientation. La Rolls quitta le sol au bord de la douve, s'éleva dans l'air et tomba dans l'eau. L'airbag s'était gonflé et, tout en se débattant pour le repousser, il sentit l'eau passer à travers la fenêtre et se déverser sur ses jambes. Des balles arrosèrent le toit de la voiture qui coulait mais l'eau les freinait. Austin se recroquevilla derrière le tableau de bord et emplit ses poumons d'air. Une seconde plus tard, la voiture sombrait complètement.

23

LE long capot de la Rolls Royce plongea dans l'eau comme un sous-marin coulant à pic et, quelques secondes plus tard, la voiture s'enfonça dans la boue et les sédiments accumulés au cours des siècles. Austin rampa vers la grande banquette arrière, les mains tendues devant lui à l'aveuglette, comme les antennes d'un homard. Ses doigts rencontrèrent une peau douce. Skye lui agrippa les poignets et le fit remonter vers une poche d'air. Il entendit sa respiration haletante.

Il recracha une gorgée d'eau putride.

— Tu m'entends ?

Le gargouillement qui lui répondit ne pouvait être qu'un oui.

Il avait de l'eau jusqu'au menton. Il tendit le cou pour garder la bouche et le nez hors de l'eau et lui lança quelques instructions brèves.

— Ne panique pas. Reste avec moi. Presse ma main quand tu as besoin d'air. D'accord?

Un autre gargouillis.

— Maintenant, prends trois profondes inspirations et retiens la dernière.

S'hyperventilant à l'unisson, ils emplirent leurs poumons au maximum, juste avant que la poche d'air ne disparaisse et qu'ils ne soient complètement immergés.

Austin tira Skye vers la porte et l'ouvrit d'un coup d'épaule. Il se glissa dehors et l'entraîna derrière lui. Les torches électriques donnaient à l'eau une couleur verte. On les abattrait à la seconde où ils remonteraient à la surface. Il agrippa fermement la main de Skye et l'entraîna loin des cercles de lumière. Ils n'avaient parcouru que quelques mètres quand Skye lui pressa la main. Austin lui répondit d'une légère pression et continua à nager. Puis Skye lui écrabouilla les doigts. Elle n'avait déjà plus d'air. Austin remonta vers une zone d'ombre et sortit sa tête de l'eau tout en la gardant inclinée et suffisamment basse pour que seuls une oreille et un œil émergent. Marcel et ses hommes mitraillaient en direction des bulles qui remontaient de la voiture. Il tira Skye à côté de lui, et elle reprit son souffle en haletant bruyamment. Austin lui laissa le temps de remplir ses poumons, puis l'entraîna à nouveau.

En nageant, ils avaient réussi à distancer leurs poursuivants, mais Marcel et ses hommes commençaient à élargir leurs recherches au-delà de la voiture. Les faisceaux lumineux parcouraient les bords des douves et sondaient l'eau. Austin se rapprocha du château ; le bras tendu, il s'accrochait aux pierres glissantes des remparts pour se guider. Ils contournèrent l'un des contreforts du château et se cachèrent dans l'ombre de la grosse saillie.

— Encore combien de temps ? haleta Skye, qui parvint à finir sa phrase, d'une voix pleine de colère contenue.

— Encore un plongeon. Il faut qu'on ressorte de la douve.

Skye jura en français. Puis ils plongèrent de nouveau afin de traverser la douve et remontèrent à la surface, derrière un bosquet touffu qui surplombait la rive.

Austin lâcha le poignet de Skye, tendit la main pour attraper les branchages à pleines mains, puis posa le pied entre les blocs de pierres et grimpa en varappe à l'assaut d'une paroi verticale. Enfin, il se glissa sur l'herbe et tendit le bras vers le bas, aidant Skye à le rejoindre ; le buisson fut soudainement baigné de lumière.

Ils se précipitèrent dans l'ombre, mais il était trop tard. Les hommes se mirent à crier et fondirent sur eux. De peur d'abattre leurs collègues, ils ne tiraient pas. La seule issue possible était le bois qui encerclait le château.

Austin se rua vers la forêt ; les arbres se découpaient contre le ciel bleu-noir de la nuit, laissant apparaître une pâle trouée blanche au milieu de l'obscurité. C'était un sentier au milieu des arbres. Les habits trempés, éreintés, ils coururent à perdre haleine, mus par l'énergie du désespoir.

Les hommes de Marcel s'affolèrent en apercevant les fuyards, tandis que le sentier menait Skye et Austin à un carrefour d'où partaient trois autres directions.

— Par où ? demanda-t-elle.

Le choix était limité, on entendait des voix venir de deux côtés.

— Tout droit, dit-il.

Austin traversa l'intersection, Skye sur les talons. Tout en courant, il scrutait le bois, espérant tomber sur un petit passage mais la forêt était dense, les ronces et broussailles la rendaient inextricable. Tout à coup, le sentier buta sur des haies d'au moins trois mètres de haut. Ils arrivèrent à une nouvelle intersection, qui offrait cette fois deux possibilités. Austin prit une direction, mais revint sur ses pas et choisit la deuxième. Les deux étaient flanquées de grandes haies, presque aussi impénétrables que les remparts du château.

— Oh, oh, fit-il.

— Comment cela, oh, oh ?

— Je pense que nous nous trouvons dans un labyrinthe.

— Oh merde ! s'écria Skye en regardant autour d'elle. Qu'est-ce qu'on fait maintenant ?

— Comme nous ne disposons pas de souris de laboratoire pour nous guider vers la sortie, je suggère de courir jusqu'à ce que nous la trouvions.

Puisque les deux sentiers semblaient identiques, ils prirent au hasard celui de gauche qui longeait une haie courbe et qui tournait sur lui-même avant de se diviser en deux autres chemins. Ce labyrinthe allait être un véritable défi, songea Austin. Il était dessiné à main levée, tout en cercles et fioritures, et non à angles droits comme les grilles de mots croisés. Ils risquaient de contourner une saillie pour se rendre compte ensuite qu'ils étaient revenus sur leurs pas.

Les hommes de Marcel étaient arrivés au labyrinthe. A deux reprises, Austin et Skye s'arrêtèrent et retinrent leur souffle jusqu'à ce que les voix s'éloignent de l'autre côté d'une haie. Ils se trouvaient maintenant à quelques mètres de leurs poursuivants, séparés d'eux seulement par le feuillage.

Austin savait que Marcel allait venir avec des renforts et que leur capture n'était qu'une question de temps. Il n'y avait pas d'issue heureuse pour eux à moins de trouver celle du labyrinthe de verdure. A la place de Marcel, il aurait fait surveiller toutes les issues du labyrinthe.

— Merde !

Austin s'était cogné l'orteil contre un objet dur. Il tomba à genoux et jura intérieurement. Mais sa colère se transforma en une joie muette lorsqu'il découvrit qu'il avait trébuché sur une échelle en bois, sans doute abandonnée là par un jardinier.

Il leva l'échelle, l'appuya contre la haie et se hissa sur le talus. Il rampa sur le ventre et eut l'impression, tandis que les branches pointues traversaient son mince costume de bouffon, d'être allongé sur une planche de fakir souple. Mais la haie supportait son poids. Des lumières bougeaient en plusieurs endroits du labyrinthe. Un groupe avançait dans la direction de Skye. Il l'appela à voix basse, la pressant de grimper à l'échelle sur la haie. Puis il releva l'échelle et ils s'allongèrent dessus. Pas trop tôt. Ils entendirent aussitôt des crissements de bottes sur le gravier, des respirations bruyantes et des chuchotements. Austin attendit que leurs poursuivants se soient éloignés, puis il déplaça l'extrémité de l'échelle sur la haie d'à côté. Il traversa le petit pont improvisé et le maintint ensuite en place pour permettre à Skye de passer. Ils répétèrent l'opération avec la haie suivante.

S'ils suivaient une ligne droite, ils pourraient sortir du labyrinthe. Ils travaillaient en équipe, déplaçant l'échelle, rampant dessus, guettant les gardes, puis recommençaient. Les branchages leur écorchaient la paume des mains et les genoux, mais ils n'y prirent même pas garde.

Austin voyait la ligne noire des arbres dans l'obscurité et ils n'avaient plus que quelques haies à franchir lorsqu'ils entendirent le ronronnement des pales d'un hélicoptère. L'appareil, qui avait probablement décollé du château, était à quelques dizaines de mètres d'altitude et se dirigeait vers le labyrinthe. Puis deux phares s'allumèrent, braqués sur le sol.

Austin déplaça rapidement l'échelle jusqu'à la haie suivante mais, dans sa hâte, calcula mal la distance. Lorsqu'il traversa, l'échelle glissa et il se retrouva par terre. Il se releva promptement, remonta à côté de Skye et plaça son échelle avec plus de soin.

Cette erreur leur avait coûté un temps précieux. L'hélicoptère faisait un premier passage au-dessus du labyrinthe, ses phares éblouissants éclairaient comme en plein jour. Austin franchit les derniers mètres et se retourna pour aider Skye. Elle glissa au milieu et il lui tendit le bras.

L'hélicoptère se rapprochait.

Une fois Skye à côté de lui, Austin fit glisser l'échelle contre le côté extérieur de la dernière haie. Elle descendit à la vitesse d'un singe araignée, peut-être en partie pour éviter que son compagnon ne lui écrase les doigts. Dès qu'il fut à terre, Austin tira l'échelle et la cacha sous la haie. Puis ils s'allongèrent tous deux à côté.

L'hélicoptère passa en vrombissant.

Ils sentirent un souffle d'air puissant lorsque l'appareil exécuta un demi-tour serré pour repasser au-dessus du labyrinthe, patrouillant au-dessus des haies. Au bout d'un moment, il s'éloigna et se mit à fouiller les bois. L'hélicoptère, en tanguant, avait mis en lumière une brèche à la lisière des bois. Austin aida Skye à se relever et ils contournèrent la haie en courant, puis s'engagèrent sur un sentier herbeux, sans savoir où il mènerait, mais soulagés d'être sortis du labyrinthe.

Quelques minutes plus tard, ils émergeaient du bois et tombèrent sur un pré. Austin avisa avec intérêt la silhouette fantomatique d'un bâtiment.

— Qu'est-ce que c'est ? chuchota Skye.

— En pleine tempête, n'importe quel port fait l'affaire, répondit-il.

Il lui dit de ne pas bouger tandis qu'il courait à travers champ sous les rayons argentés de la lune.

24

Austin traversa rapidement le champ baigné par le clair de lune et longea le bâtiment en pierres sèches jusqu'à une porte non verrouillée. Il entra, et reconnut immédiatement l'odeur caractéristique de l'huile et de l'essence. Il nourrit un faible espoir : un garage pouvait abriter une voiture ou une camionnette. Il tâtonna, à la recherche d'un interrupteur, et lorsqu'il alluma quelle ne fut pas sa surprise : il ne se trouvait pas dans un garage mais dans un petit hangar.

Le biplan rouge vif avait des ailes en flèche et une queue en forme de cœur, décorée du motif de l'aigle aux trois têtes. Il passa les doigts sur la toile du fuselage, admirant l'époustouflant travail de restauration qui avait été fait sur cet appareil. Sous chaque aile était attaché un réservoir métallique en forme de torpille. On avait peint au pochoir une tête de mort sur les réservoirs. Du poison.

Il jeta un coup d'œil dans le double cockpit. Les manettes du pilote, dans le cockpit arrière, n'étaient en fait qu'un unique levier, et une seule pédale contrôlait le gouvernail pour la direction. Avant arrière pour l'altitude, droite gauche pour incliner l'avion ou le faire tourner à l'aide des ailerons. Le système était peut-être archaïque, mais il permettait de piloter l'avion d'une seule main.

Le cockpit était également encombré d'une foule d'instruments qui, eux, n'étaient pas d'origine, des gadgets flambant neufs comme une radio dernier cri, un compas moderne et un système de navigation GPS. Des casques radio permettaient la communication entre les deux cockpits. Austin se livra à une rapide inspection du hangar. Aux murs étaient accrochés des outils et des pièces de rechange. Il ouvrit un réduit de stockage rempli de conteneurs en plastique portant tous la tête de mort. Les étiquettes indiquaient qu'il s'agissait de pesticide.

Austin décrocha une torche électrique d'un crochet mural, éteignit les lumières et se dirigea vers la porte. Tout était silencieux. Il alluma et éteignit sa torche trois fois, tout en observant l'ombre qui sortait du bois et traversait silencieusement le champ jusqu'à lui. Il observa les alentours pour s'assurer que personne n'avait vu Skye, puis l'attira à l'intérieur et ferma la porte.

— Pourquoi as-tu été si long? demanda-t-elle, irritée. Je me suis inquiétée en voyant les lumières s'allumer et s'éteindre.

Son ton accusateur rassura Austin : Skye reprenait du poil de la bête. Il lui déposa un baiser sur la joue.

— Toutes mes excuses, dit-il. Il y avait la queue au comptoir d'embarquement.

Elle cligna des yeux.

— Mais qu'est-ce que c'est que cet endroit?

Austin alluma sa torche et fit courir le faisceau lumineux sur toute la longueur de l'avion, de l'hélice en bois jusqu'au blason de la queue.

— Voici la flotte aérienne de la famille Fauchard. Ils doivent l'utiliser pour traiter les vignes.

— Il est magnifique, dit-elle.

— Et plus encore. C'est notre billet de sortie.

— Tu sais piloter ce truc?

— Je crois que oui.

— Tu crois? demanda-t-elle en hochant la tête, interloquée. As-tu déjà piloté un engin de ce genre?

— Des dizaines de fois, dit-il pour la tranquilliser avant de répondre en toute franchise : Bon, une seule fois. Dans une kermesse.

— Une kermesse, répéta-t-elle sur un ton accusateur.

— Une grosse kermesse. Ecoute, les avions que je connais ont des systèmes de pilotage bien plus complexes, et le principe est le même.

— J'espère que tu pilotes mieux que tu ne conduis.

— L'idée du bain de minuit n'est pas de moi. Rappelle-toi, j'ai été distrait par les sbires de Fauchard.

Elle lui pinça la joue.

— Comment pourrais-je l'oublier, chéri ? Bon, qu'est-ce qu'on attend ? Que dois-je faire ?

Austin tendit la main vers une rangée d'interrupteurs muraux portant tous des étiquettes en français.

— D'abord, j'aimerais savoir ce que tout cela veut dire.

Une fois qu'elle eut tout traduit, il la conduisit à l'avant de l'avion et lui posa les mains sur l'hélice en lui recommandant de s'écarter promptement dès qu'elle l'aurait mise en marche. Il prit la place du pilote et, après une rapide vérification, fit un signe à Skye. Elle attrapa l'hélice à deux mains, fit tourner les pales et recula comme prévu. Le moteur toussota, mais s'arrêta.

Austin rectifia légèrement la pédale des gaz et lui enjoignit d'essayer encore. Une implacable détermination se lisait sur le visage de Skye tandis qu'elle armait l'hélice de toutes ses forces. Elle mit tout son poids dans l'effort. Cette fois, le moteur partit et son vrombissement fut amplifié par les murs de tôle.

Skye courut dans la fumée violette du gaz d'échappement et actionna les interrupteurs qui commandaient l'ouverture de la porte et éclairaient la piste. Puis elle se hissa jusqu'au cockpit. Elle en était encore à boucler sa ceinture lorsque l'avion sortit du hangar.

Austin ne perdit pas de temps en manœuvres avant le décollage. Il poussa le moteur à fond et l'avion commença à prendre de la vitesse, tout en suivant la piste. Il essayait d'avoir la main légère sur le manche mais, par manque d'habitude, l'avion zigzaguait et ce mouvement le ralentissait.

Il savait que si l'avion n'atteignait pas rapidement une vitesse suffisante, il ne pourrait décoller et s'écraserait dans les arbres au bout de la piste. Austin se contraignit à se détendre, laissant les commandes dicter les mouvements à ses mains et ses pieds. L'avion se redressa et reprit de la vitesse. Austin tira légèrement sur le manche. Les roues quittèrent le sol et l'avion commença son ascension, mais il était encore trop bas pour éviter les arbres.

Austin se concentra pour gagner encore quelques mètres d'altitude. Le vaillant biplan dut entendre ses prières parce qu'il s'éleva imperceptiblement, n'effleurant que la cime des arbres de son train d'atterrissage. Les ailes tanguèrent sous l'impact mais l'avion se rétablit bientôt sur son axe.

Tandis qu'Austin essayait de se repérer, l'avion continuait à prendre de l'altitude. A l'exception du château Fauchard, dont les tours sinistres étaient éclairées par des projecteurs, la campagne environnante était plongée dans l'obscurité. Il essaya de visionner mentalement la carte de vol, qu'il dessinait d'après ses souvenirs du trajet en voiture. Il aperçut l'allée circulaire, l'étrange fontaine et l'avenue bordée de lanternes qui menait au bas de la colline jusqu'au long tunnel d'arbres.

Il fit virer l'avion pour suivre la route à travers les vignes, se dirigeant vers l'est à une altitude d'environ trois cents mètres. Le vent léger l'empêchait de dépasser la vitesse très subsonique de cent trente kilomètres à l'heure. Une fois certain de la trajectoire, il prit le micro connecté au cockpit de Skye.

— Désolé pour le décollage un peu brutal, cria-t-il par-dessus le bruit du moteur. J'espère que tu n'as pas été trop secouée.

— Ça va aller dès que j'aurai remis mon dentier.

— Ravi de l'entendre. Tu en auras besoin pour notre dîner.

— Ce type n'a vraiment qu'une chose en tête, lança-t-elle en plaisantant. Est-ce que tu as la moindre idée de l'endroit où nous allons ?

— Nous allons, en gros, là d'où nous sommes partis. Ouvre l'œil pour repérer des lumières. Je vais essayer d'atterrir sur une route près d'une ville en espérant qu'il n'y a pas trop de circulation à cette heure tardive. Détends-toi et profite du voyage.

Austin ne se concentrait que sur une chose : réussir son atterrissage. En dépit de son apparente désinvolture, il était plus que conscient des difficultés qui l'attendaient. Il volait pratiquement à l'aveuglette, au-dessus d'un territoire étranger, dans une antiquité que, en dépit de sa petite expérience de kermesse, il n'avait pas le droit de piloter. En même temps, il appréciait la grande fiabilité du vieil appareil. C'était du vrai pilotage artisanal. Aucune bulle de plastique ne le séparait du vent froid. Il était quasiment assis sur le moteur et le fracas était assourdissant. Son respect n'en fut que plus vif pour les hommes qui avaient piloté ces engins au combat.

Il aurait aimé pousser le moteur de quelques nœuds, l'avion lui paraissant lambiner dans le ciel nocturne. Après quelques minutes de vol, il fut rasséréné d'apercevoir de minuscules points de lumière au loin. L'avion s'éloignait du périmètre de la vaste propriété des Fauchard, mais sa satisfaction fut de courte durée lorsqu'il entendit le cri de Skye.

Au même moment, il perçut un mouvement sur sa gauche et tourna la tête. L'hélicoptère qui les avait pourchassés dans le labyrinthe était apparu, comme par magie, à cent mètres d'eux. Le cockpit était allumé et il reconnut l'un des gardes du château sur le siège passager. Il avait une arme automatique sur les genoux, mais curieusement ne faisait aucune tentative pour abattre l'avion, qui était pourtant une cible facile.

Un instant plus tard, la voix à présent familière d'Emile Fauchard résonna dans la radio de l'avion.

— Bonsoir, monsieur Austin. Quel plaisir de vous revoir !

— Quelle agréable surprise, Emile. Je ne vous vois pas dans l'hélicoptère.

— C'est parce que je me trouve dans le PC sécurité du château. Je vous vois parfaitement grâce à la caméra de l'hélicoptère.

Austin repéra la caméra accrochée sous l'hélicoptère et lui fit un signe faussement amical.

— Je vous croyais encore dans le cachot avec les autres rats, dit-il.

Emile ignora l'insulte.

— Alors Austin, il vous plaît mon Fokker-Aviatik ?

— J'aurais préféré un F-16 chargé de missiles air-air mais je ferai avec. C'est gentil à vous de me l'avoir prêté.

— Je vous en prie. Les Fauchard sont fort généreux avec leurs invités. A présent je vais vous demander de faire demi-tour, ou vous serez abattu sur-le-champ.

L'homme dans l'hélicoptère passa le nez de ce qui ressemblait à un AK-47 par l'ouverture du cockpit.

— Vous nous avez manifestement suivis. Pourquoi ne pas nous avoir abattus dès le départ ?

— Je préférerais garder mon avion intact.

— *Boys and their toys....*

— Comment ?

Austin laissa l'avion dériver de quelques mètres. L'hélicoptère s'écarta pour éviter la collision.

— Désolé, fit Austin, je ne suis pas habitué à cet avion.

— Ces gamineries ne vous mèneront nulle part. Les capacités de l'Aviatik n'ont plus aucun secret pour moi. Je regretterais de le perdre, mais je suis prêt à m'y résoudre si c'est nécessaire. Regardez.

Emile avait dû donner un ordre à son pilote, parce que l'hélicoptère s'éleva au-dessus de l'Aviatik et descendit au-dessus de la tête d'Austin jusqu'à ce que ses patins ne se trouvent plus qu'à quelques mètres. Le biplan tangua et fit une dangereuse embardée sous le puissant courant d'air. Austin baissa le nez de l'avion et l'hélicoptère le suivit, collé à lui pour bien montrer que toute fuite était impossible. Au bout de quelques secondes, l'hélicoptère s'écarta, mais l'avion le talonnait toujours.

La voix d'Emile résonna aux oreilles d'Austin.

— Comme vous le voyez, je peux vous forcer à atterrir à tout moment. Faites demi-tour, ou votre amie va mourir.

— Peut-être que moi je ne vous suis d'aucune utilité, mais si elle meurt, vous ne retrouverez jamais le casque.

— Je suis prêt à courir le risque.

— Vous devriez peut-être demander d'abord à votre maman, dit Austin.

Emile jura en français et, quelques secondes plus tard, ordonna à l'hélicoptère de remonter au-dessus de l'avion. Les patins touchèrent les ailes de l'Aviatik, forçant le biplan à descendre. Puis l'hélicoptère remonta brusquement avant de réattaquer.

Austin se débattit pour reprendre le contrôle de l'appareil. Le match était inégal. L'avion en bois et en toile ne pouvait se mesurer à l'hélicoptère, plus maniable et plus rapide. Emile pouvait frapper l'avion jusqu'à ce qu'il s'écrase ou tombe en miettes.

Austin attrapa le micro.

— Vous avez gagné, Emile. Que voulez-vous que je fasse?

— Retournez vers la piste d'atterrissage. N'essayez pas de me jouer un tour. Je vous attends là-bas.

Et comment que tu m'attends, songea Austin.

Austin inclina l'avion et fit demi-tour. Skye avait écouté la conversation dans le casque.

— Kurt, nous ne pouvons pas faire demi-tour, dit-elle dans l'interphone. Il va te tuer.

— Si nous n'obéissons pas, il nous tuera tous les deux.

— Je ne veux pas que tu fasses ça pour moi.

— Ce n'est pas le cas. Je le fais pour moi.

— Et puis merde, Austin, tu es aussi têtu qu'un Français.

— Je vais prendre ça comme un compliment. En revanche, je n'irai pas jusqu'à manger des escargots et des cuisses de grenouille.

— Très bien, j'abandonne, fit-elle, exaspérée. Mais je ne me rendrai pas sans combattre.

— Moi non plus. Vérifie que ta ceinture est bien attachée.

Il coupa la communication pour mieux se concentrer sur les tours menaçantes, à nouveau en vue, qui encadraient la demeure ancestrale de cet homme qui voulait sa peau. A mesure que le biplan se rapprochait du château, Austin distinguait de mieux en mieux les deux lignes lumineuses qui délimitaient la piste d'atterrissage. Il fit virer l'Aviatik, faisant mine de se diriger vers les lumières, mais lorsqu'il arriva au-dessus du château, il prit la direction opposée et vola droit vers la tourelle la plus proche.

L'hélicoptère le suivit. La voix d'Emile lui parvint dans la radio, en français. Austin l'ignora et l'éteignit, tout à la tâche qui l'attendait.

L'hélicoptère décrocha au moment où l'avion allait semble-t-il s'écraser dans la tourelle. La marge de manœuvre était très restreinte, mais Austin réussit à virer et passa au-dessus du château en diagonale, vers la tour opposée. L'avion décrivit un cercle serré autour de la tour et revint au-dessus du bâtiment principal en formant un huit. Puis il fit un cercle autour de la tour suivante et recommença. Il ne pouvait qu'imaginer la réaction d'Emile mais qu'importe. Il espérait que Fauchard ne pourrait le forcer à atterrir tant qu'il resterait si près du château.

Austin savait qu'il ne pourrait pas éternellement décrire des huit. Il n'en avait d'ailleurs pas l'intention. A chaque virage, ses yeux balayaient le terrain au-delà des douves. Il ralluma la radio. Puis, après avoir contourné la tour et amorcé un autre huit, il changea de direction, survola l'allée et la fontaine, et se dirigea vers les lumières qui bordaient la longue avenue.

L'hélicoptère, quant à lui, décrivait des cercles en altitude. Dès qu'Austin eut dépassé les remparts, l'hélicoptère redescendit en piqué et se plaça juste au-dessus de l'Aviatik. Austin fit effectuer un vol plané à l'avion jusqu'à ce que le train d'atterrissage ne se trouve qu'à quelques mètres de la chaussée. Le pilote aurait pu le forcer à atterrir à n'importe quel moment, mais il pensa sans doute qu'Austin s'apprêtait à le faire et attendait. Ce moment d'hésitation lui coûta cher.

Au lieu d'atterrir, Austin emprunta le tunnel d'arbres.

L'hélicoptère remonta et ses patins effleurèrent la cime des arbres. Le pilote exécuta un virage très serré et se remit à décrire des cercles.

Austin entendit Fauchard crier dans la radio.

— Rattrapez-le, rattrapez-le !

Sous les ordres de Fauchard, le pilote suivit l'Aviatik dans le bois comme un chien de chasse poursuivant un renard dans son terrier.

Grâce à sa puissance, l'hélicoptère rattrapa rapidement l'avion. Austin entendait le vrombissement sourd du rotor qui couvrait celui de l'Aviatik. Ses lèvres s'étirèrent en un petit sourire. Il avait craint que l'hélico se contente de survoler le bois, attendant qu'il émerge de l'autre côté du tunnel. Le quolibet d'Austin à propos de la mère d'Emile avait dû exaspérer ce dernier au plus haut point, comme il l'avait espéré. Personne n'aime être traité de petit garçon à sa maman, surtout quand c'est vrai.

Austin essayait de maintenir l'avion à moins de deux mètres de la route. Il bénéficiait néanmoins d'une petite marge en hauteur et de chaque côté, mais c'était serré et le moindre écart aurait pu causer la perte d'une aile, et même de la tête d'Austin.

L'hélicoptère était sur ses talons mais Austin essayait d'en faire abstraction. Il se concentrait sur le point au loin qui marquait la fin du tunnel. A peu près à mi-chemin, il leva calmement la main pour tirer sur la manette qui libérait les pesticides.

Les réservoirs sous les ailes larguèrent deux traînées blanches toxiques. Le liquide empoisonné recouvrit le pare-brise et aveugla le pilote puis, pénétrant par les trous d'aération, il transforma le cockpit en une chambre à gaz volante.

Aveuglé, les yeux brûlés, le pilote hurla de douleur et lâcha les commandes. L'hélicoptère glissa alors de côté, les pales heurtèrent les branches et se démantelèrent, l'appareil tournoya, zigzagua entre les arbres et se désintégra. Le carburant qui s'était répandu prit feu et l'hélicoptère explosa en une énorme boule de feu orange et blanche.

Austin sortit du tunnel comme un boulet de canon, juste avant l'onde de choc. Il tira sur le manche de toutes ses forces et l'avion s'éleva au-dessus des bois. Tandis que l'Aviatik prenait lentement de l'altitude, Austin regarda par-dessus son épaule. Des flammes et de la fumée jaillissaient de la gueule du tunnel, les arbres étaient en feu.

Il ralluma l'interphone.

— On est hors de danger, dit-il.

— J'essayais de te parler, répondit Skye. Qu'est-ce qui s'est passé ?

— Un petit traitement contre les mauvaises herbes

Au loin, il apercevait les lumières de la civilisation. Il y eut bientôt des phares de voiture visibles au-dessous d'eux. Austin avisa une route suffisamment éclairée mais déserte, et y atterrit plutôt violemment. Il sortit rapidement de la route principale et laissa l'avion au bord d'un pré.

Dès qu'ils eurent mis le pied à terre, Skye entoura Austin de ses bras et lui planta sur les lèvres un baiser plus qu'amical. Puis ils se mirent en route. Malgré plaies et bosses, leur avoir échappé les mit en joie. Austin s'emplit les poumons de l'odeur de foin coupé et passa le bras autour des épaules de Skye.

Au bout d'une heure de marche, ils arrivèrent en vue d'une auberge pittoresque. L'employé à la réception était à moitié endormi mais il se redressa vivement lorsque Skye et Austin entrèrent pour demander une chambre.

Il observa le costume de bouffon déchiré d'Austin, puis posa les yeux sur Skye qui avait l'air d'un chat de gouttière après la bataille, et revint sur Austin.

— Américains ? demanda-t-il.

— Oui, répondit Austin avec un sourire las.

L'employé hocha sobrement la tête et leur tendit le registre.

25

TROUT était étendu sur la petite couchette, les mains derrière la tête, lorsqu'il s'aperçut qu'une vibration, pourtant à peine audible, avait fait place au grondement sourd du moteur. Puis le sous-marin fut ébranlé par une légère secousse, comme s'il s'était arrêté sur un coussin. Enfin, ce fut le silence.

Gamay, qui sommeillait sur la couchette du haut, se redressa.

— Qu'est-ce que c'était ?

— Je crois que nous avons accosté, déclara Trout.

S'extirpant avec difficulté du lit trop étroit, Trout se leva et colla l'oreille à la porte. Comme il n'entendait rien, il supposa qu'il avait vu juste. Quelques minutes plus tard, deux gardes armés vinrent ouvrir la porte et leur ordonnèrent de sortir. Sandy les attendait dans le couloir sous l'œil attentif de deux autres gardes. Elle avait été emmenée dans une autre cabine et c'était la première fois qu'ils la revoyaient depuis la visite de MacLean.

Trout fit un clin d'œil à Sandy pour la rassurer et elle lui décocha en retour un sourire nerveux. Elle tenait bien le coup, mais Paul n'était pas surpris de sa résistance. Piloter un sous-marin de grande profondeur exigeait une grande maîtrise de soi. Encadrés par les gardes, ils montèrent plusieurs niveaux jusqu'à une écoutille qui s'ouvrit sur le pont, devant le kiosque.

Le sous-marin faisait environ cent vingt mètres de long. Il était amarré dans un abri à la voûte élevée. Au fond de la salle, un système complexe de tapis roulants et de ponts élévateurs s'enfonçait dans la paroi. Les gardes les firent franchir une passerelle en les poussant. MacLean les attendait sur le ponton.

— Bonjour, chers collègues, lança le chimiste avec un sourire aimable. Veuillez me suivre, je vous prie, pour la nouvelle étape de notre aventure.

MacLean les conduisit vers un grand monte-charge. Dès que la porte fut refermée, il jeta un coup d'œil à sa montre et son sourire s'évanouit.

— Vous avez trente-deux secondes pour parler, dit-il.

— Il m'en faut seulement deux pour vous demander où nous sommes, déclara Paul.

— Je ne sais pas, mais d'après le climat et la végétation, je suppose qu'il s'agit de la mer du Nord ou de la Scandinavie. Peut-être même l'Ecosse. (Nouveau coup d'œil à sa montre.) Terminé.

La porte s'ouvrit en grinçant et ils entrèrent dans une petite pièce. Le garde armé qui les attendait aboya dans son talkie-walkie et les fit monter à bord d'un minibus. Il les imita et s'installa à l'arrière du véhicule pour mieux les surveiller. Avant que le garde ne ferme les stores, Trout aperçut une longue anse étroite loin en dessous du bord de la route.

Après un trajet d'une vingtaine de minutes sur des routes non bitumées, le bus s'arrêta et on leur ordonna de descendre. Ils se trouvaient à présent dans un complexe ceint de hauts fils barbelés surmontés de câbles électrifiés. Il y avait des gardes partout et les bâtiments faisaient désagréablement penser à un camp de concentration. Le garde tendit la main vers un bloc en béton cubique de la taille d'un entrepôt. Pour y parvenir, ils devaient franchir encore des fils barbelés. Alors qu'ils approchaient de l'entrée du bâtiment, un cri inhumain venu de l'intérieur transperça l'air, suivi par un chœur de hurlements.

Le visage de Sandy trahissait son inquiétude.

— C'est un zoo ? demanda-t-elle.

— On pourrait appeler ça comme ça, répondit MacLean avec un sourire forcé qui n'avait rien de rassurant. Les créatures que vous allez voir ici n'auront jamais leur place au zoo de Londres.

— Je ne comprends pas, déclara Gamay.

— Ça va venir.

Paul attrapa le chimiste par la manche.

— Arrêtez votre petit jeu, s'il vous plaît.

— Désolé pour mes malencontreuses tentatives d'humour. J'ai eu droit un peu trop souvent à cette petite visite et ça commence à me rendre dingue. Essayez de n'être pas trop inquiets de ce que vous allez voir. Le but n'est pas de vous terroriser, seulement de vous dissuader de vous enfuir.

Trout eut un faible sourire.

— Vous ne savez pas à quel point ça nous réconforte, docteur MacLean.

— Je vois que vous pratiquez aussi l'humour noir, rétorqua MacLean en levant un sourcil broussailleux.

— C'est mon éducation yankee. Nos longs hivers lugubres nous empêchent de voir la vie sous un jour rose.

— Parfait, fit MacLean. Vous aurez besoin de tout votre pessimisme si vous devez survivre à cet enfer. Bienvenue sur l'étrange île du Dr Moreau, annonça-t-il, évoquant le roman du scientifique fou qui s'amuse à transformer les hommes en animaux.

Le garde avait ouvert les doubles portes en acier renforcé et la puanteur qui s'en échappait était certes insoutenable, mais bien moins que ce qu'ils virent et entendirent.

Le long des murs étaient alignées des cages qu'occupaient des monstres mi-hommes mi-bêtes, toutes griffes et tous crocs dehors. Les cages contenaient vingt-cinq à trente de ces créatures. Debout sur leurs deux jambes, voûtées et semi-accroupies, elles étaient vêtues de vêtements sales, en lambeaux. Leurs visages, d'aspect ridé et flétri, étaient en grande partie dissimulés par des barbes et de longs cheveux blancs et hirsutes, et révélaient un peau couverte de taches de vieillesse. Leurs bouches, tordues par d'affreux hurlements de bêtes sauvages, découvraient des dents déchiquetées et maculées. Les yeux étaient rouge sang et brillaient d'un éclat terrifiant.

C'en fut trop pour Sandy. Mue par l'instinct de survie, elle bondit vers la porte, mais elle fut bloquée par un homme de grande taille vêtu d'un treillis de camouflage. Il l'attrapa sans peine par le bras et la ramena dans le bâtiment. Il avait un gros nez, un menton en triangle et une bouche ricanante qui faisait étinceler ses dents en or. Un béret noir était posé avec désinvolture sur sa tête. En arrivant, les créatures se turent immédiatement et regagnèrent le fond de leurs cages.

— Bonjour, docteur MacLean, dit-il avec un accent d'Europe de l'Est. (Il dévisagea les Trout, en s'attardant sur Gamay.) Ce sont nos nouvelles recrues ?

— Ce sont des experts dans notre domaine de recherche, répondit MacLean.

Il y eut un regain d'activité à la porte.

— Quelle chance, vous et nos nouveaux invités êtes arrivés juste à l'heure du repas.

Une équipe de gardes entrèrent, poussant un chariot rempli de pièges à rats astucieux, de ceux qui immobilisent les rongeurs sans les tuer. Ils libérèrent les rats, qui poussaient de petits cris aigus, dans les cages.

Les yeux scintillant comme des rubis, les créatures aux cheveux blancs s'étaient rapprochées des barreaux. L'exercice devait leur être familier, car lorsque les rats s'élancèrent, ils bondirent sur les malheureux rongeurs avec la rapidité de panthères. Avec des grognements féroces, ils déchiquetèrent les rats et les dévorèrent avec l'entrain d'un gourmet dans un restaurant trois-étoiles.

Sandy courut de nouveau vers la porte. Cette fois, l'homme au béret la laissa partir en éclatant de rire. Gamay était tentée de faire de même, mais elle avait peur de ne pouvoir se contrôler s'il posait la main sur elle.

— Cette jeune personne n'apprécie manifestement pas notre usage de la chaîne alimentaire. Par ce procédé, nous nourrissons nos pensionnaires tout en évitant d'être envahis par les rats. (Il se tourna vers MacLean.) J'espère que vous avez fait les louanges de cet endroit à nos invités.

— Vous êtes bien plus éloquent et persuasif que je ne saurais l'être, colonel, dit MacLean.

— Certes.

L'homme se tourna face à Trout.

— Je suis le colonel Strega, commandant de ce laboratoire. Les pauvres diables que vous avez vus déguster leurs repas étaient autrefois des hommes comme vous. Si vous et ces dames ne faites pas ce qu'on vous ordonne, nous pouvons, selon ma générosité, soit vous transformer en l'une de ces délicates créatures, soit vous réduire en chair à pâté. Les règles ici sont simples : vous travaillerez sans vous plaindre et en échange vous aurez le droit de vivre. Compris ?

Trout essayait de son mieux d'ignorer les bruits de mastication et les éructations qui provenaient des cages.

— Je comprends, colonel, et je ferai passer le message à ma camarade à l'estomac fragile.

Strega fixa Trout de son regard jaune de loup, comme s'il voulait mémoriser son visage. Puis il dédia à Gamay un sourire à 14 carats, fit claquer ses talons, pivota et se dirigea vers la porte. Les gardes poussèrent les Trout à l'extérieur, bien que ce fût inutile. Strega monta dans une Mercedes décapotable ; Sandy vomissait, appuyée contre le mur du bâtiment. Gamay s'approcha d'elle et la soutint.

— Désolé pour tout ce cirque, déclara MacLean. Strega insiste pour faire le coup à chaque nouvel arrivant. C'est la trouille garantie.

— Je ne vous le fais pas dire, murmura Sandy.

— Nous avons tous eu une journée difficile, soupira MacLean. Allons vous installer dans vos appartements. Quand vous vous serez douchés et changés, nous nous retrouverons chez moi pour boire un verre.

Le minibus parcourut encore huit cents mètres, franchissant de nouvelles clôtures électrifiées et d'autres fils barbelés, pour s'arrêter enfin devant un ensemble composé d'un grand bâtiment au toit arrondi entouré de petites dépendances au toit plat.

— Voici le laboratoire où vous travaillerez, dit MacLean avant de tendre le doigt vers un bâtiment à l'écart des autres. Là, c'est chez Strega. Les gardes sont logés juste à côté. Les petites cases sont pour les scientifiques. Elles ressemblent à des bunkers, mais vous verrez qu'elles sont relativement confortables.

Le garde leur ordonna de descendre et montra à Sandy, Gamay et Paul deux cases adjacentes. Celle de MacLean se trouvait juste à côté. Les Trout entrèrent dans la leur, comprenant seulement une pièce avec un lit en fer, une petite table, une chaise et une salle d'eau. Ils se débarrassèrent de leurs vêtements et prirent une longue douche chaude. Paul se rasa à l'aide du rasoir jetable rouillé mis à sa disposition.

Deux combinaisons couleur citron vert étaient posées sur le lit et soigneusement pliées. Ils n'avaient pas le moindre désir d'enfiler cet uniforme de prisonniers, mais leurs vêtements sentaient mauvais, et cela même avant d'avoir visité la ménagerie. La combinaison de Paul se révéla courte de manches et de jambes, mais pas inconfortable. Bien que son nœud papillon ne soit pas assorti à cette étrange tenue, il le garda quand même. Quant à Gamay, elle aurait été renversante, même dans un sac en toile de jute.

Ils voulurent ensuite passer prendre Sandy mais, comme elle dormait, ils décidèrent de ne pas la réveiller. MacLean les accueillit dans un logis identique, si ce n'est un bar des mieux fournis. Il insista pour se faire appeler Mac, leur prépara trois gin gimlets et les invita à sortir, bien qu'il fasse un peu frais.

— Je crois que ma chambre est sur écoute, expliqua MacLean. Le colonel Strega est un homme suspicieux.

— Je ne suis pas sûre d'apprécier son sens de l'humour, déclara Gamay.

— Ce n'est pas sa qualité principale. Le Tribunal pénal international aimerait bien l'interroger au sujet de certains charniers en Bosnie. Comment trouvez-vous votre cocktail ?

— Parfait, on ne ferait pas mieux au Club Med.

— Quand je suis trop déprimé, j'essaie de me dire que je suis en congés dans un club de vacances pittoresque.

— A priori au Club Med, on ne sert pas le petit déjeuner dans des pièges à rats.

Il y eut un silence pesant, brisé par Gamay.

— Ces effroyables créatures dans les cages, c'était quoi ou qui ?

MacLean prit son temps pour répondre.

— Des erreurs.

— En tant que scientifique, vous comprendrez que nous vous demandions d'être plus précis, déclara Trout.

— Désolé. Je devrais peut-être commencer par le commencement.

MacLean se servit un autre verre de gin, prit une bonne lampée et ses yeux se perdirent dans le vide.

— Cela paraît si loin, mais ça fait pourtant seulement trois ans que j'ai été embauché par un petit labo de recherches, situé en banlieue parisienne, pour travailler sur des enzymes, les protéines produites par des cellules vivantes. Nous nous intéressions à leur rôle dans le processus du vieillissement. Notre petit labo n'avait pas beaucoup de moyens, donc nous avons été ravis quand il a rejoint un grand conglomérat.

— Qui se trouvait derrière ce conglomérat? demanda Paul.

— Nous ne le savions pas et nous nous en moquions. Il n'avait même pas de nom. Nous avons reçu des augmentations substantielles et on nous a promis de plus grands moyens. Cela ne nous a donc pas dérangés de nous soumettre à de nouvelles conditions.

— Quel genre de conditions?

— Nous étions en permanence surveillés par des gardes. En tenue de laborantins, mais des gardes tout de même. Nous n'avions guère de liberté de mouvement. Des voitures de la Compagnie venaient nous prendre le matin et nous raccompagner le soir. Ceux d'entre nous qui avaient une famille avaient le droit de leur rendre visite de temps en temps, mais on nous avait bien avertis du caractère secret de notre travail. Dans notre exaltation, nous avons même signé des contrats pour accepter ces règles strictes. Nous étions à la recherche de la véritable Pierre philosophale.

— Je vous croyais chimiste, pas alchimiste, objecta Gamay. La Pierre philosophale, c'est la substance qui permet de changer les métaux vils en or ou en argent, non...

— C'est une fausse idée largement répandue, fit MacLean en hochant la tête. Les Anciens, nombreux, croyaient que cette pierre était le légendaire « élixir de jouvence ». En mélangeant cette substance merveilleuse à du vin, on obtenait une solution capable de cicatriser les blessures, restaurer la jeunesse et prolonger la vie. Voilà la pierre que nous cherchions.

— La quête de l'immortalité, soupira Trout. Il aurait été plus facile de changer le plomb en or.

— C'est ce que j'ai fini par penser de nos travaux, fit MacLean avec un léger sourire. J'ai souvent médité sur l'impossibilité de la tâche que nous nous étions assignée.

— Vous n'êtes pas les premiers à échouer dans cette quête, dit Trout.

— Oh non, docteur Trout, vous vous méprenez. Nous n'avons pas échoué.

— Attendez, Mac. Vous êtes en train de me dire que cet élixir de jouvence existe ?

— Oui. Nous l'avons découvert au fond de l'océan, dans les sources hydrothermales de la Cité perdue.

Ils dévisagèrent MacLean un moment, en se demandant si les folies de cette île avaient rendu l'Ecossais dément.

— Ça fait un bout de temps que je fourre le nez dans la vase de l'océan, déclara Paul, et je n'ai jamais rien vu qui ressemble de près ou de loin à la fontaine de Jouvence.

Gamay hocha la tête.

— Pardonnez mon scepticisme. En tant que biologiste marine, je connais mieux ces sources que le Dr Trout et pourtant je ne vois absolument pas de quoi vous parlez.

Les yeux de MacLean pétillèrent d'amusement.

— Vous en savez plus que vous croyez, chère amie. Expliquez-nous donc pourquoi les scientifiques du monde entier sont si excités par ces microbes qui ont été découverts autour des sources ?

— C'est facile, dit Gamay en hochant les épaules. Ces bactéries ne ressemblent à rien de connu. Ce sont des fossiles vivants. Les conditions dans lesquelles elles s'épanouissent sont proches de celles qui existaient aux débuts de la vie sur terre. Si l'on parvient à découvrir comment la vie a évolué autour des sources, on pourra imaginer comment elle a commencé sur terre ou même sur d'autres planètes.

— Exactement. Mon travail repose sur une hypothèse simple. Si l'on trouvait quelque chose qui a permis à la vie de naître, elle pourrait peut-être également servir à la prolonger. Notre compagnie a pu étudier des échantillons recueillis lors de précédentes expéditions à la Cité perdue. L'enzyme produite par ces microbes était la clé.

— C'est-à-dire ?

— Chaque créature sur terre a le même rôle : se reproduire autant de fois que possible. Une fois cette mission remplie, son existence devient superflue, et c'est pourquoi tous les organismes ont le pouvoir de s'autosupprimer afin de laisser la place aux générations suivantes. Chez les êtres humains, ce gène d'autodestruction est parfois trop précoce, c'est ce qu'on nomme le syndrome de Werner, ce vieillissement prématuré qui peut transformer un enfant de huit ans en un vieillard de quatre-vingts ans. Nous sommes partis du principe que si ce gène pouvait être activé, il pouvait également être désactivé, avec pour conséquence de ralentir le vieillissement.

— Mais comment réaliser une telle expérience ? demanda Trout. Une fois le test réalisé sur un groupe, il faudrait attendre des décennies pour voir si les sujets vivent plus longtemps que ceux du groupe témoin.

— Bonne observation. Et il y aurait également des problèmes de brevet, car il pourrait expirer avant que le produit n'ait été lancé sur le marché. Mais cet enzyme ne se contente pas de désactiver le gène, il joue le rôle d'un super-antioxydant capable de neutraliser les radicaux libres. Non seulement il est à même de retarder le processus de vieillissement, mais il peut également restaurer la jeunesse.

— La Pierre philosophale ?

— Oui, vous avez compris.

— Et vous avez réussi ? demanda Trout.

— Oui, sur des animaux de laboratoire. Nous avons travaillé sur des souris âgées que nous avons réussi à rajeunir considérablement.

— Considérablement ?

— Oui, en transposant ces chiffres aux humains, cela équivaudrait à rajeunir un homme de quatre-vingt-dix ans à quarante-cinq.

— Vous êtes en train de dire que vous avez diminué de moitié l'âge de ces animaux ?

— Absolument. En termes de tonus musculaire, de structure osseuse, d'énergie, de capacité reproductive. Les souris étaient encore plus étonnées que nous.

— C'est un résultat remarquable, déclara Gamay. Mais le métabolisme des êtres humains est un peu plus complexe que celui des souris.

— Oui, soupira-t-il. Maintenant, nous le savons.

Gamay comprit le sous-entendu.

— Vous avez fait des expériences sur des êtres humains ?

— Pas mes collègues, ni moi, il aurait fallu attendre des années avant de pouvoir avaliser les protocoles d'expérience sur les êtres humains. Nous ne nous y serions résolus que sous la contrainte la plus absolue. (Il prit une gorgée, comme pour chasser des souvenirs désagréables.) Mon équipe a fait un compte rendu de ses découvertes, mais nous n'avons plus eu de nouvelles pendant quelque temps. Par la suite, nous avons été informés que l'équipe était démantelée et le labo fermé. Tout s'est passé de manière très civilisée. Poignées de main et sourires. Nous avons même eu droit à quelques primes. Mais, plus tard, alors qu'il triait ses fichiers informatiques, un de mes collègues est tombé sur un enregistrement qui révélait ce que nous craignions : les expérimentations sur des humains. Elles se déroulaient sur une île.

— Ici ? demanda Trout en indiquant le sol à leur pied.

— On peut raisonnablement le croire, non ? fit MacLean.

— Que s'est-il passé ensuite ?

— Nous avons commis une deuxième erreur fatale en misant sur la bonne conscience de ces gens et quand nous avons compris, nous sommes allés en délégation dans les locaux de la compagnie pour leur demander d'arrêter. On nous a répondu que les sujets étaient tous volontaires et que cela ne nous concernait plus. Nous avons menacé de tout révéler. Ils nous ont demandé d'attendre. En l'espace d'une semaine, des membres de mon équipe ont commencé à avoir des « accidents fatals ». Renversés par des voitures avec délit de fuite. Incendies. Electrocutions inhabituelles par des appareils et outils ménagers. Quelques hommes en parfaite santé ont même eu des crises cardiaques. Vingt et un morts en tout.

Trout émit un léger sifflement.

— Vous croyez qu'ils ont été assassinés ?

— Je ne le crois pas, j'en suis sûr.

— La police n'a rien soupçonné ? demanda Gamay.

— Si, pour certains, mais ils n'ont rien pu prouver. Mes collègues étaient tous de nationalités différentes et c'est chez eux qu'ils sont morts. Comme je l'ai dit, nous travaillions dans le plus grand secret.

— Pourtant vous avez survécu, dit-elle.

— Un coup de bol. J'étais parti faire des fouilles archéologiques. Pour le plaisir. Lorsque je suis rentré, j'ai trouvé un message d'un collègue, assassiné depuis, m'informant que ma vie était en danger. Je me suis enfui en Grèce, mais mes anciens employeurs m'ont retrouvé et m'ont amené ici.

— Pourquoi ne pas vous avoir tué vous aussi ?

MacLean se mit à rire.

— Ils voulaient que je dirige une nouvelle équipe de chercheurs. Apparemment, ils se sont crus trop malins. Après avoir décimé les membres de la première équipe, ils ont commencé à réaliser les faiblesses de la formule. C'était inévitable dans le cadre d'une recherche aussi complexe. Ces faiblesses, ce sont les erreurs que vous avez vu danser dans les cages tout à l'heure.

— C'est cet élixir de jeunesse qui aurait créé ces bêtes hideuses ? s'exclama Trout.

— Nous leur avions bien dit qu'il nous fallait encore travailler, expliqua MacLean avec un sourire. L'enzyme n'a pas le même effet sur les humains. Nous sommes plus compliqués, comme Gamay le disait. Il y a un équilibre subtil à respecter, certains sujets pouvaient tout simplement mourir. Chez d'autres, par contre, cela a déclenché un vieillissement précoce. Et chez ces pauvres brutes que vous avez vues, l'enzyme leur a fait remonter le temps jusqu'à les rendre aussi primitifs et agressifs d'aspect que lorsque nous étions de grands singes. Ne vous laissez pourtant pas abuser par leur apparence. Ils ont encore une intelligence humaine, comme Strega l'a appris à ses dépens.

— Ah bon ?

— Il y a deux types de créatures. Les Alphas faisaient partie de la première expérience, qui a débuté il y a de nombreuses années. Les Bêtas ont été créés plus récemment. Il y a peu de temps, certains d'entre eux ont réussi à s'enfuir. Apparemment, ils étaient menés par des Alphas. Ils ont construit un radeau et sont allés jusqu'à une autre île sur laquelle ils ont tué un certain nombre de personnes. Strega les a traqués et ramenés ici. Il a soumis certains Alphas à des tortures atroces avant de les tuer devant les autres en guise d'avertissement.

— S'ils posent tant de problèmes, objecta Gamay, pourquoi les garder ici ?

— Apparemment, ils ont une certaine valeur aux yeux de nos employeurs. Un peu comme nous. Des outils jetables. Les derniers sujets des tests étaient des immigrants clandestins venus de pays pauvres et qui croyaient partir en Europe ou en Amérique pour travailler et mener une meilleure vie.

Trout serra les dents.

— C'est un des trucs les plus monstrueux que j'aie entendus. Il y a une chose que je ne comprends pas. Pourquoi ces brutes ont-ils attaqué l'*Alvin* et nous ont-ils kidnappés ?

— L'enzyme a une durée de conservation limitée ; ils ont conçu le sous-marin de façon à pouvoir stocker l'enzyme à peine recueilli. On le sépare ensuite des microbes et, une fois stabilisé, le sous-marin transporte le produit fini jusqu'ici pour nous permettre de continuer nos recherches. Ils étaient au courant de votre expédition et ils ont dû craindre que vous découvriez leur carrière sous-marine. Et, à quelques minutes près, le hasard vous y menait.

— Cela n'a rien d'un hasard, expliqua Gamay. Nous cherchions la source de la Gorgone.

— Maintenant, c'est à mon tour d'être intrigué. Qu'est-ce que la Gorgone ?

— Il s'agit de la forme mutante d'une algue commune, dit Gamay. Elle commence à semer le chaos dans le monde entier. La source de la mutation a été repérée à la Cité perdue et nous voulions en déterminer la cause. Cette partie de l'expédition n'a pas été rendue publique parce que nous ne voulions pas affoler les populations qui ne connaissent pas encore la gravité de la situation.

— C'est-à-dire ?

— Si nous n'empêchons pas cette algue de proliférer, les océans vont se transformer en énormes paillassons de végétation. Le commerce maritime mourrait. Les ports seraient bloqués. La plupart des espèces de poissons disparaîtraient, créant une telle rupture dans la chaîne alimentaire que cela affecterait même l'agriculture. Le climat régulé par l'océan deviendrait chaotique. Les gouvernements sauteraient. Il y aurait des épidémies et des famines. Des millions de morts.

— Mon Dieu. C'est le genre de chose que je craignais.

— Ah bon ? s'enquit Gamay.

— Ces microbes étaient parfaitement inoffensifs dans leur habitat d'origine, mais nous avons toujours été conscients de la possibilité qu'ils migrent une fois extraits de leur milieu naturel. Manifestement, ils ont fait muter les gènes d'organismes plus importants.

— Est-ce réversible ?

— Oui, il y a une forte probabilité pour que nous puissions inverser le processus.

— Et vous pensez que le colonel Strega pourrait envisager que nous concentrions notre énergie à sauver le monde d'une infestation par la Gorgone ?

— Pour le colonel Strega, répondit MacLean avec un rire, le monde se résume à ce camp. Et Dieu, c'est lui.

— Une bonne raison de plus pour s'enfuir, dit Trout.

— Ceux qui nous ont enlevés doivent bien se douter que des recherches de grande envergure seront menées pour retrouver l'*Alvin*, dit Gamay.

MacLean considéra son verre vide et croisa ensuite le regard de la jeune femme.

— Selon Strega, ils maîtrisent la situation. Il n'est pas rentré dans les détails, mais un certain nombre de mutants ont été évacués de l'île il y a quelque temps et je crois qu'il suit un plan bien précis.

— Vous disiez que vous aviez été amené ici pour rejoindre une équipe de scientifiques, intervint Trout.

— Oui, il y a six autres malheureux qui ont été attirés ici, tout comme les immigrants, par la promesse d'un travail. Vous les verrez ce soir au dîner. Notre employeur s'est donné beaucoup de mal pour s'assurer qu'il s'agissait de célibataires, avec peu ou pas de famille.

— Combien de temps avons-nous ?

— Nous avons toujours su qu'ils nous tueraient dès que nous serions en possession de l'élixir pur. Nous avons fait traîner les choses autant que possible tout en montrant que nous progressions. L'équilibre à trouver était délicat. Nos mystérieux employeurs ont découvert de nouvelles données importantes tandis que nous étions dans le sous-marin. On a informé les chercheurs que ces données devaient compléter la formule. Ils n'avaient plus d'excuse. Ils ont terminé leur travail en un seul jour, puis l'élixir a été envoyé sur-le-champ.

— Qu'est-ce que cela signifie pour nous ?

— Que nous deviendrons superflus lorsque la solution parviendra à destination et qu'elle aura démontré son efficacité.

— Et elle est efficace ?

— Oh oui, répondit MacLean en hochant la tête. Les premiers effets seront rapides et spectaculaires. Lorsque Strega en aura reçu l'ordre, il commencera à nous jeter un par un dans les cages. (Il secoua la tête.) J'ai bien peur de vous avoir sauvés pour rien.

Trout se leva de sa chaise et promena son regard autour de lui, songeant combien la beauté austère de l'île était en décalage avec les horreurs qui s'y perpétraient.

— Des idées ? demanda-t-il.

— Je pense qu'il serait utile que Mac nous raconte tout ce qu'il sait à propos de cet endroit, dit Gamay. Dans le moindre détail, même ce qui peut sembler insignifiant.

— Si vous pensez encore à la fuite, vous pouvez oublier, dit MacLean d'un air lugubre. Il n'y a pas moyen.

Gamay lança un regard à son mari.

— Il y a toujours un moyen, dit-elle en souriant. Le tout, c'est de découvrir lequel.

26

SKYE avait déjà sombré dans un profond sommeil lorsque Austin s'était glissé dans le confortable lit en plumes de l'auberge. Elle s'accrocha à lui pendant toute la nuit, le sommeil agité, laissant échapper des murmures enfiévrés à propos de mort rouge et d'eaux noires. Austin lui aussi était sur les nerfs. A plusieurs reprises, il s'arracha à l'étreinte brûlante de Skye pour aller respirer à la fenêtre. A l'exception des papillons de nuit qui voletaient autour de l'enseigne lumineuse de l'hôtel, tout était tranquille. Mais Austin était loin d'être rassuré. Les Fauchard avaient le bras long.

Après une nuit peu paisible, ils furent réveillés par un soleil brillant qui inondait leur chambre. Ils enfilèrent les peignoirs en tissu éponge que Skye avait trouvés dans un placard et ils commandèrent le petit déjeuner dans leur chambre. Austin avait mis à la poubelle leurs costumes déchirés. Ils envoyèrent la femme de chambre venue leur apporter le petit déjeuner pour aller leur acheter des vêtements. Fortifiée par une tasse de café, Skye avait retrouvé son entrain habituel, bien que le souvenir du château Fauchard fût encore pesant.

— Est-ce que nous devrions dénoncer les Fauchard à la police ?

— C'est une famille riche et puissante, déclara Austin.

— Ils ne sont pas au-dessus des lois pour autant.

— Je suis bien d'accord. Mais quelle partie de notre histoire la police va-t-elle préférer, d'après toi ? Le puits et le pendule ou la barrique d'amontillado ? Si nous ne sommes pas assez prudents, nous pourrions même être accusés d'avoir volé l'avion d'Emile.

— Je vois ce que tu veux dire, fit-elle en fronçant les sourcils. Dans ce cas, que fait-on ?

— On rentre à Paris. On se replie. On déterre tout ce qu'on peut sur les Fauchard. (Austin s'éclaircit la gorge.) Qui va annoncer à ton ami que sa Rolls Royce criblée de balles repose au fond d'une douve ?

— Je m'en charge. Ne t'inquiète pas, Charles s'apprêtait à la changer contre une Bentley. Il déclarera qu'elle a été volée.

Ses lèvres s'entrouvrirent pour laisser éclater son habituel sourire ensoleillé.

— Connaissant Charles, il n'est d'ailleurs pas impossible qu'il s'agisse déjà d'une voiture volée. (Une ombre passa soudain sur son visage.) Est-ce que tu crois à ce qu'a dit ce pauvre Cavendish ? Que les Fauchard seraient à l'origine de la Première Guerre mondiale et qu'ils seraient partiellement responsables de la seconde ?

Austin médita sa réponse tout en mastiquant un morceau de croissant.

— Je ne sais pas. Il ne suffit pas de quelques personnes pour déclencher une guerre. L'hybris, la bêtise et les erreurs de jugement jouent un grand rôle.

— Certes, mais réfléchis un peu, Kurt. En 1914, les grandes puissances étaient dirigées par certains des chefs les plus incapables de l'Histoire. Seules quelques personnes, et pas les plus éclairées, avaient le pouvoir de déclarer une guerre. Un tsar ou un kaiser n'ont nul besoin de la permission du peuple pour partir en guerre. Est-ce qu'un petit groupe de gens riches et déterminés, comme les Fauchard et les autres fabricants d'armes, n'aurait pas pu manipuler ces chefs d'Etat, jouer sur leurs faiblesses ? Après quoi, il aurait suffi d'un simple événement pour déclenchei les hostilités, comme par exemple l'assassinat de l'archiduc ?

— C'est fort possible. Pour la Seconde Guerre, la situation

était un peu différente, mais le conflit était assez explosif pour qu'une seule étincelle mette le feu aux poudres.

— Alors tu penses qu'il y a du vrai dans ces accusations?

— Maintenant que j'ai rencontré les Fauchard, mère et fils, je me dis que s'il y a quelqu'un capable de tenir le rôle de détonateur, c'est bien eux. Leur réaction meurtrière aux paroles de Cavendish en dit long.

Elle frissonna en se rappelant le sort de l'infortuné lord.

— Cavendish a déclaré que Jules Fauchard avait tenté d'arrêter la guerre, dit Skye. Nous savons qu'il n'est pas allé plus loin que le glacier du Dormeur. S'il avait traversé les Alpes, il serait arrivé en Suisse.

— Je vois où tu veux en venir. Un pays neutre d'où il aurait pu révéler au monde ce que tramait sa famille. (Il s'interrompit.) Réfléchissons. Fauchard était riche et influent, mais il lui aurait fallu des preuves pour étayer ses dires. Des documents ou des papiers secrets.

— Mais bien sûr ! s'écria Skye. Le coffre que Jules portait avec lui ! Les Fauchard ne voulaient pas que leur sale petit secret de famille soit connu de tous.

— Ça n'explique pas tout, dit Austin après un moment de réflexion. Même si l'on avait réussi à exhumer le corps de Jules et à sauver les documents compromettants, les Fauchard auraient pu étouffer la mauvaise publicité. Avec l'aide d'une excellente boîte de communication, ils auraient pu prouver que les documents étaient faux. En dehors de quelques historiens, je ne suis pas sûr que cela aurait intéressé beaucoup de gens.

– Dans ce cas, pourquoi sont-ils allés jusqu'à inonder le tunnel, assassiner Renaud et essayer de nous tuer aussi?

— Voici une autre théorie. Supposons que Javelot Industries soit sur un gros coup. Une fusion. Un nouveau produit. Peut-être même une nouvelle guerre, ajouta-t-il avec un sourire désabusé. Des gros titres à propos du passé peu reluisant de la famille pourraient compromettre leurs plans.

— Ça se tient.

— Ce que je ne comprends pas, c'est la présence du casque.

— Les Fauchard sont excentriques, suggéra-t-elle.

— Excentriques, tu es gentille, dit Austin en fronçant les sourcils. Ce sont des meurtriers maniaques, sauf qu'ils ne tuent pas sans raison. Je pense que les Fauchard n'étaient pas simplement inquiets de voir révélé au grand jour le passé de leur famille. Ils voulaient désespérément récupérer ce casque. Il y a quelque chose dans ce vieux bout de ferraille qui est très important pour eux. Nous devons découvrir de quoi il s'agit.

— Peut-être Charles a-t-il fait des progrès sur ce point. Il faut que j'aille le voir dès que possible.

Un coup frappé à la porte interrompit leur discussion. La femme de chambre était revenue de sa mission chargée de sacs. Austin, liquide, cartes de crédit et passeport soigneusement rangés dans une pochette qu'il gardait toujours autour du cou, donna un généreux pourboire. Après quoi, ils essayèrent leurs vêtements. La robe rouge allait comme un gant à la silhouette élancée de Skye. Austin enfila son pantalon noir et sa chemise blanche. Tenues classiques : ils ne devaient pas attirer l'attention.

L'employé à la réception appela une agence de location de voitures et réserva un véhicule dans lequel Skye et Austin, traversant à nouveau la campagne ensoleillée, firent le trajet de retour dans une Peugeot au lieu d'une Rolls, et essayèrent de se débarrasser des toiles d'araignées persistantes des oubliettes. Austin gardait le pied au plancher. Plus il s'éloignait du château, mieux il se sentait.

Austin entonna *La Marseillaise* lorsqu'il aperçut au loin le sommet de la tour Eiffel. Ils furent bientôt à Paris. Austin fit un détour par l'appartement de Skye et elle téléphona à l'antiquaire pour le prévenir qu'elle le retrouvait en Provence. Darnay fut enchanté de ce projet et lui assura qu'ils auraient beaucoup de choses à se dire. Skye rassembla quelques affaires qu'elle fourra dans un sac, puis Austin la déposa à la gare de Lyon. Elle l'embrassa sur les deux joues avant de prendre son train vers le Sud.

Revenu à son hôtel, Austin fut accueilli par l'employé de la réception avec un grand sourire lorsqu'il lui demanda sa clé.

— Ah, monsieur Austin. Nous sommes ravis de vous revoir. Il

y a là un monsieur qui vous attend depuis assez longtemps, dit-il en désignant le hall.

Une silhouette était avachie dans un fauteuil en cuir confortable, apparemment endormie, un exemplaire du *Figaro* sur le visage. Austin s'approcha, souleva le journal et découvrit le visage mat de Joe Zavala.

Austin lui tapota l'épaule.

— Sécurité, fit-il avec l'accent de l'inspecteur Clouseau. Je vais vous prier de me suivre.

— Tu as mis le temps, articula Zavala en clignant des yeux.

— Je ne te le fais pas dire, cher ami. Mais je croyais que tu étais à Chamonix pour améliorer les relations franco-américaines.

Zavala se redressa.

— Denise a voulu me présenter à ses parents. C'est toujours mauvais signe. Où tu étais ? J'ai essayé de t'appeler, mais ton portable ne répondait pas.

Austin s'affala dans un fauteuil.

— Il y a une bonne raison à cela. Mon téléphone repose au fond de la douve d'un château fort.

— Je dois admettre que c'est une excuse que je n'avais encore jamais entendue. Dois-je te demander comment il a atterri là ?

— C'est une longue histoire. Dis-moi plutôt quelle urgence te pousse à camper dans le hall d'un hôtel ?

Le visage de Zavala s'assombrit de façon inhabituelle.

— Comme il ne pouvait te joindre, Rudi m'a appelé. (Rudi Gunn était l'adjoint de Dirk Pitt.) Il y a eu un accident sur le site de la Cité perdue. Paul et Gamay ont plongé avec l'*Alvin* mais ils ne sont jamais remontés. Il y avait aussi un pilote à bord.

— Oh merde ! fit Austin. Que s'est-il passé ?

— Personne ne sait. Il y a eu une attaque sur le navire de recherche au moment où ils ont perdu le contact avec le submersible.

— Ça n'a aucun sens. Qui voudrait s'attaquer à une paisible expédition scientifique ?

— Je n'en sais pas plus que toi. J'ai pris un TGV pour Paris hier soir, je me suis planté là et j'ai harcelé ce pauvre réceptionniste toutes les quinze minutes.

— Depuis combien de temps ont-ils disparu ?

— On a perdu le contact il y a vingt-quatre heures.

— Je suppose que Dirk et Rudi ont été alertés.

Zavala hocha la tête.

— Dirk nous demande de le tenir informé. Il a appelé la marine à la rescousse. J'ai parlé à Rudi il y a une demi-heure. Il a envoyé le navire *Sea Searcher* sur les lieux, donc nous aurons peut-être des informations rapidement.

— Combien de temps peut-on survivre à l'intérieur de l'*Alvin* ?

— Quarante-huit heures environ.

Austin se maudit intérieurement. Pendant qu'il traînait avec Skye à manger des croissants, les Trout, s'ils étaient encore en vie, avaient désespérément besoin de son aide.

— Il faut faire vite.

— Il y a un avion privé de la NUMA à l'aéroport Charles-de-Gaulle. Nous pouvons être aux Açores dans quelques heures, Rudi s'occupera de la suite de notre voyage.

Austin demanda à Zavala de ne pas bouger tandis qu'il remontait à sa chambre. Il se débarrassa de ses vêtements neufs pour enfiler sa tenue habituelle, jean et pull-over, puis jeta quelques affaires dans un sac de marin avant de redescendre dans le hall quelques minutes plus tard. L'avion faisait déjà chauffer ses moteurs lorsqu'ils arrivèrent à l'aéroport. Après un voyage rapide jusqu'aux Açores, ils grimpèrent à bord d'un hydravion et s'enfoncèrent dans l'Atlantique.

Le bateau de la NUMA *Searcher* était en train de regagner la côte des Etats-Unis lorsque l'appel de Rudi Gunn lui avait fait faire un crochet par la dorsale médio-atlantique. Austin fut heureux d'apprendre que le bateau était sur place. Il n'existait que depuis quelques mois, mais il était ultraperfectionné et offrait les équipements dernier cri en matière de capteurs à distance et de robots sous-marins.

Tandis que l'hydravion amorçait sa descente, Austin regarda par la fenêtre et s'aperçut que la marine américaine n'avait pas perdu de temps pour répondre à la requête de Sandecker. Le bateau de la NUMA et l'*Atlantis* avaient été rejoints par un croiseur de la Navy.

L'hydravion se posa à la surface de l'eau près de la coque

élancée du navire de la NUMA. Prévenu par le pilote de l'hydravion, le capitaine du *Searcher* avait envoyé une annexe pour ramener à bord Austin et Zavala. Ce grand Californien au teint mat du nom de Paul Gutierrez les attendait. Sans perdre de temps, il les conduisit à la passerelle. Dans la timonerie, les yeux bleu turquoise d'Austin avisèrent un bateau à moteur qui approchait de l'*Atlantis*, en provenance du vaisseau de la Navy.

— On dirait qu'on va avoir de la compagnie.

— La marine est arrivée en quelques heures. Les militaires guettent d'éventuels nouveaux attaquants. Je vais vous montrer ce que nous avons fait.

Il déplia sur une table une carte des environs. Certaines sections avaient été hachurées avec un crayon gras noir.

— Nous avons eu de la chance pour ce qui est de la météo, poursuivit-il. Voilà qui va vous donner une idée de la zone que nous avons déjà couverte. Nous avons effectué des sondages au sonar et envoyé plusieurs véhicules télécommandés.

— Impressionnant.

— Merci. L'équipement du *Searcher* peut repérer une pièce de monnaie par mille brasses de fond. Nous avons couvert toute la Cité perdue et ses alentours, ce qui nous a permis de découvrir d'autres champs de sources hydrothermales. L'*Atlantis* a également parcouru la zone de crête. Les capacités du *Searcher* sont fantastiques, si je puis me permettre de le dire moi-même. (Il secoua la tête.) Je ne comprends vraiment pas. L'*Alvin* est un des petits submersibles les plus costauds au monde. Il a plongé des centaines des fois sans problème.

— Aucun signe du sub jusqu'ici ?

— Pas d'*Alvin*, mais ce n'est pas tout.

Gutierrez tendit à Austin un graphe du plancher océanique imprimé à partir des relevés du sonar.

— Une fois que nous avons couvert la Cité perdue, nous avons élargi nos recherches aux environs immédiats. Il y a au moins trois autres cités comparables ou même plus importantes, situées sur la ligne de crête. Regardez ce que nous avons découvert dans l'une d'elles, que nous appelons CP II. Ça nous a laissés baba.

Austin se saisit d'une loupe. Bien qu'ayant l'œil exercé par des années de pratique, ce qu'il découvrit le laissa perplexe.

— Quelles sont ces étranges traces parallèles?

— Nous nous sommes posé la même question. C'est pourquoi nous avons envoyé le ROV [1] afin qu'il prenne ces photos.

Austin étudia les clichés brillants en vingt sur vingt-cinq. Les grandes colonnes de la Cité perdue apparaissaient clairement, tout comme les traces qui serpentaient en direction des colonnes.

— On dirait les traces de pneus d'un gros bulldozer géant ou d'un char, dit Austin.

— Très gros, alors, dit le capitaine, car si nous prenons les colonnes comme échelle, nous estimons que les traces doivent être écartées d'au moins dix mètres l'une de l'autre.

— Quelle est la profondeur?

— Sept cent soixante mètres.

— Un sacré défi de conception, s'exclama Zavala avec un sifflement admiratif, mais pas impossible à réaliser. Ça ne te rappelle rien, Kurt?

— Big John, répondit Austin avec un sourire, qui expliqua à l'intention du capitaine intrigué que Big John était le surnom du véhicule de la NUMA capable de ramper au fond de l'océan et qui leur avait servi quelques années plus tôt comme laboratoire de profondeur mobile.

Il tendit le doigt vers une photo qui montrait la fin abrupte des traces.

— Le truc qui se trouvait là semble s'être envolé. Contrairement à Big John, cette tortue mécanique peut nager en plus de ramper.

— Et je parie qu'elle a emmené l'*Alvin* avec elle, déclara Zavala.

— Ce serait une sacrée coïncidence que l'*Alvin* ait disparu près de ces traces sans qu'il y ait aucun rapport, dit le capitaine Gutierrez.

— Il y a une autre coïncidence étrange, dit Austin. Il paraît

1. Véhicule téléguidé.

que vous avez été attaqués à peu près au moment de la disparition de l'*Alvin*.

— Au moment où nous commencions nous à inquiéter au sujet de l'*Alvin*, un étrange navire s'est approché de nous, dit Gutierrez. C'était un vieux rafiot rouillé, un porte-conteneur du nom de *Celtic Rainbow*, qui battait pavillon maltais. Ils ont lancé un Mayday. Lorsque nous avons répondu, personne ne nous a parlé. L'appel de détresse se répétait sans fin. Ensuite nous avons aperçu de la fumée qui avait l'air de provenir d'une cale.

— Personne n'a tenté d'abandonner le navire ?

— Non, et c'était ça le plus étrange. Personne. Pas âme qui vive sur le pont. J'allais envoyer un bateau pour voir ce qui se passait quand le capitaine Beck s'est proposé d'y aller avec ses hommes.

— Beck ?

— Il dirigeait une entreprise de sécurité en mer. Comme vous le savez sans doute, des pirates attaquent ou menacent des navires dans le monde entier. L'Institut travaillait avec Beck afin d'essayer de mettre en place des procédures de sécurité pour les expéditions scientifiques. Il était accompagné de trois hommes, montés à bord pour un entraînement, tous d'anciens Seals comme lui. Ils apprenaient à l'équipage et aux scientifiques comment se comporter en cas d'attaque de pirates. Il m'a paru tout à fait compétent.

— On ne fait pas mieux, renchérit un homme en uniforme de la Navy qui venait d'entrer dans la timonerie. D'après ce que j'ai entendu, Beck était un vrai pro. Je suis l'enseigne de vaisseau Pete Muller. C'est mon bateau que vous voyez là, ajouta-t-il en montrant le croiseur.

— Ravi de vous rencontrer, lieutenant, dit Austin en tendant la main.

— C'est toujours un plaisir de travailler avec des gars de la NUMA.

— Qu'est-il arrivé au capitaine Beck et ses hommes ? demanda Austin.

— J'ai bien peur qu'ils aient tous été tués, répondit l'officier.

— Je suis désolé de l'entendre.

— Nous avons découvert le corps du capitaine flottant dans l'eau, mais nous n'avons retrouvé aucune trace de ses hommes ni de leur bateau, expliqua Muller.

— Comment un porte-conteneur pourrait-il tout bonnement disparaître ?

— C'était notre bateau qui était le plus proche lorsque l'*Atlantis* a lancé son SOS. Le temps que nous arrivions, les assaillants avaient disparu. Nous nous sommes lancés à leur poursuite après avoir laissé des hommes à bord pour assurer la sécurité. Nous savions dans quelle direction ils étaient partis et notre vitesse pouvait nous permettre de les rattraper. On les suivait sur notre radar quand tout à coup le signal a disparu. Nous n'avons retrouvé que des débris et une tache d'huile, mais pas de bateau.

— Je ne comprends pas, fit Austin. Les Seals sont parmi les militaires les plus aguerris au monde. Aborder un bateau potentiellement hostile est l'une de leurs spécialités.

— Je crains qu'ils n'aient rencontré un truc auquel ils n'étaient pas préparés.

Austin décela sur le visage de l'enseigne Muller une expression qu'il voyait rarement sur le visage d'un militaire. La terreur.

— J'ai comme l'impression que vous ne m'avez pas tout dit. Peut-être le capitaine pourrait-il nous parler de l'attaque ?

— Je peux faire mieux que ça, dit Gutierrez. Je peux vous la montrer.

27

LES images tremblotantes qui envahissaient l'écran tressautaient, rappelant qu'elles avaient été tournées caméra à l'épaule et dans des circonstances peu confortables. Elles montraient trois hommes de dos, bandanas autour du front et armes automatiques en bandoulière. Ils se trouvaient dans un canot gonflable, le paysage montait et descendait à chaque vague tandis qu'ils s'approchaient d'un porte-conteneurs rouillé de taille moyenne. Une voix coupante couvrait le vrombissement du moteur hors-bord.

— Approche de la cible. Concentrés, les gars, ce n'est pas une promenade de santé. Nous allons tenter une feinte pour voir si on nous tire dessus.

L'homme le plus proche de la caméra se retourna et leva le pouce. Puis l'image se figea.

L'enseigne Muller se leva de son siège pour se coller à l'écran mural. Il tendit le doigt vers l'homme à la peau noire qui souriait à la caméra.

— Lui, c'est Sal Russo, expliqua-t-il aux autres. Un type d'élite, perspicace et dur. Il a été instructeur de l'Equipe Six des Seals, une unité antiterroriste. Il a reçu une flopée de médailles pour ses états de service dans le golfe Persique avant de retourner à la vie civile et de rejoindre l'équipe de Beck.

— Je suppose que c'est la voix du capitaine Beck qu'on entend, dit Austin, qui était assis sur une chaise pliante à côté de Zavala et Gutierrez.

— Exact. Beck avait une caméra vidéo fixée à un harnais, au niveau de la poitrine. Il l'utilisait comme outil pédagogique pour montrer ensuite à ses hommes leurs forces et leurs faiblesses. Il portait encore la caméra quand nous l'avons sorti de l'eau. Heureusement, elle se trouvait dans un étui en plastique. Par moments, l'image saute un peu mais cela vous donnera néanmoins une bonne idée de ce qu'ils ont rencontré.

Muller appuya sur un bouton de la télécommande et retourna s'asseoir. L'homme sur l'écran reprit vie et tourna de nouveau le dos à la caméra. Le vrombissement du moteur augmenta de quelques décibels, la proue se souleva sous l'accélération et le canot se dirigea droit sur l'échelle de coupée, à tribord de la proue. A trente mètres de l'échelle, le bateau vira et s'éloigna rapidement du porte-conteneurs.

— Aucun tir ennemi, dit la voix. Allons voir le nom sur la coque.

La caméra montra le bateau qui contournait le navire par l'arrière, et on put lire sur un des flancs CELTIC RAINBOW puis, juste en dessous, MALTE, peint sur la coque, les lettres à moitié effacées. Puis le petit bateau longea le navire et revint vers l'échelle. Lorsqu'ils accostèrent, un homme attrapa un barreau pour maintenir le canot en place. Tous enfilèrent des masques à gaz et deux Seals grimpèrent à l'échelle. L'homme qui se trouvait à la proue écarta le bateau de quelques mètres et pointa son arme vers le pont, prêt à viser quiconque essaierait de tendre un piège à ses camarades. Deux autres hommes enjambèrent le pont sans encombre. L'homme de tête fit signe au bateau de se rapprocher.

— Opération d'accostage en douceur sans résistance, déclara Beck. On envoie le renfort.

Une fois le bateau attaché à l'échelle, Beck et Russo commencèrent à grimper. Les images de la coque du bateau tremblèrent, puis on entendit une respiration haletante, ainsi que la voix étouffée de Beck.

— Je deviens trop vieux pour ces conneries. Pffou ! Mais bon, c'est quand même plus marrant que d'être assis à un bureau.

La caméra balaya le pont pour montrer les Seals qui avançaient, accroupis, l'arme au poing. Des volutes de fumée s'élevaient au-dessus du pont. Comme prévu, Russo prit un homme avec lui et ils foncèrent tête baissée vers l'autre côté du navire avant de revenir vers la poupe. A tribord, Beck et le quatrième homme firent de même avant de rejoindre les autres à la poupe.

— Rien à signaler à tribord, dit Russo en plissant les yeux à travers la fumée. On dirait que l'incendie se calme.

— Tu as raison, dit Beck. La fumée se dissipe. Vous pouvez enlever vos masques.

Les hommes s'exécutèrent et mirent leurs masques dans les sacs qu'ils portaient à la ceinture.

— Bon, montons à la passerelle pour voir qui nous envoie ce message.

La caméra suivit les hommes qui progressaient par bonds, une équipe après l'autre, de manière à ce que ceux qui se trouvaient devant soient toujours couverts. Ils montèrent les escaliers, s'arrêtant à chaque niveau, et atteignirent les ailerons de passerelle sans incident.

La voix qui lançait le Mayday se faisait entendre par la porte ouverte de la timonerie.

La rapidité, la discrétion et l'élément de surprise sont déterminants pour une attaque efficace de Seals. Le fait de devoir monter à l'abordage en plein jour avait déjà réduit à néant deux de ces trois conditions, aussi ne perdirent-ils pas de temps devant la timonerie. La caméra les suivit à l'intérieur et on entendit Beck déclarer :

— Bon travail. Merde. Ce putain de bateau est vide.

De la timonerie, la caméra fit un travelling à 360°, après quoi Beck revint vers la radio. Une main, manifestement la sienne, attrapa un magnétophone posé à côté du micro de la radio. Le message de détresse qu'ils avaient entendu se répétait encore et encore. La main éteignit le magnétophone et les appels cessèrent.

— Putain ! s'écria un des hommes. Qu'est-ce que c'est que cette puanteur ?

On entendit la voix de Beck, calme mais indubitablement pressante, qui ordonnait à ses hommes d'armer leurs fusils, de rester en alerte et de revenir au bateau en quatrième vitesse.

C'est alors que s'ouvrirent les portes de l'Hadès.

Quelqu'un ou quelque chose s'élança par la porte en hurlant comme une harpie furieuse. On entendit ensuite la déflagration assourdissante d'un coup de feu à bout portant, des vociférations, des corps bondissants, le fracas des armes automatiques. On aperçut des éclairs de cheveux ou de poils blancs et des visages tout droit sortis d'un cauchemar.

— Par ici, capitaine !

Sal Russo était dos à la caméra et il bloquait la plus grande partie de son champ de vision. Encore des coups de feu et des hurlements. Puis toute une série d'images floues.

Beck était sorti de la timonerie et descendait les marches en trébuchant. Son souffle n'était plus qu'un halètement rauque. On entendit Russo crier.

— Vite, vite, capitaine, avancez ! J'ai buté un de ces salopards aux yeux rouges mais ils sont sur nos talons !

— Mes hommes...

— Trop tard ! Vite. Oh merde.

Une autre détonation. Puis un homme qui hurlait.

Beck était arrivé sur le pont principal. Il courait, haletant comme une locomotive grimpant une pente raide, ses bottes martelant le pont. Il se trouvait près de la proue à quelques mètres de l'échelle.

Un cri inhumain fut enregistré par la caméra. Des cheveux blancs, d'autres corps bondissants et un autre coup de feu. En un éclair, des yeux rouges lumineux. Puis un bruit de gargouillement, et le ciel et la mer dans un tourbillon, qui se mélangent. Ensuite, l'écran devint noir.

Austin rompit le silence pesant qui suivit.

— Cette vidéo soulève plus d'énigmes qu'elle n'en résout.

— Beck a failli réussir à regagner le bateau, dit Muller, mais quelqu'un ou quelque chose l'a surpris alors qu'il s'apprêtait à descendre l'échelle. On l'a retrouvé la gorge tranchée.

— Pourriez-vous revenir quelques secondes en arrière ? demanda Zavala à Muller qui s'exécuta. OK, mettez sur pause ici.

Les yeux rouges brûlants de sauvagerie emplissaient l'écran. L'image était floue, mais la férocité bestiale n'en était pas diminuée pour autant. Le silence pesant emplissait la pièce, brisé seulement par le ronronnement de la ventilation.

Encore une fois, Austin prit la parole.

— Quel est votre sentiment sur cette vidéo, lieutenant?

Muller hocha la tête, comme le ferait un homme à qui on aurait demandé d'expliquer les mystères de l'univers.

— La seule chose dont je sois sûr, c'est que le capitaine Beck et ses hommes se sont foutus dans un sacré guêpier. Toutefois, ceux qui leur ont tendu ce piège ne s'attendaient pas à voir débarquer une unité de Seals armés.

— Je suppose qu'ils avaient l'intention d'attaquer l'*Atlantis* mais qu'ils ont changé d'avis après le combat avec Beck et ses hommes, dit Austin.

— C'est ce que je crois, fit Muller.

Le capitaine Gutierrez se leva de sa chaise.

— Il faut que je retourne là-haut. Messieurs, prévenez-moi si je peux vous être utile en quoi que ce soit.

Austin remercia Gutierrez et, après son départ, se tourna vers Muller.

— Je suppose que vous allez regagner votre navire.

— Pas encore. Un vaisseau de secours va venir monter la garde. Il devrait arriver dans quelques heures. J'ai le temps. Maintenant que le capitaine est parti, j'aimerais discuter de la situation avec vous, si vous voulez bien.

— Certainement, dit Austin. D'après le peu que j'ai vu, il y a beaucoup à dire.

Muller sourit.

— Quand j'ai entendu cette histoire de fous, j'ai cru que nous avions affaire à des pirates, même si nous n'avions pas l'habitude d'en rencontrer de cette sorte dans cette région du globe.

— Et vous avez changé d'avis?

— J'ai abandonné cette théorie. Au fait, j'ai omis de mentionner que je suis officier de renseignements au sein de la Navy. Après avoir vu cette vidéo, j'ai contacté mon équipe à Washington en leur demandant de chercher tout ce qu'ils pouvaient trouver sur des « monstres ou démons aux yeux rouges ». Vous auriez dû voir certaines réponses impolies que j'ai reçues, mais enfin, ils ont exploré toutes les sources, du mythe de Dracula aux films hollywoodiens, en passant par la photographie. Vous saviez qu'il y a un groupe de rock qui s'appelle les « Démons aux yeux rouges » ?

— Mon éducation rock'n roll s'arrête aux Rolling Stones, déclara Austin.

— La mienne aussi. Bref, j'ai passé un certain temps à lire leurs rapports et je suis retombé plusieurs fois là-dessus.

Muller sortit une feuille de papier de sa serviette et la tendit à Kurt qui la déplia et lut le titre.

L'ÉQUIPE TV DISPARUE ; LA POLICE AU POINT MORT

Il s'agissait d'une dépêche Reuters, venue d'Ecosse. Il poursuivit sa lecture.

Les autorités déclarent n'avoir aucune piste au sujet de la disparition de sept candidats et quatre techniciens qui tournaient un épisode de l'émission de télévision Les Proscrits *sur une île au large de l'Ecosse.*

D'après les règles du jeu, les membres du clan devaient « proscrire » un des leurs chaque semaine. L'hélicoptère venu rechercher la candidate éliminée n'a trouvé aucune trace des autres. La police, en collaboration avec le FBI, a découvert des traces de sang, suggérant qu'il y a eu des violences. La seule survivante, découverte alors qu'elle se cachait, est en convalescence chez elle. Elle aurait dit que les participants de l'émission ont été attaqués par des « monstres aux yeux rouges ». Les autorités jugent que ce témoignage n'est pas recevable, en raison des hallucinations dont devait souffrir la victime après un tel choc.

Cette émission populaire, dans la lignée de Survivor, *a été critiquée par certains pour avoir encouragé une tension de plus en plus grande entre les participants qu'elle soumet à des épreuves dange-*

reuses entraînant un important stress physique et mental. La chaîne offre une récompense de cinquante mille dollars pour toute information.

Kurt tendit l'article à Zavala qui lut l'histoire avant de déclarer :

— Quel rapport avec la disparition de l'*Alvin* ?

— Le lien est ténu, certes, mais essayez de comprendre le cheminement sinueux de ma pensée. Revenons à ces traces sous-marines. Il est clair qu'il se passait quelque chose à la Cité perdue et que quelqu'un voulait garder cette activité secrète.

— Ça paraît logique, dit Zavala. Ceux qui ont laissé ces traces n'avaient pas envie que l'on vienne fouiner près des sources hydrothermales.

— Si vous aviez un tel secret, que feriez-vous si un sous-marin truffé de caméras se ramenait ?

— C'est facile, dit Zavala. L'arrivée de l'expédition a dû être publiquement annoncée, il n'y a plus qu'à déménager l'équipement.

— Pas si simple, objecta Austin. Quelqu'un risquait de tomber sur les traces et de poser des questions. Il fallait éliminer les observateurs. Sans oublier les éventuels témoins directs.

— Ce qui expliquerait pourquoi on aurait lâché ces monstres sur l'*Atlantis*, poursuivit Zavala.

— Imagine, reprit Austin, que l'*Atlantis* et le submersible aient disparu en même temps. On aurait alors entrepris de vastes recherches. Il y avait encore une possibilité pour que ces recherches trouvent la trace de l'*Alvin* et attirent encore plus l'attention.

— Ce qui veut dire que le truc qui a fait ces traces a dû embarquer l'*Alvin*.

— Gutierrez dit que le sous-marin n'est plus là et je le crois, déclara Muller.

Austin jeta un coup d'œil à l'article de journal.

— Des yeux rouges ici. Des yeux rouges là-dedans. Comme vous dites, le lien est plutôt ténu.

— Je suis d'accord. C'est pourquoi j'ai demandé une série de photos satellites des eaux qui entourent l'île des *Proscrits*.

Il sortit une pile de photos de son porte-documents et les étala sur la table.

— La plupart de ces îles comptent de nombreux petits villages de pêcheurs, installés depuis longtemps. Sur d'autres, les seuls habitants sont des oiseaux. Mais sur celle-ci, quelque chose d'assez inhabituel a attiré mon attention.

Il fit glisser un cliché vers Austin. On y voyait plusieurs bâtiments, la plupart serrés les uns contre les autres, à l'écart du rivage percé de quelques pistes.

— Vous avez une idée de ce que c'est? demanda Austin.

— Cette île était autrefois la propriété du gouvernement britannique, qui s'en servait comme base pour sous-marins pendant la Seconde Guerre mondiale et la guerre froide. Elle a ensuite été vendue à une entreprise privée. Nous enquêtons là-dessus. Il s'agirait soi-disant de recherches ornithologiques mais personne n'en est sûr, parce que l'accès à l'île est interdit.

— Ceci pourrait bien être une vedette qui patrouille pour respecter cette interdiction, dit Austin en indiquant une minuscule ligne blanche qui marquait le sillage d'un bateau.

— C'est fort probable, dit Muller. J'ai fait prendre les photos à différentes heures de la journée et le bateau est toujours autour de l'île, à peu près sur la même trajectoire.

Tout en examinant les rochers et les écueils qui protégeaient l'île, Austin remarqua un sombre objet ovale près de l'ouverture du port. Il le retrouva sur d'autres photos, à différents endroits. Le contour en était vague, comme s'il était immergé plutôt qu'à la surface. Il passa la photo à Zavala.

— Regarde celles-ci et dis-moi si tu décèles quelque chose d'inhabituel, Joe.

En tant qu'expert de véhicules sous-marins habités et automatisés, Zavala remarqua immédiatement l'objet étrange. Il étala les photos.

— On dirait une sorte de submersible.

— Faites voir ça, déclara Muller. C'est pas croyable! J'étais tellement concentré sur ce qu'il y avait sur l'eau que je n'ai pas remarqué ce qui se trouvait dessous. J'ai dû le prendre pour un poisson.

— C'en est un, dit Zavala. Avec une batterie et un moteur. Je parie que c'est un AUV.

— Un véhicule sous-marin autonome?

Construits à l'origine dans un but commercial et scientifique, les AUV représentaient la dernière nouveauté en technologie sous-marine. Ces véhicules automatisés pouvaient fonctionner seuls, guidés par des instructions préalablement programmées, contrairement aux véhicules télécommandés qu'il fallait diriger avec un câble.

— Cet AUV pourrait être équipé d'un sonar et bénéficier d'une acoustique si sensible qu'il serait à même de détecter tout ce qui bouge à la surface et en profondeur dans les parages de l'île. Il serait capable d'envoyer un signal d'alarme à des moniteurs à terre.

— La marine a commencé à utiliser des AUV à la place des dauphins dans le but de détecter les mines. J'ai entendu dire que certains AUV pouvaient être programmés pour attaquer, dit Muller.

Austin contempla les photos.

— Il va falloir prendre une décision rapidement.

— Ecoutez, je ne veux pas vous donner de conseil et je sais que vous vous inquiétez pour vos amis. Mais ici, vous ne pouvez pas faire grand-chose. Le capitaine Gutierrez va poursuivre les recherches et il vous préviendra s'il découvre quelque chose.

— Vous voudriez qu'on explore cette île?

— La marine américaine ne peut pas débarquer là-dessus, mais deux types déterminés et entraînés le pourraient.

Austin se tourna vers Zavala.

— Qu'en penses-tu, Joe?

— Cela relève du pari, répondit Zavala, car pendant qu'on pourchasse ces monstres aux yeux de sang, Paul et Gamay pourraient se trouver à un million d'autres endroits.

Austin savait que Zavala avait raison, mais son instinct le poussait vers cette île.

— Nous avons demandé à l'hydravion de se tenir prêt, dit-il à l'enseigne Muller. Nous allons revenir aux Açores et prendre un avion privé. Avec un peu de chance, nous pourrons aller jeter un coup d'œil à cette île mystérieuse dès demain.

— J'espérais bien que vous diriez ça, fit Muller avec un sourire.

Moins d'une heure plus tard, l'hydravion décollait et s'élançait dans les airs. L'appareil décrivit un cercle au-dessus du navire de recherche et du croiseur, puis il prit la direction des Açores, emportant Austin et Zavala vers la première étape de leur voyage dans l'inconnu.

28

DARNAY vivait dans une ancienne ferme en stuc et tuiles rouges, sur les hauteurs d'Aix-en-Provence. Skye avait appelé l'antiquaire depuis la gare pour le prévenir qu'elle arrivait, et Darnay l'attendait devant sa porte lorsque le taxi la déposa devant chez lui. Ils se saluèrent chaleureusement, puis Darnay la conduisit à une grande terrasse qui bordait une piscine, entourée de tournesols. Il l'invita à prendre place autour d'une table en marbre et fer forgé, et prépara deux kirs.

— Tu ne sais pas combien je suis heureux de te voir, dit Darnay.

Ils trinquèrent et sirotèrent leur boisson fraîche et sucrée.

— Ça fait du bien d'être ici, Charles.

Skye ferma les yeux et laissa le soleil lui brûler le visage tout en respirant profondément l'air embaumé par des parfums de lavande et de senteurs méditerranéennes.

— Tu n'as pas été très bavarde au téléphone, dit Darnay. Ta visite chez les Fauchard s'est bien passée, apparemment?

— Aussi bien qu'on pouvait s'y attendre, répondit-elle en clignant des yeux.

— Bon. Et M. Austin a-t-il pris plaisir à conduire ma Rolls?

— Oui et non.

Devant son hésitation, Darnay leva un sourcil.

— Avant que je te raconte tout ce qui s'est passé, tu ferais bien de nous resservir un verre.

Darnay remplit à nouveau les verres, puis Skye passa les trois quarts d'heure qui suivirent à lui narrer les événements survenus au château Fauchard, depuis le moment où Emile les avait accueillis sur le perron jusqu'à leur folle échappée dans l'avion volé. A chaque nouvelle péripétie, le visage de Darnay s'assombrissait.

— Mais cet Emile et sa mère sont des monstres ! s'exclama-t-il.

— Nous sommes désolés pour ta voiture. Mais comme tu vois, nous n'avons pas eu vraiment le choix.

Un sourire illumina le visage sérieux de Darnay.

— Le plus important est que vous soyez sains et saufs. La perte de la Rolls n'a aucune importance. Elle ne m'a presque rien coûté. C'est du vol, *a steal*, comme dirait ton ami américain.

— A vrai dire, je m'en doutais un peu...

Darnay réfléchit un moment.

— Ta description du portrait de Jules Fauchard m'intrigue. Tu es sûre qu'il portait le casque ?

— Absolument. A propos, ton étude a-t-elle progressé ?

— Oui, grandement. (Il termina son verre.) Si tu es suffisamment rafraîchie, je vais t'emmener voir Weebel.

— C'est quoi ?

— Pas quoi, qui. Oskar Weebel est un Alsacien qui vit ici. Je lui ai laissé le casque.

— Je ne comprends pas.

Darnay se leva et prit Skye par la main.

— Tu comprendras quand tu le verras.

Quelques minutes plus tard, ils étaient assis dans la Jaguar de Darnay, qui filait sur une route étroite et sinueuse. En dépit des lacets, Darnay conduisait nonchalamment et avec aisance.

— Dis-m'en plus sur ton ami, demanda Skye alors qu'ils arrivaient dans les faubourgs de la vieille ville.

Darnay s'engagea dans une ruelle, entre l'Atelier de Cézanne et la cathédrale Saint-Sauveur.

— Weebel est un maître artisan, dit Darnay. L'un des meilleurs que j'aie jamais rencontrés. Il fabrique des reproductions d'armes et d'armures anciennes. Aujourd'hui, il sous-traite une bonne partie de sa production, mais son travail à lui est tellement excellent que quelques-uns des plus beaux musées du monde et des collectionneurs les plus avertis s'y laissent tromper.

— Des faux ?

Darnay fit une grimace.

— Quel vilain mot dans une si jolie bouche. Je préfère appeler ça des reproductions de grande qualité.

— Excuse-moi de te poser la question, Charles, mais certaines de ces merveilleuses reproductions ont bien été vendues à des musées ou à des collectionneurs par ton intermédiaire ?

— Je garantis rarement l'authenticité de mes marchandises. Quelque chose de ce genre pourrait m'envoyer en prison pour fraude. Je me contente de sous-entendre que la pièce en question pourrait avoir telle ou telle provenance, et je laisse le client s'imaginer ce qu'il veut. Comme disait le comique américain W.C. Fields, on ne peut pas escroquer un honnête homme.

Il gara la Jaguar le long du trottoir et conduisit Skye vers un bâtiment d'un étage en pierre, d'architecture médiévale. Il appuya sur la sonnette et, quelques instants plus tard, un homme petit et replet d'une soixantaine d'années, en blouse gris clair, vint les accueillir avec un large sourire. Il les fit entrer et Darnay fit les présentations.

On aurait dit que Weebel avait été construit avec des pièces dépareillées. Sa tête chauve était trop large pour ses épaules et, lorsqu'il enlevait ses lunettes démodées, ses yeux doux semblaient trop petits pour son visage. Il avait des jambes courtaudes. Et pourtant, sa bouche et ses dents parfaites auraient pu être ceux d'un top model, et ses doigts étaient aussi longs et fins que ceux d'un pianiste concertiste. Il évoquait à Skye le personnage de Taupe dans le classique anglais *Le Vent dans les saules*, de Kenneth Grahame.

Weebel coula un regard timide en direction de Skye.

— Maintenant, je sais pourquoi tu n'es pas venu me voir plus tôt, Charles. Tu avais d'autres distractions.

— En fait, Mlle Labelle vient juste d'arriver, cher ami. Depuis, je n'ai cessé de vanter tes fabuleux talents.

Weebel rétorqua par un modeste claquement de langue, mais son visage trahissait une satisfaction certaine.

— Merci, Charles. Je viens de faire une infusion d'hibiscus, dit-il en les conduisant vers une cuisine impeccablement rangée, où ils prirent place autour d'une table sur tréteaux.

Weebel servit la tisane, puis il mitrailla Skye de questions sur son travail. Tandis qu'elle lui répondait patiemment, elle avait l'impression qu'il analysait tout, comme s'il rangeait soigneusement ses réponses dans les tiroirs de son esprit.

— Charles m'a également parlé de votre travail, monsieur Weebel.

Lorsqu'il s'emballait, Weebel ponctuait son discours de rapides « Aha ».

— Bon, très bien, parfait. Aha. Je vais vous montrer mon atelier.

Il les conduisit à un escalier étroit qui descendait au sous-sol, brillamment éclairé par des néons. Il s'agissait d'un atelier de forgeron, équipé d'une forge, d'une enclume, de burins, de marteaux spéciaux et de tenailles, bref, tous les outils nécessaires à la tâche basique de l'armurier : battre le fer rouge. Un assortiment de cuirasses, jambières, gantelets et autres protections étaient suspendu au mur. L'œil exercé de Darnay s'arrêta immédiatement sur des casques de styles divers posés sur une étagère.

— Où est la pièce que je t'ai laissée ?

— Une pièce aussi particulière mérite un traitement spécial, déclara Weebel qui se rendit vers l'armure debout dans un coin de la pièce.

Il releva la visière, passa la main à l'intérieur.

— Ça, c'est un objet produit industriellement. Aha. Je les fais fabriquer en Chine, ils servent surtout pour la décoration de restaurants.

Il appuya sur un interrupteur caché à l'intérieur de l'armure et un mur d'environ un mètre vingt de large coulissa dans un léger cliquetis, révélant une porte en acier. Weebel composa une combinaison sur le clavier. La porte cachait une pièce de la taille d'un dressing. Les murs étaient couverts d'étagères où s'empilaient des caisses en bois de toutes tailles, toutes numérotées.

Weebel saisit une grande caisse carrée et la ramena dans l'atelier. Il la posa sur la table et en sortit le casque des Fauchard. En revoyant le visage sculpté en relief, Skye se souvint du portrait de Jules qu'elle avait vu dans la galerie du château.

— Une pièce remarquable. Vraiment remarquable. Aha. (Weebel agita les mains au-dessus du casque comme un voyant regardant dans une boule de cristal.) Je l'ai montré à mon métallurgiste. Le fer utilisé pour fabriquer cet acier est très inhabituel. Il pense qu'il provient d'une météorite.

— C'était la théorie de Mlle Labelle, dit Darnay en souriant à Skye. As-tu daté ce casque ?

— Ainsi que tu me l'as fait remarquer, certains des motifs sont révolutionnaires pour l'époque. Je dirais le XVIe siècle, période à laquelle on a commencé à emboutir la visière en forme de visage humain ou animal. Il est possible que le métal lui-même soit bien plus ancien, et que le casque ait été fabriqué à partir d'un autre. Cette entaille est une marque de tir, sans doute faite pour tester la vulnérabilité du métal. Il a parfaitement réussi à arrêter le projectile. Ce qui n'est pas le cas de ce trou-ci, fait à courte portée ou par une arme à feu de grande puissance, donc à une date plus récente. Peut-être que quelqu'un s'en est servi comme cible de tir.

— Et le fabricant ?

— Ce heaume est l'une des plus belles pièces que j'aie jamais vues. Regardez ici, à l'intérieur. Pas une seule bosse de marteau. Même en l'absence de poinçon, il n'y a qu'un seul manufacturier d'armes capable de faire un métal de cette qualité. La famille Fauchard.

— Que savez-vous au sujet du poinçon ? demanda Skye.

— Les Fauchard étaient l'une des trois familles qui ont fondé la guilde que nous connaissons aujourd'hui sous le nom de Javelot Industries. Chaque famille se spécialisait dans un domaine particulier. L'une forgeait le métal, la deuxième façonnait l'arme. Les Fauchard s'occupaient de la vente et ils envoyaient des agents aux quatre coins de l'Europe pour vendre leurs marchandises. Par conséquent, ils avaient d'excellentes alliances politiques. En règle générale, ils n'utilisaient pas leur poinçon, persuadés que la qualité de leur armure parlait d'elle-même ; c'est pourquoi j'ai été surpris de voir qu'ils avaient gravé leurs armoiries sur le sommet de cette pièce. Ce casque devait avoir une signification toute spéciale pour eux.

— Mme Fauchard m'a expliqué que chaque tête d'aigle représente l'une des trois familles fondatrices, dit Skye.

Weebel cligna des yeux.

— Vous avez parlé à Mme Fauchard en personne ?

Skye opina.

— Extraordinaire. On dit qu'elle vit complètement en recluse. A quoi ressemble-t-elle ?

— Un mélange de scorpion et de veuve noire, répondit Skye sans hésitation. Elle a expliqué que l'aigle du milieu représentait les Fauchard, parvenus, en dépit des mariages et des décès, à dominer l'entreprise.

Weebel éclata d'un rire nerveux.

— Vous a-t-elle révélé que la plupart de ces décès étaient prématurés et les mariages arrangés dans le seul but d'asseoir leur domination ?

— Mme Fauchard est très sélective quand il s'agit de révélations concernant sa famille. Par exemple, elle nie que sa famille a pu être assez puissante pour déclencher la Première Guerre mondiale et avoir une part de responsabilité dans la seconde.

— Ce sont effectivement des rumeurs qui circulent depuis de nombreuses années. Un certain nombre de marchands d'armes ont encouragé la guerre et l'ont rendue possible. Les Fauchard étaient au cœur de l'affaire. Aha. Où avez-vous entendu cette histoire ?

— C'est un Anglais, Cavendish, qui a aussi raconté que les Fauchard avaient dérobé à sa famille le procédé de l'acier.

— Ah, lord Cavendish. Oui, c'est vrai. Sa famille avait découvert un procédé novateur de fabrication de l'acier. Les Fauchard le leur ont volé. Dites-moi, fit-il en caressant le casque du bout des doigts, est-ce que vous voyez quelque chose d'inhabituel dans ce dessin d'aigle ?

Elle se pencha sur le casque, mais sans rien remarquer de particulier.

— Attendez. J'ai trouvé. L'une des serres contient plus de lances que l'autre.

— Quel œil de lynx ! Aha ! J'ai noté la même chose, ce qui m'a poussé à faire la comparaison avec les armoiries des Fauchard. Dans le poinçon d'origine, le nombre de lances tenues dans chaque serre est identique. En examinant le casque de plus près, j'ai découvert que la lance supplémentaire avait été ajoutée longtemps après sa fabrication. Probablement au cours des cent dernières années.

— Dans quel but ? s'interrogea Skye.

Weebel eut un sourire énigmatique avant de placer le casque sous une loupe fixée à un support.

— Voyez vous-même.

Skye regarda longuement à travers la loupe.

— La lance laisse apparaître une sorte d'écriture. Des chiffres et des lettres. Viens voir, Charles.

Darnay s'approcha à son tour.

— On dirait une équation algébrique.

— Oui, oui, aha. C'est aussi mon sentiment, dit Oskar. J'ai été incapable de la déchiffrer. Il nous faut un spécialiste.

— Kurt disait que ce casque pouvait contenir la clé du mystère, dit Skye. Il faut que je rentre à Paris pour le montrer à un cryptologue ou un mathématicien de l'université.

— C'est fort dommage, dit Weebel. J'aurais aimé faire une reproduction de cette pièce magnifique. Une autre fois, peut-être ?

— Oui, monsieur Weebel, dit Skye en souriant. Une autre fois peut-être.

Il rangea le casque dans sa boîte et la lui tendit. Puis Darnay et Skye remercièrent Weebel avant de prendre congé. Elle demanda à Darnay de la déposer à la gare. Il fut déçu de ce séjour si rapide, et essaya de la faire changer d'avis. Mais Skye lui expliqua qu'elle avait hâte de rentrer à Paris pour élucider le mystère de ce casque, lui promettant qu'elle reviendrait plus longuement dès qu'elle le pourrait.

— Dans ce cas, je ne peux que m'incliner, dit Darnay. Tu vas voir M. Austin ?

— Je l'espère. Nous devions dîner ensemble. Pourquoi donc ?

— J'ai peur que tu sois en danger et je me sentirais mieux si je savais qu'il est dans le coin pour veiller sur toi.

— Je peux veiller sur moi-même, Charles, dit-elle en l'embrassant sur les deux joues. Mais si ça peut te faire plaisir, j'appellerai Kurt de mon portable.

— Voilà qui est mieux. Ça me fait plaisir. S'il te plaît, téléphone-moi en arrivant chez toi.

— Tu t'inquiètes trop, dit-elle. Mais je t'appellerai.

Fidèle à sa parole, elle essaya de joindre Austin tandis que le TGV filait vers le nord. Le réceptionniste de l'hôtel l'informa qu'Austin avait laissé un message pour elle.

— Il a dit qu'il devait s'absenter d'urgence et qu'il vous contacterait.

Elle se demanda ce qu'il pouvait y avoir de si urgent, mais d'après ce qu'elle avait vu, Austin était un homme d'action et elle n'était guère étonnée. Elle était sûre qu'il l'appellerait comme promis. Le trajet d'Aix à Paris prenait moins de trois heures et la soirée touchait à sa fin lorsque le train arriva à la gare. Elle héla un taxi pour rentrer chez elle.

Elle avait réglé la course et marchait vers la porte de son immeuble lorsque quelqu'un l'interpella d'une voix forte.

— Excusez mwa. Parlay-voo anglay?

Elle se retourna, et à la lumière d'un lampadaire, vit un homme d'âge mûr, grand, qui se tenait derrière elle. A ses côtés, une femme souriante tenait à la main un guide vert Michelin.

Des touristes. Sans doute des Américains, à en juger par leur accent atroce.

— Oui, je parle anglais, dit-elle. Vous êtes perdus ?

L'homme sourit piteusement.

— On dirait bien.

— Mon mari déteste demander son chemin, même chez nous, dit la femme. Nous cherchons le Louvre.

Skye réprima un sourire, en se demandant pourquoi ils cherchaient le Louvre en pleine nuit.

— C'est sur la rive droite. Vous êtes assez loin. Mais vous pouvez y aller en métro. Je vais vous donner la direction.

— Nous avons un plan dans la voiture, dit la femme. Vous pourriez peut-être nous montrer où nous sommes.

Encore pire. Paris n'était pas l'endroit idéal pour les conducteurs qui ne connaissaient pas la ville. Elle les suivit jusqu'à leur véhicule, garé le long du trottoir. La femme ouvrit la portière arrière, se pencha et ressortit la tête.

— Voudriez-vous avoir la gentillesse de prendre le plan sur la banquette arrière ? Mon dos...

— Bien sûr.

Tout en maintenant de la main gauche le sac qui contenait le casque, Skye se pencha dans la voiture mais n'y trouva pas la carte. Puis elle sentit comme une piqûre d'abeille à la hanche droite. Tandis qu'elle portait instinctivement la main là où elle avait été piquée, elle se rendit compte que les Américains la regardaient. Inexplicablement, leurs visages commencèrent à se brouiller.

— Vous vous sentez bien ? demanda la femme.

— Je...

Skye avait la langue pâteuse. Ce qu'elle voulait dire lui échappa.

— Asseyez-vous donc un instant, lui proposa l'homme en la poussant à l'intérieur de la voiture.

Sa voix semblait venir de très loin. Elle était trop faible pour résister lorsqu'il lui prit le sac des mains. La femme se glissa à côté d'elle et referma la porte. Skye eut la vague impression que l'homme s'installait au volant et que la voiture démarrait. Elle regarda par la fenêtre, mais ne vit que des images floues.

Puis un voile noir s'abattit devant ses yeux.

29

TROUT avait tout du scientifique zélé, plongé dans l'étude du graphe qui s'affichait sur l'écran de son spectromètre, et prenant des notes dans un carnet. C'était la troisième fois qu'il analysait le même échantillon minéral provenant de la Cité perdue, mais les notes qu'il prenait n'avaient bien sûr rien à voir avec l'image sur l'écran. D'après les informations que MacLean avait bien voulu leur donner, Paul essayait de dessiner un plan de l'île.

Vu de l'extérieur, le laboratoire ne payait pas de mine. Il était abrité sous trois huttes Quonset qui avaient servi de logement aux équipes techniques du temps de la base britannique. Deux des bâtiments kaki de forme semi-cylindrique, faits d'acier à présent rouillé, avaient été soudés bout à bout. Un troisième était attaché au milieu, si bien que la forme globale formait un grand T. Un bâtiment entier renfermait des cuves cloisonnées, tandis que le reste de l'espace était dédié à l'analyse scientifique.

Extérieurement, l'ensemble semblait abandonné, alors qu'à l'intérieur, l'espace était chauffé et bien éclairé. Le spacieux laboratoire était équipé d'outils scientifiques dernier cri, qui n'avaient rien à envier à ceux de la NUMA. Seule la présence des gardes, qui faisaient les cent pas près de chaque issue, une arme automatique en bandoulière, leur rappelait qu'ils n'y étaient pas.

MacLean était arrivé en avion, ce qui lui avait permis d'avoir une vue globale de l'île; il avait remarqué qu'elle était en forme de tasse. Elle était entourée de hautes falaises qui tombaient abruptement dans la mer, excepté à un seul endroit, qui abritait une anse longue et effilée. Une plage en croissant, d'environ huit cents mètres de long, était prise en étau entre le port et des falaises plus basses, qui s'élevaient ensuite comme un véritable mur, caché par un rideau blanc de mouettes tourbillonnantes.

La base du sous-marin se situait à l'embouchure de la crique. Une route partait du logement des sous-mariniers au-dessus de l'entrée de l'abri et longeait les falaises qui bordaient la crique. Après avoir passé une église abandonnée, un cimetière délabré et les ruines d'un ancien village de pêcheurs, la route rejoignait une autre piste qui grimpait jusqu'à un col étroit, avant de redescendre vers l'intérieur de l'île, qui n'était que l'ancienne caldeira d'un volcan éteint depuis longtemps. Ainsi, contrastant avec les remparts rocheux et arides qui la protégeaient de la mer, la caldeira offrait une lande vallonnée, parsemée ici et là de petits buissons tenaces de pins de Virginie et de chênes verts. La route s'achevait sur l'ancienne base marine qui abritait à présent le labo sous le commandement de Strega.

MacLean traversa le labo en direction de Trout.

— Désolé d'interrompre votre travail, dit-il. Comment se passe votre analyse ?

Trout tapota le calepin avec son stylo.

— Je suis coincé entre deux eaux, Mac.

MacLean se pencha par-dessus l'épaule de Trout comme s'il voulait discuter boulot.

— Je reviens d'un entretien avec Strega, dit-il à voix basse. Le test de la formule a été un succès.

— Je suppose que je dois vous féliciter. Cela signifie que nous sommes devenus inutiles ? Pourquoi ne sommes-nous pas déjà morts ?

— Strega est peut-être une brute sanguinaire, mais c'est aussi un organisateur méticuleux. Il va d'abord s'occuper de tous les détails concernant la fin de sa mission sur l'île, pour ensuite s'amuser sans être distrait. Je parie que demain il va nous emmener faire un charmant pique-nique lors duquel il nous fera creuser nos propres tombes.

— Ce qui ne nous laisse plus que cette nuit, dit Trout en tendant le calepin à MacLean. Est-ce que ce schéma correspond à votre observation de la topographie de l'île?

MacLean examina la carte.

— Vous avez un don pour la cartographie. Il est précis dans ses moindres détails. Et maintenant?

— Voici comment je vois les choses. Comme dirait Kurt Austin, les plans les plus basiques sont parfois les meilleurs. Nous passons le col, qui se trouve être la seule issue. Nous allons à la crique. Vous avez bien dit qu'il y avait un ponton?

— Je n'en suis pas sûr. Je suis arrivé au crépuscule.

— C'est donc envisageable. Nous allons supposer que là où il y a un ponton, il y a un bateau. Nous empruntons le bateau. Puis, une fois en mer, nous essayons de comprendre où nous nous trouvons.

— Et un plan de secours, au cas où ça tournerait mal?

— Il n'y en a pas. Si ça tourne mal, nous sommes morts. Mais cela vaut la peine d'essayer, quand on voit ce qui nous attend autrement.

MacLean étudia le visage de Trout. Derrière son allure d'universitaire se cachaient une détermination et une force de caractère indéniables. Sa bouche s'entrouvrit en un faible sourire.

— Sa simplicité apparente me séduit, mais c'est l'exécution du plan qui m'inquiète.

— Je préférerais ne pas utiliser le terme d'exécution, fit Trout en grimaçant.

— Désolé de paraître pessimiste. Ces gens m'ont brisé. Je vous suis à cent pour cent.

Trout se cala dans son fauteuil en réfléchissant et regarda Gamay et Sandy, de l'autre côté de la pièce, qui se tenaient côte à côte pour examiner des spécimens relevés près des sources hydrothermales. Puis son œil s'arrêta sur les autres scientifiques aux quatre coins du labo, concentrés sur leurs tâches, dans une inconsciente ignorance de leur mort prochaine. MacLean suivit son regard.

— Et les autres?

— Strega pourrait-il forcer l'un d'entre eux à nous espionner?

— J'ai parlé à chaque personne. Ils craignent autant que nous pour leur vie.

La mâchoire de Trout se contracta tandis qu'il envisageait plus réalistement la complexité d'une fuite et les chances que le plan tourne mal.

— Ce sera déjà assez risqué à quatre. Un groupe plus nombreux attirerait l'attention. La seule chose qui compte, c'est réussir à sortir du complexe de recherche en un seul morceau puis, si nous parvenons à nous emparer d'un bateau, nous aurons un GPS et une radio et nous pourrons appeler à l'aide.

— Et si nous n'y arrivons pas?

— Alors nous resterons tous dans la même galère.

— Très bien. Quel est votre plan pour que nous passions inaperçus et parvenions à tromper la vigilance des hommes qui montent la garde près de la clôture électrifiée?

— J'ai pensé à ça. Il va falloir créer une diversion.

— Une grosse diversion, alors. Les hommes de Strega sont tous des tueurs professionnels.

— Ils seront peut-être trop occupés à sauver leur peau.

Le visage de MacLean vira au gris lorsque Trout lui exposa son plan.

— Mon Dieu. Les choses pourraient complètement dégénérer.

— C'est ce que j'espère. Si nous ne trouvons pas de véhicule, nous serons obligés d'y aller à pied, auquel cas la moindre minute de gagnée sera précieuse.

— Ne tournez pas la tête, mais sachez que l'un des gardes nous observe, dit MacLean. Je vais gesticuler comme si j'étais furieux et déçu. Ne vous inquiétez pas.

— Je vous en prie, allez-y.

MacLean tendit le doigt vers l'écran du spectromètre et fronça les sourcils. Il prit le calepin, le referma d'un coup sec, marmonna quelques jurons avant de s'éloigner. Trout se leva et toisa MacLean avec désapprobation. Cette dispute fit rire le garde, qui prit dans sa poche un paquet de cigarettes et sortit pour fumer.

Trout se leva et traversa la pièce pour annoncer la bonne nouvelle à Gamay et Sandy.

30

AUSTIN passa le seuil d'un pub bruyant appelé le Serpent de Mer sanglant et traversa la salle enfumée jusqu'à une table dans un coin, où Zavala discutait avec un Ecossais édenté qui évoquait *Le Vieil Homme et la mer*. En voyant Austin entrer, Zavala avait échangé avec l'homme une poignée de main, et ce dernier avait rejoint la foule qui se pressait devant le bar.

Austin s'assit sur la chaise vide.

— Ravi de voir que tu t'es fait des amis.

— C'est pas si facile pour un Mexicain américain comme moi. Leur accent est aussi fort que du chili et, comme si les choses n'étaient pas assez difficiles, on ne trouve pas une goutte de tequila dans toute la ville.

Pour souligner ce lamentable état de faits, il souleva sa pinte de lager.

— Catastrophique, fit Austin avec un manque de compassion évident.

Il fit signe à une serveuse, et quelques minutes plus tard, il léchait la mousse de sa pinte de stout.

— Comment s'est passée ta mission ? demanda Zavala.

Pour toute réponse, Austin sortit un porte-clé de la poche de son coupe-vent et le posa sur la table.

— Tu as devant toi la clé du nouveau-né de la flotte dernier cri de la NUMA.

— Tu n'as pas eu de problèmes ? demanda Zavala.

Austin secoua la tête.

— Je me suis baladé sur la jetée et j'ai repéré le bateau le plus délabré possible, puis j'ai cherché le propriétaire et je lui ai fait une offre qu'il ne pouvait pas refuser.

— Il n'a pas eu de soupçons?

— Je lui ai dit que j'étais un producteur de télévision américain qui faisait une émission sur le mystère des *Proscrits* et que nous avions besoin du rafiot immédiatement. Après lui avoir donné l'argent, j'aurais pu lui dire que je venais de la planète NUMA, ça ne lui aurait fait ni chaud ni froid. Il va pouvoir s'acheter un nouveau bateau grâce à cette aubaine. Nous avons rédigé un acte de vente rapide pour que tout soit légal. Je lui ai recommandé le silence et lui ai promis un rôle dans l'émission.

— Est-ce qu'il avait une théorie au sujet de la disparition des candidats du jeu de télé-réalité?

— Des tas de théories. Des ragots qui circulent sur le port. Il dit que la police a passé l'île au peigne fin mais que les autorités n'ont laissé filtrer aucune information. D'après les rumeurs, les enquêteurs auraient retrouvé des traces de sang et des fragments de corps humains. Les gens n'ont pas l'air bouleversés par cette histoire. Le bruit court que ce n'était qu'un coup de pub et que toute l'équipe va réapparaître sur une île tropicale pour une nouvelle émission. Ils pensent que la survivante était une comédienne payée pour raconter cette histoire abracadabrante de cannibales aux yeux rouges. Et toi, tes sources?

— Le gars que tu as vu m'a raconté à peu près la même chose. Il est dans le coin depuis l'invention du kilt et il connaît tout et tout le monde. Je lui ai dit que j'étais un plongeur amateur et j'ai offert quelques tournées, dit Zavala.

— Ton ami a-t-il parlé d'un lien entre l'incident des *Proscrits* et l'autre île?

— On en a parlé au début, dit Zavala. Mais ensuite, l'histoire du coup de pub a commencé à circuler et a étouffé le reste.

— Quelle distance y a-t-il entre les deux îles?

— Environ huit kilomètres. Les gens d'ici pensent que l'île appartient toujours au gouvernement et qu'elle est le terrain d'opérations semi-officielles, reprit Zavala. Etant donné l'histoire du lieu, ce n'est pas aberrant. Les pêcheurs évitent les abords de l'île. Des bateaux de patrouille surgissent dès que tu songes seulement à t'approcher. Certains pêcheurs sont prêts à jurer qu'ils ont été suivis par des sous-marins miniatures.

— Cela collerait avec ce que nous avons vu sur les photos satellites, dit Austin. Ils ont dû tomber sur l'AUV.

La porte du pub s'ouvrit et le pêcheur à qui Austin avait acheté le bateau entra. Austin supposa qu'il allait payer une tournée générale et lui souhaiter bonne chance, or il ne voulait pas être pris au piège et participer à une fête d'adieu, avoir à répondre aux inévitables questions que cela soulèverait. Il vida sa chope prestement et suggéra à Zavala d'en faire autant. Ils sortirent par la porte arrière du pub et passèrent par leur chambre d'hôtes pour y prendre leur équipement. Quelques minutes plus tard, ils cheminaient dans une étroite ruelle pavée qui les conduisit jusqu'au port noyé de brouillard.

Austin marchait le premier le long du quai et s'arrêta devant une embarcation longue d'environ sept mètres cinquante. La coque en bois bordée à clins, faite de planches qui se chevauchent, avait une proue surélevée conçue pour résister à une grosse houle. Le pont était ouvert à l'exception d'un petit poste de pilotage près de la proue. Même dans la nappe de brume, ils se rendaient compte que les couches de peinture successives semblaient être seules à consolider l'embarcation.

— C'est ce que les pêcheurs du coin appellent un homardier, dit Austin. Le précédent propriétaire m'a dit qu'il avait été construit en 71.

— 1871 ou 1971 ? railla Zavala. J'ai hâte de voir la tête de Pitt quand il recevra la facture de ce petit yacht de luxe.

— Connaissant Pitt, je pense qu'il comprendra, dit Austin.

Zavala lut le nom sur la poupe.

— *Spooter* ?

— Le spoot est le nom local du couteau ; ce coquillage est censé avoir des vertus aphrodisiaques.

— Vraiment ! s'exclama Zavala, piqué par la curiosité. Ce n'est pas plus absurde que la corne de rhinocéros.

Ils embarquèrent, puis Zavala étudia l'état du pont tandis

qu'Austin passait la tête dans le poste de pilotage, à peine plus grand que deux cabines téléphoniques, et qui empestait le tabac froid et la fumée de diesel. Lorsque Austin ressortit, Zavala tapa du pied sur le plancher.

— Ça a l'air assez solide.

— Ce vieux rafiot est sans doute plus résistant qu'il en a l'air. Voyons s'il y a des cartes.

Austin farfouilla dans la timonerie jusqu'à ce qu'il trouve une carte tachée de gras de l'île de l'autre côté de la baie, à quinze kilomètres du port. Austin posa le doigt sur la crique de l'île et expliqua à Zavala le plan qui lui trottait dans la tête.

— Qu'en penses-tu ?

— Une solution simple à un problème compliqué. Je pense que ça peut marcher. On y va quand?

— Ne remets pas à demain ce que tu peux faire aujourd'hui, décréta Austin. J'ai convaincu l'ancien propriétaire de nous céder un plein réservoir de carburant.

Il entra dans le poste de pilotage. En un rien de temps, ils avaient fait chauffer le moteur, rangé leur équipement et décidé de la trajectoire. Le bateau avait essuyé bien des tempêtes, mais ses instruments de navigation étaient relativement neufs et leur seraient d'un précieux secours dans ces eaux étrangères au milieu du brouillard de la nuit.

Zavala largua les amarres tandis qu'Austin prenait la barre et dirigeait la proue vers le large. Le moteur gloussa et toussa comme s'il était à l'agonie, le *Spooter* se mit en branle dans les nappes de brume et commença son voyage vers la mystérieuse île.

31

POUR un homme de près de deux mètres dix, Trout se déplaçait aussi silencieusement qu'un félin. Seul un œil exercé l'aurait vu se glisser hors du camp de prisonniers peu après minuit. Il s'élançait de tache d'ombre en tache d'ombre, à l'écart des projecteurs.

Ce luxe de précautions s'avéra inutile. Aucun garde ne patrouillait dans le camp et les miradors étaient vides. Des rires avinés et de la musique à plein volume s'échappaient du bunker, où les gardes faisaient la fête. Trout supposa qu'ils célébraient la fin de cette mission ennuyeuse dans cet endroit perdu.

Le tapage diminua à mesure que Trout s'éloignait sur une piste non goudronnée. A découvert, il progressa rapidement, à grandes foulées. Il sut qu'il touchait au but quand la puanteur lui chatouilla les narines. La tâche qui l'attendait ébranla quelque peu sa détermination, mais il serra les dents et se hâta vers la salle des horreurs, que le facétieux colonel Strega nommait le Zoo.

Trout ralentit le pas en traversant la zone inondée de lumière autour du bâtiment en béton, puis se dirigea vers la porte d'entrée. Il promena le faisceau de sa torche électrique autour du chambranle de la porte sans déceler la présence d'un système d'alarme. Personne ne pouvait s'imaginer que l'on veuille s'introduire par effraction dans la ménagerie, songea Trout qui s'apprêtait pourtant à le faire.

Les doubles portes en acier auraient résisté à des coups de bélier, mais elles n'étaient fermées que par un simple cadenas. A l'aide d'un marteau et d'un burin aiguisé qu'il avait subtilisés au labo, servant à tailler les échantillons de minéraux, il fit sauter le verrou en deux temps trois mouvements. Il balaya du regard les alentours, regrettant presque qu'il n'y ait personne pour l'arrêter, puis il ouvrit les portes et entra dans le bâtiment.

L'odeur fétide le frappa comme une batte de base-ball, et il réprima avec difficulté des haut-le-cœur. La grande pièce était plongée dans la pénombre, éclairée seulement çà et là par quelques néons. Son entrée bruyante avait dû alerter les pensionnaires du zoo qui commençaient à s'agiter dans leurs cages obscures. Des yeux brûlants épiaient le moindre de ses gestes. Trout se sentait comme une dinde à Noël.

Il promena le faisceau de sa torche le long du mur jusqu'à trouver l'interrupteur. Alors que la pièce était soudainement inondée de lumière, un chœur de grognements emplit l'air tandis que les créatures se serraient les unes contre les autres au fond de leurs cellules. Mais comme Trout ne se montrait pas menaçant, elles avancèrent timidement, en pressant leurs visages de cauchemar contre les barreaux.

Trout perçut dans leurs regards autre chose que de l'hostilité. Elles étaient curieuses et leurs grognements sourds semblaient une forme de communication. Il se rappela leur équipée meurtrière sur une île voisine : ce serait une erreur de les considérer comme de simples animaux. Ils avaient été humains et ils étaient capables de penser.

Tout en poursuivant son inspection de la pièce, Trout essayait d'ignorer leurs regards implacables. Il trouva ce qu'il cherchait derrière un panneau métallique et effleura du bout des doigts une série d'interrupteurs dont les numéros correspondaient à ceux inscrits sur chaque cage. Les chiffres étaient suivis de la mention Alpha ou Bêta. Il hésita, songeant aux forces infernales qu'il s'apprêtait à libérer. Maintenant ou jamais. Il appuya sur un interrupteur alpha en guise d'expérience. Un moteur se fit entendre, et la porte de la cage s'ouvrit dans un bruit métallique. La créature qui occupait la cellule se tapit instinctivement tout au fond, avant d'avancer prudemment vers la porte ouverte, méfiante.

Trout appuya rapidement sur les autres interrupteurs et les portes s'ouvrirent successivement. Pourtant, aucune des créatures ne s'aventurait à l'extérieur. Elles marmonnaient avec force gestes, essayant de communiquer entre elles. Trout ne s'attarda pas, il n'avait aucune envie de se joindre à la conversation. Ayant relâché les démons, il se rua vers la sortie.

MacLean, Gamay et Sandy attendaient, cachés dans un épais bosquet à une centaine de mètres de la grille du camp. Lorsqu'il leur avait fait part de son plan, Trout les avait avertis qu'il leur faudrait s'éclipser de leurs cases et attendre à l'extérieur.

En dépit de la beuverie dans le bunker, MacLean était toujours nerveux, connaissant depuis plus longtemps que Trout les gardes et leur comportement imprévisible. Ses pires craintes se matérialisèrent lorsqu'il entendit un martèlement sur le sol. Quelqu'un arrivait vers lui en courant. Il plissa les yeux dans l'obscurité, hésitant entre la fuite et l'affrontement.

Puis quelqu'un appela « Mac ». C'était Trout.

Gamay sortit du bosquet et le serra fort dans ses bras.

— Je suis tellement contente de te revoir, dit-elle.

— Pour l'amour du ciel, fit MacLean, je croyais qu'il vous était arrivé quelque chose !

— Ç'a été plus facile que prévu, articula Trout après avoir repris son souffle.

Il se raidit quand une silhouette émergea des arbres, puis une autre suivit, jusqu'à ce que les six autres scientifiques se trouvent réunis autour d'eux.

— Désolé, fit MacLean. Je ne pouvais pas les abandonner.

— C'était mon idée, déclara Gamay.

— Ne vous inquiétez pas. J'avais changé d'avis et je m'apprêtais à aller les chercher moi-même. Tout le monde est là ?

— Oui, répondit l'un des chercheurs. Personne ne nous a vus. Mais que fait-on maintenant ?

— On attend, répondit Trout.

Il passa entre les arbres et se posta derrière un chêne vert qui lui offrait une bonne vue sur la porte principale. Deux gardes marchaient nonchalamment devant la guérite. Il revint vers les autres pour leur enjoindre de patienter.

Trout savait que libérer les créatures de leurs cages représentait un risque car, une fois qu'elles auraient goûté à la liberté, elles pourraient aussi bien filer vers les collines. Mais il avait parié sur le fait que leur désir de fuite serait anéanti par une émotion toute humaine : la soif de vengeance contre ceux qui les avaient tourmentées et emprisonnées.

Il jeta un nouveau coup d'œil au portail. Les gardes fumaient et partageaient une bouteille. Puisqu'ils ne pouvaient participer à la fête, ils avaient improvisé la leur. Il revint vers l'autre côté du taillis, d'où il avait une vue dégagée sur le Zoo.

Dans sa hâte, il avait laissé les portes du bunker partiellement ouvertes. Un rai de lumière filtrait de l'intérieur du bâtiment, d'où émergèrent des ombres. Elles s'arrêtaient et repartaient, se déplaçant comme en embuscade en direction des quartiers des gardes, et s'évanouirent dans l'obscurité.

A entendre les rires gras et le vacarme de la musique, on pouvait être sûr que la fête battait son plein, et Trout se demanda donc s'il n'avait pas fait un mauvais calcul. Mais soudain, les rires cessèrent et furent remplacés par des jurons, on perçut quelques coups de feu, puis des hurlements de douleur et de terreur.

Trout ne pouvait qu'imaginer le bain de sang, et il éprouvait une certaine pitié pour les gardes, bien qu'ils fussent prêts à liquider les prisonniers sur un seul mot du colonel Strega.

Les sentinelles du poste de garde avaient entendu le vacarme venant de leurs quartiers. Ils discutaient, sans savoir que faire, comme s'ils se disputaient. Ils se turent en avisant les phares qui arrivaient droit sur eux. Ils pointèrent leurs armes automatiques sur la voiture qui approchait à vive allure, en zigzaguant et klaxonnant.

Le véhicule entra dans la zone éclairée par les projecteurs et Trout reconnut la décapotable de Strega, traînant dans son sillage une masse de corps gesticulants. Des créatures s'accrochaient au capot tandis que d'autres se tenaient aux portières, résistant aux efforts du conducteur qui essayait de les déloger en donnant de grands coups de volant.

Les gardes arrosèrent le véhicule d'un tir de mitraillette. Deux des créatures lâchèrent le capot et roulèrent au sol, déchirant la nuit de leurs épouvantables cris, mais les autres tinrent bon. La voiture fit une violente embardée, le conducteur perdant le contrôle, et alla s'écraser dans le poste de garde. Sous le choc, les créatures furent éjectées, puis la portière du conducteur s'ouvrit et le colonel Strega descendit, pistolet à la main. Son uniforme lacéré était taché de sang et une dizaine de plaies marbraient son corps et sa tête qui saignaient abondamment.

Il tituba pendant encore quelques mètres, tira un coup aveugle qui tua un de ses assaillants mais, avant qu'il ait pu réitérer, les autres créatures le plaquèrent au sol. Trout aperçut les bras et les jambes du colonel battre l'air sous les corps remuants qui grouillaient sur lui, puis il se raidit et ne bougea plus. Les créatures emportèrent dans l'ombre ce qui restait de lui. Les deux gardes en avaient assez vu. Ils tirèrent quelques rafales, en tuèrent un ou deux, puis prirent la fuite, poursuivis par une meute de démons aux yeux rouges.

Paul rallia Gamay et les autres et les conduisit dans la zone découverte, dépassant les corps agités de soubresauts des gardes pour atteindre la Mercedes. Il s'installa au volant et enclencha la marche arrière, mais la voiture restait coincée sous les décombres du poste de garde. Il pria les scientifiques de tirer et pousser le véhicule et, après force ahanements, les roues se libérèrent de leur entrave et ils s'entassèrent dans la jeep.

Trout se mit pratiquement debout sur l'accélérateur. Le véhicule bondit et fonça à travers les grilles comme si elles n'existaient pas, puis il dévala la route qui devait les mener à la mer et, espérait Paul, à la liberté.

32

Le dernier-né de la flotte de la NUMA commença à prendre l'eau quelques minutes après être sorti du port. Passer du calme plat aux vagues de six centimètres de pleine mer n'était pas si terrible, mais cela suffit à laisser filtrer l'eau dans la vieille coque. Austin, à la barre, constata que le gouvernail réagissait mollement et que le bateau ralentissait. Il appuya sur l'interrupteur de la pompe pour écoper, mais le moteur refusa de fonctionner.

— Ils auraient dû appeler ce bateau Chasse d'eau bouchée, maugréa Austin.

— Je vais jeter un coup d'œil, déclara Zavala.

Au fond de tout ingénieur brillant se cache un mécanicien et Zavala ne faisait pas exception à la règle. Il n'était jamais si heureux que quand il pouvait mettre les mains dans le cambouis. Il se glissa sous un panneau d'écoutille au bout du pont et, après une ou deux minutes, cria à Austin :

— Essaie encore !

La pompe se mit en marche après une série d'éternuements et de toussotements. Lorsqu'il émergea, il avait l'air d'une jauge d'huile mais son visage maculé de noir rayonnait.

— Cours de réparation pour débutants. Quand rien ne fonctionne, regardez si le câble est branché, dit-il.

Il s'en était fallu de peu. Le bateau donnait de la bande comme une voiture avec un pneu crevé. Mais la pompe fonctionna héroïquement et plus vite que les infiltrations, ainsi le *Spooter* se remit plus ou moins d'aplomb plutôt rapidement avant de poursuivre.

Austin réalisa avec joie que, lorsqu'il ne coulait pas, le bateau se manœuvrait assez bien. Le homardier, construit en accord avec les conditions marines locales, offrait une proue surélevée qui fendait la mer gondolée aussi facilement qu'un canoë sur un étang. Poussés par un vent arrière et le moteur haletant qui cahotait doucement, ils traversèrent la baie en un temps acceptable.

Austin jeta un coup d'œil au radar, s'assurant qu'ils étaient sur la bonne route. Les yeux plissés, il scruta l'horizon par le pare-brise zébré par les embruns, mais ne vit rien d'autre que l'obscurité. Passant la barre à Zavala, il sortit de la timonerie. L'air froid et humide lui fouetta le visage. Il devina une masse sombre qui semblait émerger d'une mer encore plus noire. Il regagna la cabine tiède.

— L'île doit se trouver droit devant, dit-il.

Le bateau ronronnait dans la nuit et, bientôt, la silhouette de l'île commença à prendre forme, et l'on put distinguer ses côtes sur le fond bleu-noir de la nuit. Austin poussa légèrement la barre à tribord et modifia, à l'aide du compas, sa trajectoire de quelques degrés. Il y avait de fortes chances pour que le bateau ait été détecté depuis longtemps, et il voulait donner l'impression à d'éventuels observateurs que le *Spooter* s'apprêtait à contourner l'île.

Une telle feinte ne suffirait peut-être pas à berner les yeux et les oreilles électroniques de l'AUV, mais cela n'était pas impossible. Austin avait en effet étudié les photos satellites prises sur plusieurs heures, afin d'établir la vitesse approximative du véhicule, conscient toutefois que son calcul était quelque peu aléatoire, dépendant à la fois du temps et du pilotage humain. Il avait relevé la position du véhicule et reconstitué son emploi du temps. Régulièrement, l'AUV devait rentrer recharger ses batteries.

Il regarda l'heure. L'AUV devait actuellement se trouver de l'autre côté de l'île. Espérant passer sous le radar, il ramena doucement la barre à bâbord, rapprochant ainsi le bateau des falaises, et pria pour que ses calculs soient exacts.

Le poste de commande qui protégeait l'île des curieux était abrité dans un bâtiment en parpaings, trapu et au toit plat, situé à l'embouchure de l'anse. La moitié du bâtiment abritait les équipements électroniques de haute surveillance, tandis que l'autre moitié était réservée aux douze gardes qui y travaillaient.

Ce contingent avait été divisé en équipes de quatre hommes qui faisaient les trois-huit. Durant la journée, trois gardes patrouillaient en bateau autour de l'île tandis que le quatrième demeurait au poste.

La nuit, l'organisation était différente. Le bateau de patrouille restait au port, car les rochers acérés qui affleuraient au bord de l'île étaient difficiles à repérer dans l'obscurité, mais le bateau restait prêt à partir au cas où l'AUV ou le radar repérerait des intrus. Les équipes de nuit se relayaient pour recharger l'AUV à une borne électrique située sur le ponton. Et évidemment, l'opérateur du radar avait vu le signal sur son écran bien avant que le bateau de pêche approche de l'île, l'observant alors qu'il changeait de cap.

Ce mercenaire allemand du nom de Max savait d'expérience que les bateaux de pêche sortaient rarement de nuit, mais il se détendit lorsque le signal contourna l'île. Il alluma une cigarette et feuilleta pendant quelques minutes les pages usées d'une revue porno, avant de ramener son attention sur l'écran. Il n'affichait rien. Il laissa échapper un juron, écrasa sa cigarette dans un cendrier et se pencha en avant, le nez pratiquement collé dessus. Il toqua même sur le verre avec ses doigts, comme si cela pouvait changer quelque chose.

Toujours aucun signe du bateau de pêche qui avait dû, alors qu'il étudiait scrupuleusement l'anatomie féminine, entrer dans l'angle mort du radar, à la base des falaises. C'était ennuyeux, mais pas catastrophique. Il y avait encore l'AUV. Il se tourna vers un autre moniteur qui surveillait l'AUV : au cours de ses rondes, le submersible envoyait des signaux par l'intermédiaire de transpondeurs qui entouraient l'île et qui relayaient l'information vers le poste de commande, ce qui permettait de connaître sa posititon.

L'AUV mesurait quatre mètres de long, il était large et plat et muni d'un grand aileron dorsal ; il ressemblait à un mélange de requin et de raie manta. L'un des gardes avait même avoué que son profil lui rappelait son ex-belle-mère, nommée Gertrude. Le surnom lui était resté. Gertrude voguait à quelques dizaines de centimètres sous la surface et son sonar sondait l'eau sur trente mètres de chaque côté tandis que ses caméras vidéo filmaient sans interruption.

On pouvait également lui transmettre des ordres à distance, atout précieux pour ce véhicule à double fonction : chien de garde et arme redoutable. L'AUV était équipé de quatre torpilles miniatures, et chacune avait assez de puissance pour couler un destroyer.

Max ordonna à Gertrude de regagner à toute allure le point où il avait vu le bateau pour la dernière fois. Puis il appuya sur le bouton d'un interphone.

— Désolé d'interrompre votre partie, les gars, déclara-t-il. Nous avons un bateau dans la zone de sécurité.

L'équipage responsable du bateau de patrouille était en train de jouer au poker dans le casernement lorsque le haut-parleur avait grésillé son avertissement. Il comptait deux anciens légionnaires français et un mercenaire sud-africain. Ce dernier jeta ses cartes d'un air écœuré et s'approcha de l'interphone.

— Où se trouve la cible ?

— Elle est entrée dans le périmètre de sécurité par le nord, puis elle a disparu dans l'angle mort du radar. J'ai envoyé Gertrude faire un tour.

— Et puis merde, fit le mercenaire, de toute façon j'ai pas de veine ce soir.

Les trois hommes enfilèrent leur veste et leurs bottes et attrapèrent leurs fusils d'assaut FAMAS. En un rien de temps, ils arrivèrent au pas de course sur la jetée noyée dans le brouillard et grimpèrent dans un zodiac long de dix mètres. Les deux moteurs diesel démarrèrent au quart de tour. Ils larguèrent les amarres et, grâce au système de propulsion par jet d'eau, leur vitesse atteignit bientôt près de quarante nœuds.

Ils étaient en mer depuis quelques minutes lorsque l'homme au poste de commande les prévint que l'intrus avait réapparu sur son radar, à l'embouchure du bras de mer. Il guida le bateau de patrouille jusqu'à la cible et regarda sur son écran les deux signaux se rejoindre.

Tandis que deux gardes se tenaient prêts à abattre tout ce qui bougerait, l'homme de barre amena le bateau tout près, jusqu'à ce que son projecteur puisse éclairer le moindre centimètre carré de peinture écaillée. Le Sud-Africain abaissa son FAMAS et se mit à rire. Les autres l'imitèrent.

— *Spooter* ! lut-il. C'est pour ça qu'on a interrompu notre partie de poker ?

— De quoi tu te plains ? Tu perdais ta chemise.

Ils s'esclaffèrent de nouveau.

— On ferait mieux de monter voir sur ce vieux rafiot, dit l'homme de proue.

Les gardes étaient tous d'anciens militaires entraînés qui ne se laissaient pas si facilement distraire. Ils cessèrent de rire, tout à leur action. Le bateau de patrouille accosta le homardier, deux hommes montèrent à bord, arme à la main, tandis que le troisième les couvrait. Ils entrèrent dans la timonerie déserte et ouvrirent le panneau d'écoutille, jetant un œil à l'intérieur.

— Rien, cria l'un des mercenaires à l'homme resté sur le bateau, avant de s'appuyer contre le bastingage pour allumer une cigarette.

— Je resterais pas là trop longtemps, à ta place, lui dit son compagnon.

— Quoi, lui répondit l'autre, depuis quand c'est toi le chef ?

Le légionnaire rigola et remonta dans le bateau de patrouille.

— Comme tu voudras, dit-il. Te mouille pas trop les pieds.

Le Sud-Africain regarda ses bottes. L'eau s'écoulait rapidement depuis la trappe du moteur et inondait le pont. Le bateau coulait. Il laissa échapper un cri, qui fit rire de plus belle ses collègues. L'homme de barre fit mine d'éloigner le bateau de quelques mètres, comme s'il abandonnait son collègue, mais revint lorsque le Sud-Africain éructa un chapelet de jurons en afrikaans.

Il se jeta dans le bateau, puis il regarda avec les autres l'eau monter au niveau des plats-bords. Bientôt, on ne vit plus que le mât et, quelques minutes plus tard, seules les bulles à la surface témoignaient de la disparition du bateau.

— Très bien, espèces de salauds, maintenant que vous vous êtes bien marrés, lança le Sud-Africain, on rentre ouvrir une autre bouteille.

L'homme de barre prit la radio et fit son rapport au poste de commande.

— C'est bizarre, déclara l'homme du radar. Ce rafiot tenait un cap précis quand je l'ai vu apparaître sur le radar.

— T'as bu ?

— Ben oui, j'ai bu.

La patrouille avait fêté la fin des opérations sur l'île, informée par les gardes du labo.

— Ça explique tout.

— Mais...

— Les courants sont forts autour de cette putain d'île. Le bateau a pu être entraîné.

— Peut-être, fit Max.

— J'y peux rien, mec. Il a coulé. On rentre.

— Attention à Gertrude, le prévint Max. Elle est dans le coin.

Quelques secondes plus tard, le gros aileron fendait l'eau près du bateau. Bien qu'ils y soient habitués, les gardes ne se sentaient jamais très à l'aise quand Gertrude était dans les parages. Sa capacité de destruction les angoissait, d'autant plus qu'ils savaient le véhicule automatisé. L'AUV s'arrêta à quinze mètres ; il comparait le profil sonore du bateau avec les informations sur sa base de données.

— Putain, vérifie qu'elle est pas armée !

— Je vais l'envoyer faire un tour, répondit Max avec un rire.

— Vas-y. Nous, on fout le camp.

Les moteurs diesel vrombirent et le bateau fit un virage incliné afin de revenir vers son ponton d'amarrage.

L'aileron sillonna l'eau pendant quelques minutes, suivant des lignes parallèles à la manière d'une tondeuse à gazon. Le sonar, détectant la présence du bateau de pêche au fond de l'eau, transmit une image. L'homme devant son écran scruta l'image quelques minutes, puis ordonna à l'AUV de reprendre ses rondes habituelles.

Dès que l'AUV fut parti, deux silhouettes émergèrent de la cabine de l'épave. A grands coups de palmes bien rythmés, elles se mirent à nager en direction de l'île.

33

TROUT conduisait le pied au plancher depuis qu'il avait défoncé la grille avec la Mercedes de Strega. MacLean, assis sur le siège passager avec Gamay, avait les yeux rivés sur le compteur tandis que la voiture passait le col.

— Docteur Trout ! dit-il d'une voix calme mais pressante. Il y a un virage prononcé un peu plus loin. Si vous ne ralentissez pas, il va nous falloir des ailes.

Gamay posa la main sur le bras de son mari.

Trout jeta un coup d'œil au compteur. Il était à plus de cent kilomètres à l'heure. Il appuya sur le frein et alluma enfin les phares pour anticiper le virage, plus que prononcé, en épingle à cheveux. A droite de la route, le vide, sans garde-fou.

Les pneus dérapèrent tout près du bord dentelé de la falaise, mais la Mercedes resta sur la route, droite à nouveau, avant de descendre progressivement. Trout laissa échapper le soupir qu'il retenait et relâcha son étreinte sur le volant, détendant chacun de ses doigts.

— Merci pour l'avertissement, Mac.

— Je n'aurais pas voulu que nous nous fassions arrêter pour excès de vitesse, répondit MacLean en esquissant un sourire.

Trout regarda par-dessus son épaule l'enchevêtrement de bras et de jambes sur la banquette arrière.

— Tout le monde est encore là ? demanda-t-il.

— On ne s'en ira que si tu nous déloges avec une barre de fer, déclara Sandy.

Trout s'autorisa le luxe de rire de bon cœur. Malgré son calme apparent, il était aussi tendu qu'une arbalète. Le comportement sensé de MacLean l'avait ramené à la réalité. C'était l'adrénaline qui l'avait aidé à s'échapper du camp mais maintenant, s'il voulait rester en vie, il fallait garder la tête froide et rester prudent. La route continua à descendre jusqu'au niveau de la mer, et prit fin à une jonction, offrant deux directions possibles.

Trout arrêta la Mercedes et tendit la main vers la gauche.

— Est-ce par ici que nous sommes arrivés ?

— C'est exact, dit MacLean. La route longe le bord du bras de mer jusqu'à l'abri du sous-marin. Il y a une garnison et une caserne là-bas. Si nous tournons à droite, nous arriverons à l'embouchure de la crique ; il y a un poste de commande et un ponton pour le bateau de patrouille.

— Vous avez bien étudié votre leçon, lança Trout.

— Comme quoi vous n'êtes pas le seul à avoir cherché un moyen de quitter ce satané rocher.

— On dirait que nous n'avons pas le choix. Le bateau pourrait être notre ticket de sortie.

— Je suis d'accord, renchérit Gamay. De plus, tant qu'à réveiller un essaim de frelons, autant choisir celui où il y en a le moins.

Trout hocha la tête et tourna vers la droite. La route longeait encore sur huit cents mètres une plage qui bordait le bras de mer. Il vit des lumières au loin et gara la voiture sur le bas-côté, après quoi il informa les autres de ses plans, leur suggérant de sortir se dégourdir les jambes mais de veiller à rester près de la voiture. Puis il se mit en marche. L'air était chargé de senteurs marines, cela faisait du bien d'être sorti du camp, mais ce n'était pas gagné. Sa liberté était toute relative, et lui fit penser aux vagues qui léchaient la plage.

Trout s'approcha des lumières, qui filtraient d'un bâtiment en béton aux stores baissés. Il en fit le tour, de loin, jusqu'à tomber sur un ponton en bois qui surplombait l'eau. Pas de bateau, pas même une barque. La fraîche brise marine n'était rien comparée au froid qu'il ressentait au creux de son estomac. Il revint d'un pas lourd vers la Mercedes et se glissa derrière le volant.

— Le bateau de patrouille n'est pas là, annonça-t-il. Nous pouvons attendre en espérant qu'il revienne, mais au lever du soleil, les jeux seront faits. Je propose que nous allions faire un tour du côté de l'abri du sous-marin.

— C'est le dernier endroit où ils iraient nous chercher, approuva Gamay.

— C'est le dernier endroit où j'ai envie d'aller, objecta MacLean. Nous ne sommes pas précisément un contingent des Forces spéciales.

— Ils n'étaient qu'une centaine d'assiégés à Fort Alamo.

— Je connais l'histoire américaine, Paul. Ils ont été massacrés. Et ne me parlez pas des Ecossais et de la bataille de Culloden. Ils ont fini massacrés eux aussi.

Trout fit la grimace.

— Quand la situation est désespérée, il faut se rabattre sur des solutions qui le sont tout autant.

— Ça, je peux le comprendre. Mais ce que je voudrais savoir, c'est à quoi vous pensez exactement.

— Eh bien, je vais essayer de monter à bord du sous-marin et de trouver une radio. Si ça ne marche pas, je trouverai autre chose.

— Je vous en crois capable, dit MacLean en observant Trout d'un regard scientifique. Vous êtes plein de ressources pour un géologue.

— J'essaie de me débrouiller, répondit Trout en tournant la clé de contact.

Il longea la baie jusqu'à l'église abandonnée et le cimetière, puis il gara le véhicule derrière le bâtiment en ruines et intima aux autres l'ordre de ne pas bouger. Cette fois, Gamay insista pour venir avec lui. Ils suivirent un sentier pierreux qui les mena à l'endroit où le bras de mer s'incurvait, laissant apparaître une crique.

Des projecteurs balayaient le périmètre autour de la caserne. Paul et Gamay s'approchèrent, prenant soin de rester à une trentaine de mètres du bâtiment, et étudièrent la géographie des lieux. Le bâtiment était construit près du bord de la falaise, prolongé par une plate-forme d'observation qui surplombait la crique. Une échelle couverte descendait de la plate-forme.

— Allons jeter un coup d'œil à cette échelle, dit Paul.

— Je crois que nous n'avons pas à nous inquiéter, dit Gamay. On dirait qu'il y a un enterrement de vie de garçon chez les Klingons.

Comme les gardes du camp, l'équipe chargée du sous-marin avait appris la fin de la mission qu'ils fêtaient joyeusement dans leur caserne. Apparemment, ils n'étaient pas au courant du triste sort de leurs camarades restés au camp.

Gamay et Paul avancèrent et se glissèrent sous la plate-forme. L'échelle descendait le long de la falaise. Ils l'empruntèrent jusqu'à une étroite passerelle métallique, construite à quelques dizaines de centimètres au-dessus du niveau de l'eau, puis suivirent une rangée de lumières à hauteur de leurs chevilles qui les mena à l'entrée béante de l'abri du sous-marin.

Le sous-marin géant qui les avait kidnappés surgit alors devant eux. Quelques voyants étant restés allumés sur le pont, ils purent repérer la passerelle et marcher jusqu'à une écoutille. Trout souleva le panneau et passa la tête à l'intérieur. Des lumières au ras du sol illuminaient l'intérieur du sous-marin.

Ils descendirent une autre échelle et se faufilèrent à l'intérieur aussi silencieusement que des chats. Trout, qui marchait le premier, s'arrêtait à chaque coin, vérifiant qu'il n'y avait personne, mais ils ne rencontrèrent pas âme qui vive. La salle de contrôle était plongée dans la pénombre, éclairée seulement par les voyants clignotants des panneaux informatiques. Le poste radio tenait dans un petit espace, au fond. Tandis que Gamay faisait le guet, Trout s'assit devant une console électronique réservée aux communications, souleva un combiné, composa le numéro du standard de la NUMA et retint son souffle, incertain du résultat.

— Agence nationale... et sous-marine, dit une agréable voix féminine.

La communication était hachée, sans doute à cause de l'épaisseur de l'abri.

— Rudi Gunn, s'il vous plaît. De la part de Paul Trout.

— Un... tant, je vous prie.

L'instant sembla durer une éternité. Paul se représenta mentalement le hall de la NUMA et son immense globe terrestre. Enfin, la voix du directeur adjoint de la NUMA lui parvint. Il imginait très bien le frêle Rudi Gunn assis dans son immense bureau, en train d'appliquer son génie à quelque problème logistique complexe.

— Trout ? Mais où est-ce... tes ? On vous a cherchés... entier. Vous allez bien ?

— Oui, Rudi. Gamay est là aussi. Je n'ai pas beaucoup de temps. L'*Alvin* a été détourné. Nous sommes sur une île, je pense qu'elle se trouve dans les eaux écossaises ou scandinaves. Il y a sept autres scientifiques retenus prisonniers. Ils nous ont fait travailler sur une expérience démente. Nous nous sommes échappés, mais nous ne sommes peut-être pas au bout de nos peines.

— Je ne... tends pas bien, mais je comprends. Tu peux rester... radio ?

— Il faut qu'on rejoigne les autres.

— Laisse le radiotéléphone allumé. Nous allons vous repérer... signal.

La réponse de Trout resta suspendue : Gamay venait de l'avertir, en chuchotant, que quelqu'un arrivait en sifflotant. Il reposa précautionneusement le micro sur son socle et éteignit la radio. Puis Gamay et lui se mirent à quatre pattes pour essayer de se cacher sous la console. Le sifflotement se rapprocha. Le garde s'arrêta pour regarder à travers le panneau vitré de la porte mais, comme tout semblait normal, il s'éloigna en sifflotant toujours.

Les Trout s'extirpèrent de leur cachette. Paul rappela Gunn pour lui confirmer qu'ils laissaient la radio allumée. Il jeta un coup d'œil dans le couloir et, constatant qu'il était vide, ils rebroussèrent chemin. Ils se déplaçaient avec encore plus de prudence, aux aguets. Ils sortirent de l'écoutille sur le pont, empruntèrent la passerelle au pas de course et grimpèrent à l'échelle qui les ramènerait à la route.

Ils arrivaient à l'église et passaient par le cimetière lorsque la nuit s'illumina. Sous la lumière aveuglante, plusieurs silhouettes se dressaient derrière les tombes, comme des âmes errantes. Puis des mains calleuses attrapèrent Paul et Gamay et des gardes les poussèrent vers l'église. Un costaud, qui se tenait devant l'autel, arborait un grand sourire qui jurait avec le fusil automatique qu'il tenait droit devant lui, le canon pointé sur le nombril de Trout.

— Salut, mon pote, fit l'homme après un rapide coup d'œil à Gamay. C'est le terminus pour toi et tes amis.

La chouette, perchée sur un arbre desséché près du bord de mer, guettait de son ouïe fine le frottement furtif d'une souris qui trottinait entre les touffes d'herbe. L'oiseau s'apprêtait à fondre sur la malheureuse créature lorsque ses yeux jaunes perçurent un mouvement sur la plage. Quelque chose de gros et brillant immergeait d'une vague et avançait sur le sable mouillé. La chouette étendit ses ailes et vola silencieusement vers l'intérieur des terres. La souris détala dans l'herbe, ignorant qu'elle venait d'échapper à la mort.

Une deuxième silhouette à la même peau noire surgit des flots comme une créature préhistorique émergeant de l'océan primaire. Austin et Zavala remontèrent leur masque sur leur front, ouvrirent leurs sacs étanches et en sortirent les pistolets SIG-Sauer 9 mm que les infortunés Seals avaient laissés à bord du navire de recherche. Constatant qu'ils étaient seuls, ils ôtèrent leurs bouteilles et leurs combinaisons.

Lorsque le bateau de patrouille était arrivé, ils avaient ouvert les robinets du *Spooter* afin de l'envoyer par le fond. Depuis l'intérieur de la timonerie, ils avaient regardé, dissimulés, l'AUV inspecter le bateau, et c'est seulement après son départ qu'ils s'étaient mis à nager vers la rive. Les courants les avaient probablement fait dériver, mais Austin était à peu près sûr qu'ils étaient arrivés non loin de l'endroit prévu.

Austin jeta un coup d'œil à sa montre : ils disposaient de six heures avant le lever du jour. Il en informa Zavala. Après cinq minutes de marche dans le sable, des gravillons crissèrent sous leurs pieds. Austin sortit un mini-ordinateur de son sac et examina la photo satellite de l'île.

— Si nous restons sur cette route, nous arriverons au camp qui est à environ trois kilomètres. Il nous faudra passer un col.

Sans un mot de plus, ils se mirent en marche sur la route plongée dans l'obscurité.

L'homme qui pointait son arme sur Trout avait une face de lézard, toute en dents et sans lèvres.

— On vous attendait, lui dit-il avec un accent australien.

— Comment nous avez-vous trouvés ? demanda Trout.

— Vous le saviez peut-être pas, fit-il avec un gros rire, mais on a des caméras de surveillance un peu partout sur l'île. Si les gars avaient pas été aussi soûls, ils vous auraient vus plus tôt.

— Désolé d'avoir interrompu votre petite fête.

— Vos amis étaient pas très causants, reprit le garde. Où avez-vous eu la voiture de Strega ?

— Le colonel ne s'en servait pas, alors nous avons pensé que nous pourrions sortir faire un tour.

Le garde fit pivoter son arme et donna un coup de crosse dans le plexus de Trout. Ce dernier eut l'impression que son cœur s'arrêtait de battre. Il fut plié en deux, les mains serrées sur son estomac, et tomba à genoux. Lorsque les vagues de nausée passèrent, il se remit péniblement debout. Le garde l'attrapa par l'avant de sa combinaison et le tira vers lui. Il empestait le whisky.

— J'aime pas qu'on joue au petit malin, dit-il en poussant Paul en arrière et en pointant son arme sur Gamay. Où vous avez eu la voiture ?

— Strega est mort, dit Trout, le souffle court.

— Mort ? répéta-t-il en plissant les yeux. Il est mort comment ?

Trout savait que même s'il disait la vérité, le garde ne le croirait pas.

— Il vaut mieux que je vous montre.

Le garde hésita.

— Qu'est-ce que vous tramez ? demanda-t-il en levant son arme.

— Rien. Nous ne sommes pas en position de force.

Le commentaire satisfit l'ego de l'homme, ainsi que l'espérait Trout.

— Ça, t'as raison, mon pote.

Lui et les autres gardes escortèrent les Trout jusqu'à l'arrière de l'église où était garée la Mercedes. Sandy, MacLean et les autres scientifiques étaient entravés près du véhicule sous le regard vigilant de deux autres hommes armés. Un long pick-up était garé à côté de la Mercedes. Ils ordonnèrent aux prisonniers, y compris Gamay, de monter dans la benne du véhicule. Quelques gardes les escortèrent, tandis que deux autres grimpaient à l'arrière de la jeep. L'Australien ordonna à Trout de le conduire au camp, puis s'installa à côté de lui.

— Tu as intérêt à avoir dit la vérité.

— Pourquoi vous ne nous abandonnez pas ici, tout simplement ? demanda Trout. L'expérience est terminée.

— Très drôle. On s'en va et le lendemain, un gars arrive et vous trouve en train d'agiter vos maillots de corps sur la plage. Je me méfie, il arrive que des trucs comme ça finissent par vous rattraper. Maintenant, conduis et ferme-la.

Trout s'exécuta. Une fois arrivés au camp, l'Australien lui ordonna de couper le moteur, arracha les clés du contact et sortit. Les autres gardes sautèrent du camion et écarquillèrent les yeux dans l'ombre, prêts à faire feu.

L'Australien inspecta la grille fracassée et la guérite retournée. L'endroit était d'un calme angoissant. Ni cris d'oiseaux de nuit, ni bourdonnement d'insectes. Aucune trace du carnage dont Trout avait été témoin. Il songea au festin de rats que Strega avait l'habitude d'orchestrer et se dit qu'il ne voulait décidément pas savoir ce qui était arrivé aux cadavres.

L'Australien remonta dans la Mercedes.

— Qu'est-ce qui se passe ici, bordel ?

— Est-ce que vous saviez sur quoi nous travaillions au labo ?

— Ouais. Des armes bactériologiques. Quelque chose à voir avec les échantillons que le sous-marin rapportait du fond de l'océan. Ils ne nous laissaient jamais entrer dans le camp.

Trout se mit à rire.

— Qu'est-ce qu'il y a de si drôle ? demanda l'Australien sur un ton menaçant.

— Ils vous ont menti, répondit Trout. Nous faisions de la recherche sur les enzymes.

— De quoi tu parles ?

— Vous avez entendu parler de la Pierre philosophale ?

Le canon du fusil s'enfonça entre les côtes de Trout.

— La v'là ma philosophie !

Trout grimaça, mais continua calmement.

— C'est un élixir secret permettant de transformer les métaux en or.

— Ça n'existe pas.

— Vous croyez que les gens qui vous ont engagés se seraient donné tout ce mal pour rien ?

Silence.

— OK, mon pote, montre-nous cet or.

— Je vais vous conduire au hangar où il est stocké. Peut-être que vous reconsidérerez ma suggestion de nous laisser ici.

L'Australien sourit.

— C'est ça, je vais y penser.

Trout savait que ses collègues et lui étaient cuits et, même s'ils avaient pu produire tout l'or de Fort Knox, nulle autre raison n'aurait pu le pousser à retourner au Zoo. Il reprit le volant et alla se garer devant la porte grande ouverte.

— On y est, dit-il.

Ils sortirent de la Mercedes, l'Australien s'empara des clés puis ordonna à ses hommes de descendre du camion, sauf un qui resterait sur place, avec ordre de tuer quiconque lèverait le petit doigt. Il ordonna à Trout de leur montrer de chemin.

— Putain, c'est quoi cette puanteur ? fit un garde.

— C'est l'odeur de l'or, ricana l'Australien.

Trout se dirigea vers la porte, comme en transe. Il savait qu'il prenait un risque, mais il était presque certain que les créatures, par instinct, retourneraient dans le bâtiment, que leur prison était leur foyer. Il sut qu'il ne s'était pas trompé lorsqu'il pénétra dans la pénombre fétide et qu'il reconnut le bruit écœurant de la mastication des os, les yeux rouges brillant dans l'ombre. Il passa la main sur le mur et alluma.

Les créatures étaient à nouveau dans leurs cages, portes ouvertes, occupées à se régaler des restes du colonel Strega et de ses sbires. Lorsque la lumière inonda la pièce, elles se tapirent au fond de leurs cages. Le garde australien lâcha un cri d'horreur et de dégoût.

Il empoigna Trout et le poussa contre le mur.

— Toi et tes amis, vous allez mourir pour ça.

Trout essaya d'attraper le canon du fusil pour essayer de l'arracher des mains de l'Australien, mais celui-ci avait l'avantage d'être du côté de la gâchette. Il tira dans le vide, entaillant le mur à quelques centimètres de la nuque de Trout. Tandis qu'ils se disputaient l'arme, les créatures s'étaient avancées. La vue de l'uniforme des gardes déclencha en elles une réaction féroce. Les créatures bondirent hors de leurs cages, masse hurlante de crocs et de griffes.

Le garde parvint à tirer quelques coups avant d'être pris dans l'attaque hargneuse. Deux créatures sautèrent sur le dos de l'Australien et le plaquèrent au sol. Une autre s'avança vers Trout, puis s'arrêta net et le regarda. Il aurait juré apercevoir un éclair d'humanité dans son regard car, constatant que Trout ne portait pas d'uniforme, elle se jeta sur l'Australien.

Trout se rua vers la porte et renversa le garde chargé des prisonniers. Une des créatures qui l'avait suivi l'aperçut, tombé à terre, et lui fit la peau.

Trout ordonna à Gamay de se mettre au volant de la camionnette. Quant à lui, il se glissa au volant de la Mercedes et tendit la main vers la clé de contact. Disparue. Il se rappela que l'Australien l'avait emportée. Gamay lui cria que celle de la camionnette n'était pas là non plus. Trout sortit d'un bond de la voiture, attrapa Gamay par la main et hurla à tout le monde de fuir.

Un calme soudain envahit le Zoo, et Trout supposa que les créatures se régalaient d'avoir eu les gardes à dîner. Il n'avait pas envie de se trouver là au moment du dessert.

Austin et Zavala se trouvaient à environ un kilomètre et demi du camp lorsqu'ils entendirent un bruit de pas devant eux. Ils quittèrent la route en gravillons et se jetèrent à plat ventre dans les herbes hautes.

A mesure que les pas se rapprochaient, ils perçurent murmures et respirations sifflantes qui laissaient suggérer que certains d'entre eux n'étaient pas dans une excellente forme physique. Puis il entendit une voix familière qui les encourageait.

— Allez, on se dépêche, les amis. Nous aurons tout le temps de nous reposer ensuite.

Trout s'arrêta net lorsqu'il vit les deux silhouettes émerger de l'obscurité.

— Vous êtes bien loin de la Cité perdue, lança Austin.

— Kurt et Joe ? fit Trout avec soulagement. Merde, c'est les grandes retrouvailles !

Gamay serra dans ses bras ses collègues de la NUMA.

— Voici mes amis Mac et Sandy, fit Trout. Je vous présenterai les autres plus tard. Vous avez un bateau ?

— Hélas, nous avons brûlé nos vaisseaux, répondit Austin. Mais nous avons aperçu une vedette tout à l'heure. Vous savez où elle est amarrée ?

— Je sais où elle est peut-être amarrée, dit Trout qui tendit l'oreille en fronçant les sourcils. Il faut qu'on file d'ici.

Austin avait aussi entendu le bruit, semblable au hurlement du vent.

— Qu'est-ce que c'est ? demanda-t-il. On dirait une meute de loups pourchassant un cerf.

— J'aimerais mieux ça, déclara Trout. Vous êtes armés ?

— Nous avons des pistolets.

Le hurlement s'amplifiait. Trout regarda de nouveau derrière lui sur la route.

— Abattez tout ce qui bouge, surtout ce qui a des yeux rouges, leur enjoignit-il sans autre explication.

Austin et Zavala, qui se rappelaient les furies sur la cassette vidéo, se laissèrent aisément persuader.

Trout prit Gamay par la main et cria aux autres de repartir. Austin et Zavala fermèrent la marche.

Le groupe progressa en silence pendant quinze minutes, pressé par le hurlement qui s'intensifiait, jusqu'à apercevoir les lumières qui filtraient des fenêtres de la caserne. Leurs poursuivants étaient maintenant si proches que l'on pouvait faire une distinction entre les hurlements, tous différents.

Le bruit avait également dû franchir les murs de la caserne, car des gardes sortirent brusquement dans la nuit au moment où les fugitifs contournaient le bâtiment pour se rendre au ponton.

Les gardes eurent le temps d'apercevoir les visages à la lumière de la porte ouverte, et hurlèrent au groupe de s'arrêter. L'un d'eux cria quelque chose à l'intention de ceux qui se trouvaient dans le bâtiment et, quelques secondes plus tard, deux autres en sortirent, l'un à moitié habillé et le deuxième, un grand barbu, encore en sous-vêtements. Il ricana.

— On dirait qu'on a droit à un petit bonus de la part de Strega.

Ses camarades éclatèrent de rire mais leur amusement, de courte durée, se mua en frayeur quand ils entendirent le hurlement. Le bruit terrifiant semblait venir de toutes les directions. Ils se serrèrent les uns contre les autres, tendant leurs armes vers l'avant, hypnotisés par les yeux qui brillaient comme des charbons ardents dans l'obscurité.

L'homme à la barbe noire arrosa l'obscurité de coups de feu et des cris de douleur lui indiquèrent que certaines balles avaient touché leur cible. Les créatures lancèrent l'assaut et arrivaient de toutes parts, bondissant sur tout ce qui portait un uniforme. Les scientifiques et les membres de la NUMA profitèrent de ce sanglant désordre pour s'éclipser, sous la conduite de Trout, vers le ponton où était amarrée la vedette.

Austin monta à bord et fit démarrer le moteur, puis redescendit sur le ponton pour veiller sur les autres. MacLean aidait ses collègues à embarquer mais, au moment où il s'apprêtait à les rejoindre, des coups de feu se firent brusquement entendre, et il s'écroula sur le pont.

Les tirs venaient du garde barbu qui courait vers le bateau. Sa tenue débraillée l'avait sauvé des créatures. Austin tira à l'aveuglette, mais manqua son coup. Le garde, ne s'attendant pas à une riposte, se reprit rapidement, mit un genou au sol et leva son arme.

Un coup de feu explosa à l'oreille d'Austin. Gamay avait tiré par-dessus son épaule. C'était une experte en tir mais, dans sa hâte, elle rata sa cible. La balle blessa l'homme à l'épaule gauche. Il hurla de colère et de douleur, mais parvint à reprendre son fusil en main. Bien qu'assourdi et étourdi, Austin se posta devant ses amis, son corps en bouclier, tout en levant son pistolet.

Un chœur de hurlements surgit derrière le garde ; il se retourna et tendit le bras pour tirer, mais fut assailli par une horde de créatures hargneuses. Austin remit son arme dans son holster et, aidé de Zavala, il souleva MacLean afin de l'installer dans le bateau. Soudainement, l'une des créatures se détacha prestement des autres et avança en titubant jusqu'au bord de la jetée. Gamay visa pour l'abattre, mais Paul, qui se préparait à larguer les amarres, s'interrompit pour attraper sa femme par le poignet. Il avait reconnu la créature qu'il avait rencontrée dans le blockhaus.

— Il est blessé, dit Trout.

Sa poitrine était rouge de sang. Il leva les yeux vers Trout, puis ses jambes se dérobèrent et il bascula en avant, mort, dans le bateau. Austin cria à Trout de se mettre aux commandes tandis qu'il s'occupait de MacLean. Dès que Gamay eut largué les amarres, Trout mit les gaz, la proue vers le large.

Le bateau s'éloigna à pleins gaz de cette île de l'horreur. Trout passa les commandes à Gamay et s'approcha de MacLean, allongé sur le dos. Les autres scientifiques s'étaient serrés les uns contre les autres pour lui laisser une plus grande place ; Austin avait glissé un gilet de sauvetage sous sa tête en guise d'oreiller et il se tenait accroupi à côté de lui. Il avait l'oreille tout près de la bouche de MacLean, qui releva la tête lorsqu'il vit Trout.

— Il veut te parler, lui dit-il.

Trout s'agenouilla de l'autre côté de l'homme agonisant.

— Nous nous sommes enfuis, Mac, le rassura-t-il. Nous allons vous trouver un médecin et vous serez sur pied en un rien de temps.

MacLean répondit par un rire, tandis que du sang s'écoulait de la commissure de ses lèvres.

— N'essayez pas de raconter des bobards à un vieil Ecossais, cher ami, articula-t-il faiblement.

Alors que Trout s'apprêtait à répondre, MacLean leva une main tremblotante.

— Non. Laissez-moi parler. (Ses yeux commencèrent à se révulser, mais il se reprit.) La formule.

— Quoi ?

MacLean tourna les yeux vers le visage d'Austin. Puis il rendit l'âme.

34

GERTRUDE vint leur faire ses adieux.

Gamay avait perçu le bruit du bateau qui partait et l'avait intercepté à un kilomètre et demi de l'île. C'est Zavala qui le vit le premier. Agrippé à un projecteur, il sondait l'obscurité pour éviter les rochers lorsque l'aileron était apparu. Il crut tout d'abord qu'il s'agissait d'un orque, mais lorsque le drôle de poisson s'approcha et qu'il vit des rivets sur l'aileron métallique, il comprit à qui il avait affaire.

Le véhicule les escorta sur une centaine de mètres, puis s'éloigna et reprit sa ronde habituelle. Personne à bord du bateau ne sut combien ils avaient été proches de la catastrophe car, depuis le poste de commande, Max avait envoyé Gertrude poursuivre les fugitifs, armant les quatre torpilles. Il avait programmé le lancement et s'apprêtait à faire feu lorsqu'il avait eu la gorge tranchée.

Le bateau poursuivit sa route sans encombre pendant une demi-heure avant qu'Austin ne se décide à appeler les gardes-côtes. Quelques minutes plus tard, le patrouilleur britannique *Scapa*, long de trente-trois mètres, interceptait l'appel de détresse du bateau qui signalait sa position. Le *Scapa* réagit avec toute la puissance de ses trente nœuds. Par expérience, le capitaine crut qu'il s'agissait d'un pêcheur en détresse. Mais lorsque, debout sur le pont du *Scapa*, il vit le zodiac dans la lumière de son projecteur, le capitaine John Bruce songea que de toutes les bizarreries qu'il avait vues au cours de ses vingt ans de patrouille dans les Orcades, celle-ci détenait la palme.

Selon ses estimations, le bateau gonflable rigide à bâbord devait faire dix mètres de long. La plupart des passagers, tremblants, étaient vêtus de combinaisons vert fluo. Le capitaine n'avait pas connaissance de prisons dans le coin, mais les circonstances lui semblèrent pour le moins douteuses. Méfiant, il ordonna à son équipage de se tenir prêt à faire feu.

Tandis que le bateau des gardes-côtes se rangeait près du zodiac, le capitaine porta à ses lèvres un mégaphone électrique.

— Veuillez vous identifier.

Un homme fit un geste pour attirer l'attention du capitaine. De forte carrure, il avait le teint mat et buriné et des cheveux platine, presque argentés.

— Kurt Austin, de l'Agence marine et sous-marine, dit-il d'une voix qui portait naturellement et couvrait le bruit des moteurs. Ces gens sont épuisés et souffrent peut-être d'hypothermie. Pouvez-vous nous aider ?

Le capitaine réagit avec prudence, en dépit de la sincérité qu'il lisait sur le visage d'Austin. Il avait par le passé entendu parler de la NUMA, l'agence américaine d'océanographie aux nombreuses ramifications, croisant certains de ses navires lors de ses missions. Mais l'image qu'il s'en faisait ne correspondait pas à la brochette de malheureux entassés dans ce petit zodiac, loin des navires turquoise élancés qu'il avait déjà vus.

Le capitaine Bruce était un Ecossais corpulent et chauve, le visage criblé de taches de rousseur, ses yeux bleu pâle et son menton volontaire trahissaient sa détermination. Il balaya le bateau du regard. L'angoisse et l'épuisement qu'il lut sur le visage des gens entassés dans le zodiac ne pouvaient être feints. Il ordonna que l'on mette une annexe à la mer et que l'on fasse monter à bord les passagers, tout en avertissant ses hommes d'équipage de rester vigilants et de garder leurs armes à portée de main.

Il fallut plusieurs trajets pour faire passer les passagers d'un bateau à l'autre. Vus de près, il était clair que les malheureux n'étaient en rien menaçants. A mesure qu'ils montaient sur le pont, le médecin les examinait rapidement. On leur donna à chacun une couverture et on les envoya au mess pour y boire un bol de soupe et une tasse de café chaud.

Austin monta en dernier, accompagné d'une séduisante femme rousse et de deux hommes, l'un au teint mat et le deuxième si grand qu'il semblait remplacer le mât du bateau.

Austin serra la main du capitaine et lui présenta ses compagnons.

— Voici Gamay Morgan-Trout, Paul Trout et Joe Zavala, dit-il. Nous sommes tous les quatre de la NUMA.

— Je n'étais pas au courant d'opérations de la NUMA par ici, dit le capitaine en serrant les mains tendues.

— Techniquement parlant, il n'y en a pas.

Austin dit aux autres qu'il ne tarderait pas à les rejoindre au mess et se tourna vers le capitaine.

— Les passagers viennent de vivre des moments difficiles et certains souffrent d'hypothermie. Nous nous sommes ensuite perdus dans le brouillard, c'est pourquoi nous avons lancé un appel à l'aide. Désolé de vous avoir dérangés.

— Il n'y a pas de mal, mon garçon. C'est notre boulot.

— Merci quand même. J'ai un autre service à vous demander. Serait-il possible d'envoyer un message par radio à Rudi Gunn, au siège de la NUMA à Washington ? Dites-lui qu'Austin et compagnie vont bien et que nous le tiendrons au courant.

— Je vais envoyer quelqu'un s'en charger immédiatement.

— Dans ce cas, je ne dirai pas non à un petit bol de soupe, dit Austin avec un sourire. (Alors qu'il s'éloignait, il se retourna, l'air de rien) Au fait, il y a deux corps à bord du zodiac.

— Des cadavres ?

— Tout à fait. Je me demandais si vos hommes pourraient les hisser à bord avant de prendre le zodiac en remorque.

— Oui, bien sûr, dit Bruce.

— Merci encore, capitaine, lança Austin avant de se couvrir les épaules d'une couverture tel un Indien navajo, et de s'éloigner à grands pas vers le mess.

L'orgueil du capitaine, qui n'avait pas l'habitude de recevoir des ordres, se réveilla un court instant, puis il éclata de rire. Après des années en mer à commander toutes sortes d'hommes dans des situations chaque fois bien particulières, son jugement sur la nature humaine s'était affiné. Bruce avait bien compris que ce qu'il avait pris, chez Austin, pour de la désinvolture n'était en fait qu'une grande confiance en lui. Il ordonna à ses hommes de rapatrier les corps afin de les emmener au dispensaire, puis d'attacher un câble de remorquage au bateau.

De retour sur la passerelle, il envoya le message d'Austin à la NUMA. Il venait de faire son rapport au poste de commande des gardes-côtes quand le médecin de bord l'appela par l'interphone. Le capitaine écouta la voix tout excitée du médecin, puis descendit au dispensaire. Deux housses pour cadavres reposaient sur des brancards. Le médecin donna au capitaine Bruce un tampon de vaseline parfumée à mettre sous ses narines.

— Cramponnez-vous, lui dit-il avant d'ouvrir l'une des housses.

Le capitaine avait déjà vu et senti des cadavres de noyés à différents stades de décomposition, et ce n'est pas tant la forte odeur animale qui s'échappait de la housse qui le dérangea que la vue qui s'offrit à lui. Son visage rubicond vira au gris. Ce bon anglican, qui ne buvait ni ne jurait jamais, aurait préféré sur le coup être moins dévot.

— Nom de Dieu, qu'est-ce que c'est que ça? fit-il d'une voix rauque.

— Un truc de cauchemar, répondit le médecin. Je n'ai jamais rien vu de tel.

— Et l'autre?

Le médecin ouvrit le deuxième sac. Il renfermait le corps d'un bel homme grisonnant d'une cinquantaine ou d'une soixantaine d'années.

— Refermez-moi ça, ordonna le capitaine, et quand le médecin eut obtempéré, il poursuivit : De quoi sont-ils morts?

— Ces deux, euh... *hommes*, ont été tués par balle.

Le capitaine Bruce remercia le médecin avant de se diriger vers la salle à manger. Les visages effrayés qu'il avait vus plus tôt étaient à présent souriants et avaient retrouvé leurs couleurs grâce à de généreuses portions de nourriture et de rhum. Austin était assis à table avec Paul et Gamay, les écoutant attentivement raconter leur enlèvement et leur séquestration. A l'arrivée du capitaine Bruce, Austin lui adressa un grand sourire.

— Capitaine, comme vous le voyez, votre hospitalité est fort appréciée.

— J'en suis ravi, répondit-il. Je me demandais si nous pourrions avoir un entretien seul à seul, monsieur Austin?

Le ton grave du capitaine alerta Austin, qui crut deviner de quoi il s'agissait.

— Certainement.

Le capitaine le précéda et le mena à une pièce proche du mess avant de lui offrir un siège.

— J'ai des questions à vous poser.

— Allez-y, je vous en prie.

— A propos de ces corps. Qui sont ils, ou devrais-je dire, de quoi s'agit-il?

— L'un d'eux est un chimiste écossais qui s'appelle MacLean. Angus MacLean. Je ne sais pas exactement qui est, ou plutôt était, l'autre. On m'a expliqué qu'il s'agissait d'un mutant, le fruit d'une expérience scientifique qui a mal tourné.

— Mais quel genre d'expérience pourrait produire un monstre comme ce pauvre diable?

— Je ne connais pas les détails.

Le capitaine secoua la tête, incrédule.

— Ils ont été abattus en essayant de s'enfuir d'une île où ils étaient retenus prisonniers, répondit Austin en donnant les coordonnées de l'île.

— L'île interdite? Voilà vingt ans que je fais des patrouilles par ici et je n'ai jamais mis le pied sur cette île. Que diable faisiez-vous là-bas?

— Mes collègues Paul et Gamay Trout, ainsi que le pilote du submersible *Alvin,* y étaient retenus contre leur gré. Nous sommes partis les secourir et nous avons rencontré quelques problèmes.

— Qui les retenait prisonniers?

— Je ne sais pas. Je suggère que nous éclaircissions tout cela une fois à terre.

Un jeune matelot entra dans la pièce et tendit deux documents au capitaine Bruce.

— Cela vient d'arriver, monsieur.

— Merci.

Le capitaine s'excusa, lut les messages et en tendit un à Kurt. Il venait de Rudi Gunn.

« *Contents que vous alliez bien. Des détails bientôt ? Rudi.* »

L'officier prit connaissance de l'autre note, haussant les sourcils.

— On dirait que vous avez une certaine importance, monsieur Austin. Le poste de commande central des gardes-côtes a été contacté par l'Amirauté. Nous devons vous traiter avec la plus grande courtoisie et vous donner tout ce que vous désirez.

— Est-ce que les navires britanniques ont toujours du grog ? demanda Austin.

— Je n'ai pas de grog, mais j'ai une bouteille de bon whisky écossais dans ma cabine.

— Voilà qui fera très bien l'affaire, déclara Austin.

35

C'EST un tout autre accueil qui attendait le *Scapa* lorsqu'il accosta à Kirkwall, la capitale des Orcades. Alignés sur le quai dans l'attente du patrouilleur, un autobus, un corbillard et une vingtaine de silhouettes vêtues de combinaisons de décontamination à capuche.

Austin se tenait au bastingage avec le capitaine Bruce. Observant le comité d'accueil, il déclara :

— Soit c'est une équipe de décontamination, soit la mode britannique a beaucoup évolué.

— A ce que je vois, mes hommes ne vont pas avoir de permission à terre pendant quelque temps, déclara le capitaine. Le *Scapa* et son équipage ont été mis en quarantaine de peur que vos amis et vous nous aient légué de méchants virus.

— Désolé de vous causer autant de soucis, capitaine.

— Je vous en prie. On peut dire que votre visite a mis de l'animation dans une simple patrouille de routine. Et comme je le disais, c'est notre métier.

Austin lui serra la main, puis il descendit la passerelle avec les autres réfugiés de l'île. Dès qu'ils posaient un pied à terre, les passagers étaient priés de revêtir une combinaison en plastique munie d'un bonnet et d'un masque chirurgical. Puis on les escorta jusqu'au bus tandis qu'on chargeait les cadavres dans le corbillard. On demanda aux passagers de ne pas soulever les rideaux des fenêtres. Au bout de cinq minutes, ils descendirent devant un grand bâtiment en briques qui avait pu servir d'entrepôt par le passé.

Une vaste tente en forme de dôme avait été dressée à l'intérieur du bâtiment en guise de laboratoire de décontamination, où s'affairaient déjà plusieurs personnes en combinaison blanche. Tous ceux qui s'étaient trouvés sur l'île durent prendre une douche et leurs vêtements furent emportés dans des sacs en plastique pour analyses. On leur donna des blouses médicales en coton, comme celles que portent les patients d'un hôpital psychiatrique, ils furent sondés et examinés sous toutes les coutures par un cortège de médecins protégés de combinaisons spéciales, avant d'être déclarés aptes à rejoindre le monde des humains. Ils étaient peut-être traités comme des parias, mais dans la plus grande politesse.

Après avoir été examinés, Austin et ses collègues de la NUMA récupérèrent leurs vêtements propres, fraîchement repassés et pliés. Après quoi on les emmena dans une petite pièce aux murs nus, qui ne comptait qu'une table et plusieurs fauteuils. En entrant, l'homme vêtu d'un costume rayé qui se tenait derrière la table se leva et se présenta comme Anthony Mayhew. Il leur expliqua qu'il était du MI5 et leur offrit de s'asseoir. Mayhew avait des traits finement dessinés et un accent aristocratique qui poussa Austin à lui demander :

— Oxford ?

— Non, Cambridge, en fait, répondit-il avec un sourire. La distinction n'est pas facile.

Mayhew parlait de façon hachée, comme s'il utilisait des cisailles imaginaires pour couper les mots.

— Je vous présente mes excuses pour tout ce tralala médical et les gens du labo en combinaisons spatiales. J'espère que cela n'a pas été trop désagréable.

— Pas du tout, dit Austin. Nous avions justement besoin de prendre une douche.

— Si vous pouviez dire aux personnes qui s'occupent du pressing d'utiliser un peu moins d'amidon pour le col, glissa Zavala.

Un petit rire s'échappa des lèvres minces de Mayhew.

— Je n'y manquerai pas. Le MI5 connaît bien le travail de l'équipe des missions spéciales de la NUMA. Mais lorsque les huiles ont entendu parler des cadavres, d'expériences secrètes et de mutants, ils ont un peu paniqué, en bons serviteurs de l'Etat. Ils voulaient s'assurer que vous n'alliez pas contaminer les Îles britanniques.

Austin fit la grimace.

— Je ne m'imaginais pas que nous sentions mauvais à ce point !

Mayhew resta interdit un instant avant d'éclater de rire.

— L'humour américain. J'aurais dû m'en douter. J'ai passé plusieurs années en poste aux Etats-Unis. Mes supérieurs s'inquiétaient moins de votre odeur que de la possibilité que vous véhiculiez un virus mortel.

— Nous n'oserions pas contaminer nos cousins britanniques, dit Austin. Dites à vos supérieurs que tout ceci n'a rien à voir avec des armes bactériologiques.

— Parfait, dit Mayhew avant de les regarder tous un par un. Et maintenant, est-ce que quelqu'un aurait la gentillesse de m'expliquer ce qui se passe ?

Austin se tourna vers Trout.

— C'est Paul qui est le mieux placé pour vous parler de la vie sur l'île. Nous deux, nous n'y sommes restés que quelques heures.

Paul fit un petit sourire en serrant les lèvres.

— Tout d'abord, je dirais que cette île n'avait rien d'un Club Med.

Il leur raconta ensuite toute l'histoire, depuis la plongée de l'*Alvin* au cœur de la Cité perdue, jusqu'à leur fuite et leur sauvetage.

Austin s'attendait au ricanement moqueur de Mayhew lorsque Trout décrivit les recherches sur la Pierre philosophale, mais au lieu de cela, il se donna une claque sur le genou, qui ne ressemblait en rien au flegme britannique.

— Voilà donc le chaînon manquant ! Je savais qu'il y avait quelque chose derrière la mort de ces scientifiques.

— Là, on ne vous suit plus, fit remarquer Austin.

— Excusez-moi, mais... il y a plusieurs mois, mon département a reçu pour mission d'enquêter sur une série de décès étranges d'un certain nombre de scientifiques. Le premier était un expert en informatique qui, en se rendant dans la cabane à outils de son jardin, s'est enveloppé la poitrine de fils électriques dénudés, a mis un mouchoir dans sa bouche et a branché les câbles dans une prise.

— Très créatif, déclara Austin en faisant la grimace.

— Attendez, ce n'est que le commencement. Un autre scientifique qui revenait de Londres après une soirée est tombé d'un pont au volant de sa voiture. Le rapport de police indique un taux d'alcoolémie bien supérieur à la limite autorisée. Mais des gens qui se trouvaient à la soirée ont assuré qu'il n'avait pas bu et sa famille déclare qu'il ne buvait jamais rien de plus fort qu'un porto, les autres alcools le rendant malade. En prime, quelqu'un avait mis des vieux pneus lisses sur sa Rover méticuleusement entretenue.

— Vous commencez à m'intéresser, dit Austin.

— Et ça se corse. Un scientifique de trente-cinq ans est rentré dans un mur en briques au volant de sa voiture pleine de bouteilles de gaz. Les autorités concluent à la thèse du suicide. Et un autre, retrouvé sous un pont. Encore un suicide selon la police : abus d'alcool et dépression. Or pour des raisons religieuses il ne buvait jamais d'alcool et il n'était pas dépressif. En voilà un autre : un gars d'une vingtaine d'années attache l'extrémité d'une corde en nylon autour de son cou, l'autre à un arbre, monte dans sa voiture et appuie sur l'accélérateur. Décapitation.

— Sur combien de ces étranges décès avez-vous enquêté ?

— Une bonne vingtaine. Tous des scientifiques.

— Et quel était le rapport avec l'île interdite ?

— Nous ne le connaissions pas à l'époque. Mais comme deux des scientifiques étaient américains, nous avons reçu une requête de l'ambassade américaine nous priant de nous pencher là-dessus. Certains parlementaires ont demandé une enquête de grande envergure. Pour mener ce travail d'investigation, on m'a donné très peu de personnel, on m'a conseillé de ne pas monter cela en épingle et de faire mon rapport directement au Premier ministre.

— On dirait que les huiles n'avaient pas envie de faire de vagues, fit Austin.

— Tout à fait mon impression, approuva Mayhew. En parlant

aux familles, j'ai appris que tous ces hommes avaient travaillé pour le même laboratoire de recherche.

— L'ancien employeur de MacLean? demanda Trout.

— Tout à fait. Comme nous ne parvenions pas à retrouver MacLean, nous avons supposé qu'il avait connu une mort prématurée ou bien qu'il était impliqué dans le décès de ses collègues. Et voilà qu'il réapparaît sur votre île, mort malheureusement, ce qui confirme le lien avec le laboratoire.

— De quelle nature étaient leurs recherches ? demanda Trout en se penchant en avant.

— Ils étaient censés travailler sur le système immunitaire humain dans un laboratoire français. Il s'agissait apparemment de la filiale d'une grande multinationale, mais ils se sont donné tout le mal du monde pour le dissimuler derrière une ribambelle de société écrans et de comptes bancaires offshore. Nous sommes encore en train de suivre une piste qui nous mènera, je le pense, à ses dirigeants les plus haut placés.

— Et lorsque vous aurez réussi, vous pourrez les inculper du meurtre de ces scientifiques, dit Austin.

— Entre autres, répondit Mayhew. D'après ce que raconte le Dr Trout, on dirait qu'ils ont aussi créé ces mutants, les condamnant à être des morts vivants.

— Si je résumais ce que nous savons pour le moment ? proposa Austin. Ce labo a embauché des scientifiques pour travailler sur un projet concernant la « Pierre philosophale », un élixir fait à partir d'enzymes océaniques recueillis près de la Cité perdue. Les scientifiques réussissent apparemment à produire cet élixir qui prolonge la vie, ce qui va par conséquent hâter leur propre mort. MacLean s'enfuit mais on le ramène pour diriger une nouvelle équipe afin de corriger les erreurs de sa formule. Des erreurs qui ont entraîné ces mutations terribles. Paul et Gamay font irruption au beau milieu de leurs opérations minières et sont enrôlés par leur labo.

— Tout cela s'emboîte parfaitement, déclara Mayhew. Puis-je vous poser une question, monsieur Austin ? Pourquoi n'avez-vous pas alerté immédiatement les autorités britanniques lorsque vous êtes entré en possession de ces informations ?

— Je vous répondrai par une autre question : est-ce que vous m'auriez cru si j'étais venu frapper à votre porte en parlant de monstres aux yeux rouges ?

— Absolument pas, répondit Mayhew.

— Merci pour cette franchise. Suivre le protocole officiel aurait pris bien trop de temps. Nous avions l'impression que le moindre retard pouvait être fatal. Paul et Gamay Trout sont peut-être mes collègues mais aussi de précieux amis.

— Je comprends. Je connais le travail de votre équipe des missions spéciales et je sais que vous étiez plus que qualifié pour cette opération. Si je vous ai posé cette question, c'est parce que mes supérieurs vont me le demander.

Gamay prit la parole.

— Est-ce que le gouvernement va se charger d'une enquête sur l'île ?

— Un vaisseau militaire est actuellement en route, dit Mayhew. Il transporte un contingent de Royal marines qui vont être envoyés à terre. Ils tenteront de retrouver ce sous-marin, de mettre les labos sous scellés et de neutraliser les gardes et les mutants.

— D'après ce que j'ai vu, je doute que vous retrouviez les gardes, déclara Paul.

Un lourd silence enveloppa les paroles de Trout, qui prenaient tout leur sens, puis Mayhew reprit.

— C'est vous qui avez été le plus en contact avec ces mutants, docteur Trout. Quelle a été votre impression ?

— Ils sont sauvages, cannibales et extrêmement forts. Ils semblent communiquer entre eux et, si l'on en juge par leur raid sur l'île des *Proscrits*, ils sont capables d'élaborer des plans. (Il se tut, songeant à sa rencontre avec le mutant dans le Zoo.) Je crois qu'ils ont gardé certaines qualités humaines.

Mayhew répondit par un sourire énigmatique.

— Fascinant. Je pense que nous en avons terminé, mais je me demandais si vous pouviez me consacrer encore quelques minutes. J'ai quelque chose d'intéressant à vous montrer.

Mayhew les conduisit à travers un dédale de couloirs qui menaient à une pièce glaciale dans laquelle avait été improvisé un laboratoire de médecine légale. Un drap plastifié recouvrait une forme allongée sur une table en métal, éclairée par un projecteur.

Un homme d'âge moyen en blouse blanche se tenait debout près de la table.

Mayhew fit signe à l'homme de retirer le drap, révélant le visage ravagé de la créature aux yeux rouges qui avait été abattue à bord du bateau. Les yeux fermés, il n'avait pas l'air si terrible. Son visage avait perdu sa hargne et semblait apaisé.

— Un peu mal dégrossi, dit Mayhew, mais pas si mal pour un Français.

— C'est le chauvinisme britannique qui vous fait dire cela ou bien vos observations scientifiques ? demanda Austin.

Mayhew sourit et fouilla dans sa poche, d'où il sortit une mince plaque métallique accrochée à une chaîne, puis tendit le tout à Austin.

— Voilà ce qui se trouvait au cou de ce monsieur. C'est un peu usé, mais on peut encore lire l'inscription.

Austin leva la plaque pour lire l'inscription à la lumière.

Pierre Levant, Capitaine. Armée française. Né en 1885.

— On dirait que notre ami a volé le matricule de quelqu'un.

— C'est aussi tout d'abord ce que j'ai cru, mais le matricule lui appartient bien.

Austin lui coula un regard sceptique. Mayhew pourtant ne souriait pas et ne semblait pas plaisanter.

— Ça lui ferait plus de cent ans, objecta Austin.

— Près de cent vingt, pour être exact.

— Nous devons nous tromper. Comment pouvez-vous être si sûr de vous ? Il y a eu des millions de disparus lors de la Première Guerre mondiale.

— Certes, mais les armées, malgré le chaos, ont fait un assez bon boulot pour tenir à jour des registres. Les morts ont souvent été identifiés par leurs camarades ou leurs officiers. Lorsque les combats se déplaçaient, les corps étaient récupérés par des unités spéciales et le responsable du registre des décès prenait alors le relais, secondé par l'aumônier de l'unité. Des cartes des cimetières étaient dessinées, puis les informations étaient transmises par les brigades spécialisées dans la récupération des corps, les hôpitaux, les services d'état civil des armées, etc. Tout cela a été depuis rentré sur informatique, ce qui nous a permis d'apprendre qu'il y a bien eu un Pierre Levant, officier dans l'armée française, et qu'il a disparu au combat.

— Beaucoup d'hommes sont disparus au combat.

— Ah, le scepticisme américain ! fit Mayhew, qui sortit de sa poche de veste une montre gousset, qu'il tendit à Austin. Nous avons trouvé cela sur lui. Il était plutôt beau gosse autrefois.

Austin examina l'inscription gravée au dos.

Pour Pierre, avec tout mon amour, Claudette.

Puis il ouvrit la montre et, sur le couvercle, examina la photo d'un jeune couple. Il la fit passer à ses collègues de la NUMA et leur demanda leur avis. Gamay examina la montre et la plaque du matricule.

— Une des premières choses importantes que j'ai apprises en archéologie marine est d'établir la provenance. Par exemple, une pièce de monnaie romaine retrouvée dans un champ de maïs du Connecticut pourrait signifier qu'un Romain l'a laissée tomber là, mais il est plus probable qu'il s'agisse d'un numismate de l'ère coloniale.

Mayhew poussa un soupir.

— Peut-être le Dr Blair saura-t-il vous convaincre.

— Je n'y croyais pas non plus, déclara le médecin en blouse blanche. Nous avons réalisé une autopsie sur cet individu. Les cellules de son corps sont comparables à celles d'un homme de moins de trente ans, mais les sutures du cerveau indiquent que ce monsieur a... euh (il se racla la gorge) plus de cent ans.

— Ce qui voudrait dire que les travaux sur cet élixir permettant de prolonger la vie remontent à bien plus longtemps que nous ne pensions, dit Austin.

— Cela paraît incroyable, mais pourtant... intervint Mayhew. Il y a eu des rumeurs, pendant la Première Guerre, sur certaines tentatives scientifiques qui cherchaient à créer un « berserk », un guerrier invincible qui pourrait charger face aux tranchées ennemies sans craindre les coups de feu.

— Vous pensez qu'il y a un lien avec cette thèse de la prolongation de la vie ?

— Je ne sais pas, répondit Mayhew en remontant le drap sur le visage de la créature.

— Pauvre hombre, murmura Zavala en regardant le jeune couple souriant sur la photographie. Cent années de gâchis.

— Et encore, peut-être que nous n'avons vu que la partie émergée de l'iceberg, suggéra Mayhew. Qui sait combien de gens sont morts à cause de ce terrible secret?

— En voyant ce que je vois, je comprends qu'ils n'aient pas fait de publicité, lança Gamay.

— Cela va encore plus loin, soupira Mayhew. Imaginons que cet élixir ait été parachevé. Dans quel genre de monde vivrions-nous si certains pouvaient vivre plus longtemps que les autres?

— Un monde passablement déséquilibré, répondit Gamay.

— C'est aussi mon sentiment, mais je ne suis qu'un modeste enquêteur. Je laisserai ce problème aux analystes et aux politiques. Envisagez-vous de rester longtemps au Royaume-Uni? demanda-t-il à Austin.

— Sans doute pas. Nous allons en discuter et nous vous tiendrons au courant.

— Je vous remercie, répondit Mayhew en tendant sa carte professionnelle à Austin. N'hésitez pas à m'appeler. Nuit et jour. Entre-temps, je ne saurais trop vous recommander la discrétion la plus absolue.

— Mon rapport n'ira qu'à Dirk Pitt et Rudi Gunn. Je suppose également que l'Institut d'océanographie de Woods Hole appréciera de savoir ce qui est arrivé à son sous-marin.

— Bien, je vous transmettrai tout ce que les marines découvriront sur l'île. Peut-être que nous pourrons retrouver la trace de ceux qui sont derrière tout ça. Meurtre, enlèvement, séquestration, détournement, esclavage, énuméra-t-il. L'immortalité est un mobile puissant. Je parie que n'importe qui dans cette pièce abandonnerait son enfant premier-né plutôt que de laisser passer la chance de vivre éternellement.

— Pas tout le monde, dit Austin.

— Que voulez-vous dire? Si c'était possible, qui ne le souhaiterait pas?

Austin fit un geste en direction de la civière drapée de blanc.

— Posez la question au vieux soldat allongé sur cette table.

36

— JE ne voudrais pas jouer les rabat-joie, dit Gamay, mais avec toutes ces histoires de monstres aux yeux rouges et de pierre philosophale, nous avons oublié que nous avons une tâche à terminer.

Après leur entretien avec Mayhew, ils s'étaient retrouvés dans un salon de leur hôtel afin d'établir leur stratégie. Sandy, le pilote de l'*Alvin*, avait hâte de repartir et Mayhew lui avait trouvé un vol pour Londres, d'où elle pourrait rentrer aux Etats-Unis. Les enquêteurs continuaient à interroger les scientifiques.

— Tu as raison, dit Zavala en levant son verre à la lumière. J'ai été retardé dans mon objectif : boire toutes les meilleures tequilas du monde.

— Tout à fait louable, Joe, mais je m'intéresse davantage à la survie de la planète qu'à ton approvisionnement en tequila, reprit Gamay. Puis-je résumer le problème en un mot? Gorgone.

— Je n'ai pas oublié, dit Austin. Je ne voulais pas gâcher les retrouvailles. Mais puisque tu en parles, quelle est la situation?

— Mauvaise, dit Gamay. Je viens de parler au Dr Osborne et l'infestation se répand plus vite que quiconque l'avait imaginé.

— Et maintenant que l'exploitation minière de la Cité perdue a cessé, cela ne va pas arrêter la prolifération? demanda Austin.

Gamay poussa un profond soupir.

— Hélas non. L'algue mutante peut à présent se reproduire et va ainsi continuer à s'étendre. Des ports le long de la côte Est américaine vont d'abord se boucher, puis ceux d'Europe et de la côte Pacifique. L'algue poursuivra ensuite sa route vers les autres continents.

— Combien de temps avons-nous ?

— Je ne sais pas, répondit Gamay. Les courants océaniques transportent cette algue un peu partout dans l'Atlantique.

Austin essaya de se représenter son cher océan transformé en nauséabond marécage d'eau salée.

— Quelle ironie, fit-il. Les Fauchard veulent prolonger leur vie et, pour ce faire, ils vont créer un monde qui n'en vaudra peut-être plus la peine. (Il jeta un coup d'œil autour de la table.) Des idées pour arrêter ce phénomène ?

— L'enzyme de la Cité perdue détient la clé qui permettrait d'arrêter la prolifération de l'algue, déclara Gamay. Si nous parvenons à trouver la combinaison moléculaire de base, peut-être trouverons-nous le moyen d'inverser le processus.

— Mon corps est couvert de plaies et de bosses qui sont là pour me rappeler que la famille Fauchard ne livre pas facilement ses secrets, dit Austin.

— C'est pourquoi Gamay et moi devrions rentrer à Washington pour organiser une réunion à la NUMA avec le Dr Osborne, dit Paul. Nous pouvons avoir un vol demain matin à la première heure.

— Allez-y, dit Austin en regardant leurs visages épuisés. Mais d'abord, je suggère une bonne nuit de sommeil pour tout le monde.

Après avoir pris congé de ses amis, Austin trouva une salle équipée d'un ordinateur près du hall de l'hôtel et envoya un bref rapport à Rudi Gunn par e-mail, lui promettant de l'appeler au téléphone le lendemain matin. Il se frotta les yeux plusieurs fois tandis qu'il tapait son message, soulagé en cliquant sur « envoyer » afin de l'expédier de l'autre côté de l'océan.

Il monta dans sa chambre et vit que son téléphone mobile affichait un appel en absence. Il rappela et tomba sur Darnay, qui avait obtenu son numéro par la NUMA.

— Dieu merci, je vous retrouve, monsieur Austin, s'exclama l'antiquaire. Avez-vous eu des nouvelles de Skye ?

— Pas récemment, dit Austin. J'étais en mer puis en déplacement. Je croyais qu'elle était avec vous.

— Elle est repartie d'Aix le jour même de son arrivée. Nous avons découvert une sorte d'équation ou de formule chimique gravée au sommet du casque et elle voulait le montrer à un expert à la Sorbonne. Je l'ai raccompagnée à la gare. Comme je n'ai pas eu de ses nouvelles le soir même, j'ai appelé la fac le lendemain, mais ils ne savaient pas où elle était.

— Peut-être est-elle malade?

— J'aimerais mieux cela. J'ai aussi essayé à son appartement et il n'y avait personne. D'après sa gardienne, Skye n'est jamais rentrée chez elle après m'avoir rendu visite en Provence.

— Je crois que vous feriez mieux d'appeler la police, répliqua Austin sans hésitation.

— La police?

— Je sais que vous avez une aversion compréhensible pour les forces de l'ordre, dit Austin d'une voix ferme, mais vous devez le faire pour Skye. Passez un coup de téléphone anonyme d'une cabine si vous préférez, mais signalez sa disparition. C'est peut-être sa vie qui est en jeu.

— Oui, d'accord, bien sûr, je vais appeler la police. Elle est comme une fille pour moi. Je lui ai pourtant conseillé d'être prudente, mais vous savez comment sont les jeunes.

— Je me trouve en Ecosse en ce moment, mais je serai de retour en France demain. Je vous rappellerai dès mon arrivée à Paris.

Il raccrocha pour laisser Darnay appeler la police, le regard vide, essayant de comprendre la raison de la disparition de Skye. Son téléphone mobile sonna. C'était Lessard, le directeur de la centrale électrique.

— Austin? Ouf, j'essayais de vous appeler depuis longtemps, dit-il.

— Désolé. Je n'étais pas joignable, répondit-il. Comment ça va au glacier?

— Le glacier est fidèle à lui-même, répondit Lessard, mais il se passe des choses étranges par ici.

— C'est-à-dire?

— Il y a deux jours, un bateau transportant des plongeurs est arrivé sur le lac. Je me suis demandé si c'était la NUMA qui venait terminer sa mission, mais le bateau n'était pas de la même couleur.

— La mission est terminée, dit Austin, et je n'ai connaissance d'aucune activité de la NUMA prévue dans votre région. Que se passe-t-il d'autre ?

— Une chose incroyable. On est en train de drainer les tunnels sous le glacier.

— Je croyais que vous disiez que c'était impossible.

— Vous m'avez mal compris, ce qui était impossible, c'était de le faire à temps pour sauver les gens prisonniers sous le glacier. Mais après plusieurs jours à détourner et pomper l'eau, le tunnel d'observation est maintenant presque sec.

— S'agit-il d'une décision de la compagnie d'électricité ?

— Mes supérieurs ont laissé entendre qu'elle venait de bien plus haut. Les travaux semblent financés par une fondation scientifique privée.

— Le Dr Leblanc est-il à l'origine du projet ?

— C'est ce que j'ai cru au début. Sa voiture Fifi est toujours là, c'est pourquoi j'ai supposé qu'il allait revenir. Un des plongeurs est venu à la centrale pour me montrer l'autorisation, et ses hommes ont pris possession de la salle de contrôle. Ils ont des têtes de durs à cuire, monsieur Austin. Ils surveillent tous mes faits et gestes. Je commence à craindre pour ma vie. En ce moment, je prends de grands risques pour pouvoir vous parler. On m'a ordonné de ne pas intervenir.

— Avez-vous donné votre sentiment à votre chef ?

— Oui. Il m'a dit de coopérer. Il n'y a rien qu'il puisse faire. Je ne savais pas vers qui me tourner, c'est pourquoi je vous ai appelé.

— Vous pouvez partir ?

— Je pense que ce sera difficile. Ils ont renvoyé mes collaborateurs, donc je suis tout seul. Je vais essayer d'éteindre les turbines. Peut-être que le siège me prendra au sérieux quand il n'y aura plus d'électricité.

— Faites au mieux, mais ne prenez pas de risques.

— Je serai prudent.

— Comment s'appelle l'homme qui est venu à la centrale ?

— Fauchard. Emile Fauchard. Il me fait songer à un serpent.

Emile Fauchard.

— Comportez-vous comme si tout était normal, dit Austin. Je serai au Dormeur demain.

— Merci beaucoup, monsieur Austin. Ce ne serait pas très prudent que vous entriez par la grande porte, alors comment saurai-je que vous êtes arrivé ?

— Je vous le ferai savoir.

Ils raccrochèrent et Austin réfléchit à la tournure que prenaient les événements. Puis il prit le téléphone de l'hôtel pour appeler Joe et les Trout afin de les prévenir du changement de programme. Lorsqu'ils l'eurent rejoint, Austin leur expliqua la situation.

— Tu crois que ce sont les Fauchard qui ont enlevé Skye ? demanda Zavala.

— Ça me paraît crédible, étant donné leur intérêt pour le casque.

— S'ils ont récupéré le casque, pourquoi auraient-ils encore besoin de Skye ? demanda Gamay.

— Devine.

Le visage de Gamay s'éclaira.

— J'ai compris. Ils veulent l'utiliser comme appât pour te tendre un piège.

— Instinctivement, j'ai tout d'abord pensé me rendre au château Fauchard, dit Austin. Mais bien sûr, c'est exactement ce à quoi ils s'attendent. Il vaut mieux les surprendre et partir plutôt à la poursuite d'Emile. Il pourra peut-être nous servir de monnaie d'échange, sans compter que je m'inquiète aussi pour Lessard. Je suis certain qu'il est en grand danger. Quant à Skye, ils la garderont en vie jusqu'à ce que je morde à l'hameçon.

— Que souhaites-tu que nous fassions ? demanda Paul.

— Sondez les défenses autour du château. Essayez de trouver un moyen d'y pénétrer. Mais soyez prudents. Mme Fauchard est bien plus dangereuse que son fils. Lui est un violent sociopathe, tandis qu'elle est aussi intelligente que meurtrière.

— Charmant, fit Gamay. J'ai hâte de la rencontrer.

Ils se souhaitèrent une bonne nuit avant de regagner leur chambre. Austin appela Mayhew et lui expliqua pourquoi il avait besoin de quitter l'Ecosse le plus rapidement possible, lui demandant de l'aider. Mayhew déclara qu'il repartait le lendemain matin dans un avion privé et qu'il pourrait déposer les membres de la NUMA à Londres, d'où ils auraient une navette pour Paris.

Austin le remercia et lui promit qu'il lui revaudrait cela, puis essaya de se reposer quelques heures. Allongé sur le dos dans son lit, il mit de côté tout le reste pour ne se concentrer que sur une seule chose : comment sauver Skye. Il tomba bientôt dans un sommeil agité.

37

L'AVION privé décolla à l'aube le lendemain matin, mais au lieu de se diriger vers Heathrow, il mit le cap directement sur Paris. Austin avait convaincu Mayhew de changer son plan de vol. Il lui avait expliqué, sans entrer dans les détails, que c'était une question de vie ou de mort.

Mayhew posa une seule question :

— Est-ce que cela a quelque chose à voir avec ce dont nous avons parlé hier soir ?

— Très probablement.

— Dans ce cas, je peux espérer que vous me tiendrez au courant des progrès de vos investigations ?

— Je vous ferai parvenir le même rapport que celui que j'enverrai à mes supérieurs de la NUMA.

Mayhew sourit et ils se serrèrent la main pour sceller leur accord. En fin de matinée, ils atterrissaient à l'aéroport Charles-de-Gaulle. Tandis que les Trout prenaient le chemin du château, Austin et Zavala montaient à bord d'un avion affrété pour l'occasion qui les conduisit au petit village de montagne le plus proche du glacier.

Zavala avait appelé son amie Denise, la députée française. Après lui avoir fait promettre de la revoir, elle s'était arrangée pour mettre à sa disposition un bateau à moteur de cinq mètres cinquante, qui les attendrait au village. Ils mirent tout l'après-midi à remonter la rivière sinueuse et n'atteignirent le lac du

Dormeur qu'à la tombée de la nuit. Peu désireux d'arriver en fanfare, ils avaient réduit la vitesse du bateau, qui glissait maintenant silencieusement sur la surface brumeuse et lisse comme un miroir du lac de montagne, se frayant un passage entre les icebergs miniatures. Le moteur hors-bord à quatre temps vrombissait doucement, n'émettait qu'un chuchotement mais aux oreilles d'Austin, le chuchotement lui faisait l'effet d'un cri au beau milieu d'une cathédrale.

Austin conduisit le bateau jusqu'à un hydravion monomoteur, ancré à quelques mètres de la plage. Le bateau se colla à l'avion et Austin grimpa sur un flotteur pour jeter un coup d'œil dans le cockpit. L'avion était un Havilland Otter, qui pouvait transporter neuf passagers. Sur les sièges, trois équipements de plongée confirmaient les dires de Lessard et prouvaient que l'avion avait été utilisé comme plate-forme de plongée. Austin remonta dans le bateau et jeta un coup d'œil à la plage. Rien ne bougeait dans la lumière grise. Il amena le bateau plus près de la rive, le cacha derrière un affleurement rocheux, après quoi Zavala et lui entamèrent le long trajet jusqu'à la centrale électrique.

Ils voyageaient légers : eau, barres énergétiques, armes de poing et munitions. Lorsqu'ils atteignirent la centrale, la nuit était tombée. On avait laissé la porte du bâtiment central ouverte et, excepté le ronronnement de la turbine, tout était silencieux. Dans l'entrée de la centrale, Austin pivota lentement sur ses talons et tendit l'oreille pour entendre le bourdonnement qui provenait des entrailles de la montagne. Ses yeux bleus de la couleur des eaux coralliennes s'étrécirent.

— C'est bizarre, dit-il à Zavala. La turbine fonctionne.

— C'est une centrale électrique, dit Zavala. Le générateur n'est pas censé fonctionner ?

— Si, dans des circonstances normales. Mais Lessard devait essayer d'arrêter la turbine pour alerter le siège de la compagnie.

— Peut-être a-t-il changé d'avis, suggéra Zavala.

Austin secoua la tête presque imperceptiblement.

— J'espère que l'on n'a pas pris la décision à sa place.

Après avoir exploré le bureau et les espaces de repos pour s'assurer qu'il n'y avait personne, Austin et Zavala se rendirent jusqu'à la salle de contrôle. Ils s'arrêtèrent devant la porte. Tout semblait calme, mais le sixième sens d'Austin lui soufflait qu'il y avait quelqu'un à l'intérieur. Il sortit son pistolet, faisant signe à Zavala de l'imiter, puis il entra. C'est alors qu'il vit Lessard. Le directeur d'exploitation avait l'air endormi, mais la blessure par balle dans son dos prouvait que ce n'était pas le cas. Son bras droit était tendu et ses doigts ne se trouvaient qu'à quelques centimètres des interrupteurs tachés de sang alors qu'il essayait d'arrêter le générateur.

Une vague de colère difficilement maîtrisable monta au visage d'Austin. Il se jura en silence de faire payer celui qui avait tué l'aimable Français, dont la compétence avait permis à Austin de sauver Skye et les autres scientifiques piégés sous le glacier. Il toucha la nuque de Lessard. Le corps était froid. Il avait sans doute été tué peu de temps après avoir appelé Austin.

En dépit de ses efforts, Austin n'aurait pu le sauver, mais cette pensée ne suffisait pas à le consoler. Il s'approcha d'un écran qui affichait le schéma du réseau de tunnels, il s'assit devant le moniteur pour étudier la circulation de l'eau dans les galeries. Lessard avait fait un travail remarquable en essayant de détourner l'eau de la fonte du glacier du tunnel d'observation, grâce à un système complexe de détours.

— Les tunnels obéissent à un code de couleur, expliqua-t-il à Zavala. Les lignes bleues clignotantes représentent les tunnels inondés et les rouges ceux qui ont été asséchés. (Il posa le doigt sur une ligne rouge.) Voici celui que nous avons utilisé pour l'opération de sauvetage.

Zavala se pencha par-dessus l'épaule d'Austin et suivit du doigt le circuit tortueux depuis le tunnel d'accès à l'observatoire jusqu'à la centrale.

— Un sacré labyrinthe. Il nous faudra probablement revenir plusieurs fois sur nos pas et faire quelques changements de direction.

— Imagine que c'est un jeu, qui consisterait à emprunter le circuit conseillé par un parc d'attractions aquatique, dit Austin. Nous devrions déboucher là où notre pote Sébastien a fait sauter la vanne de retenue. De là, il ne nous restera qu'une courte marche jusqu'à l'observatoire. Maintenant, la mauvaise nouvelle : ça nous fait entre quinze et vingt kilomètres de tunnels à parcourir.

— Cela peut prendre des heures, plus encore si on se perd.

— Pas forcément, répliqua Austin en se rappelant ce qu'avait dit Lessard au sujet du Dr Leblanc.

Il imprima le schéma des tunnels et lança un dernier regard attristé à Lessard avant de quitter la salle de contrôle, suivi de Zavala. Quelques instants plus tard, ils se trouvaient sur la plateforme d'observation où Lessard avait conduit Austin pour lui montrer la puissance de l'eau de fonte du glacier. Le torrent qui lui avait rappelé les rapides de la Colorado River n'était plus qu'un ruisseau de quelques mètres de large et trente centimètres de profondeur.

Rassuré de constater que ce tunnel avait été pompé, ils regagnèrent l'entrée avant de ressortir à l'extérieur de la centrale. Ils parcoururent deux cents mètres jusqu'à un garage en tôle adossé à une paroi rocheuse qui abritait deux véhicules : la camionnette qui était venue chercher Austin lors de sa première visite à la centrale, et, sous une bâche en plastique, la 2 CV adorée de Leblanc. Austin ôta la bâche.

— Je te présente Fifi, dit-il.

— Fifi ?

— Elle appartient à l'un des scientifiques qui travaillent sous le glacier. Il a un faible pour elle.

— J'ai déjà vu de plus jolies femmes, fit remarquer Zavala, mais comme je dis toujours, c'est la personnalité qui compte.

Avec son dos voûté et son capot incliné, la résistante petite Citroën était l'une des voitures les plus originales jamais construites. Son concepteur avait déclaré qu'il voulait « quatre roues sous un parapluie », c'est-à-dire une voiture capable de traverser un champ labouré avec un panier d'œufs sans en casser un seul. Fifi en avait vu de toutes les couleurs. Ses garde-boue arrière en forme de demi-lune étaient endommagés et la peinture rouge délavée, presque rose, était piquetée par le sable et les gravillons. Pourtant, elle avait la classe qu'ont les femmes solides et profondément sûres d'être capables de surmonter les aléas de l'existence.

La clé était sur le contact. Ils s'installèrent dans la voiture et la firent démarrer sans problème, après quoi ils empruntèrent une route pierreuse qui suivait la paroi rocheuse et menait à une entrée munie de grandes doubles portes. Austin consulta le plan et vit qu'ils se trouvaient à la porte de Sillon. Pourquoi ce nom, il n'en était pas certain, mais cela lui rappela que les grosses machines qui avaient foré le tunnel devaient bien avoir accès à la montagne. Les portes étaient en acier lourd, mais elles étaient bien équilibrées et s'ouvrirent facilement. Austin fit entrer Fifi par l'ouverture du tunnel et le gémissement du moteur ricocha sur les parois. Le tunnel s'enfonçait tout droit sous la montagne, passait devant les turbines et entrait dans le réseau de conduites d'eau. Sans carte, ils se seraient perdus dans ce labyrinthe. Malgré la vitesse et les virages rapides, Zavala était un copilote hors pair. Au bout de quinze minutes, il informa Austin qu'il devrait tourner à droite à la prochaine intersection.

— Nous sommes presque au tunnel de l'observatoire, dit-il.

— A quelle distance ?

— Environ huit cents mètres.

— Je pense que nous ferions mieux de laisser Fifi ici et de continuer à pied.

Comme le reste du réseau, le tunnel était éclairé par de petites lumières au plafond, bien que beaucoup d'ampoules aient été grillées sans être remplacées. Cet éclairage incertain accentuait la noirceur des sections plongées dans l'obscurité entre deux cercles de lumière pâle. Les murs orange ruisselaient d'une humidité glacée qui engourdissait le visage des deux hommes, l'air froid tentait de se glisser dans le col des longs cirés qu'ils avaient trouvés dans la salle commune de la centrale.

— Quand j'ai intégré la NUMA, dit Zavala, on m'a dit que je verrais du pays. Mais je ne savais pas qu'il faudrait marcher.

— C'est pour t'entraîner un peu, répliqua Austin avec entrain.

Après quelques minutes encore d'entraînement, ils parvinrent à une échelle qui montait le long d'un mur jusqu'à une passerelle, dont une section était protégée par des panneaux de plastique et de verre. Austin se rappela que Lessard avait parlé de satellites de contrôle dispersés à travers le réseau. Ils poursuivirent leur progression et venaient d'entrer dans un nouveau tunnel lorsque Austin perçut un bruit assez fort qui couvrit un instant les gargouillis et les ruissellements d'eau.

— Qu'est-ce que c'est? demanda-t-il en portant la main à l'oreille.

Zavala tendit l'oreille.

— On dirait une locomotive.

— Ce n'est pas un train fantôme, dit Austin. Cours!

Zavala était comme hypnotisé, et resta pétrifié jusqu'à ce que la voix d'Austin le sorte de sa torpeur. Puis il s'élança comme un sprinter au coup de revolver, talonnant Austin. Ils couraient sans prendre garde aux flaques d'eau, et furent éclaboussés jusqu'à la taille.

Le grondement s'amplifia et se mua en rugissement. Austin tourna vivement à droite dans un autre tunnel mais Zavala, en essayant de le suivre, dérapa sur le sol mouillé. Austin le vit tomber; il fit demi-tour, releva son ami par le poignet, puis ils repartirent, fuyant la menace invisible. Le sol semblait vibrer sous leurs pas tandis que le bruit devenait assourdissant.

Austin chercha frénétiquement des yeux l'échelle qui grimpait vers la passerelle. Il attrapa le premier barreau et se propulsa vers le haut comme un acrobate de cirque. Zavala s'était blessé au genou et avait quelque peu perdu son agilité coutumière. Austin tendit la main vers son camarade pour l'aider à accéder à la passerelle et ils plongèrent dans la cabine de contrôle.

Il était temps.

Une seconde après qu'ils eurent refermé la porte étanche, une gigantesque vague bleue se déversait dans le tunnel. La passerelle disparut sous l'eau tumultueuse et écumante qui bouillonnait aux fenêtres comme les flots giflant un bateau dans la tempête. La passerelle fut ébranlée et, pendant un instant, Austin craignit que toute la structure, y compris la cabine, ne se brise sous le choc.

Après le premier déferlement, le torrent s'apaisa, mais l'eau atteignait toujours le bas de la passerelle. Austin regarda le schéma sur l'écran de contrôle. Il craignait qu'une vanne de retenue ait cédé, laissant se déverser dans le tunnel la totalité de l'eau de fonte du glacier. Si c'était le cas, ils seraient coincés dans la cabine jusqu'à ce qu'ils meurent ou que le glacier ait fondu entièrement.

La ligne du tunnel était toujours rouge, indiquant qu'il était censé être sec. Cela lui rendit espoir, le flot provenait probablement d'une poche et allait certainement se tarir.

La poche d'eau s'avéra être d'une taille conséquente. Cinq minutes aussi longues que cinq années s'écoulèrent avant que le débit diminue. Mais une fois que le niveau de l'eau se mit à baisser, il décrut rapidement, leur permettant de sortir sur la passerelle sans risque d'être emportés.

Zavala contempla le torrent encore furieux.

— C'est toi qui parlais d'un circuit ludique ? On peut voir ça comme ça.

— Je crois que j'ai parlé aussi d'un parc aquatique.

L'eau mit encore dix bonnes minutes à descendre suffisamment pour qu'ils puissent descendre l'échelle en sécurité. Austin songea aux autres poches qui risquaient de se rompre, mais chassa cette pensée parasite et se remit en route dans le dédale de galeries. A un moment, un tunnel censé être sec se révéla partiellement inondé. Plutôt que de passer à gué et risquer d'être pour le coup complètement mouillés, les deux hommes préférèrent faire un détour.

D'après leur plan, ils n'étaient plus qu'à quelques minutes du tunnel d'accès à l'observatoire subglaciaire. Finalement, ils arrivèrent à une porte en métal, massive et semblable aux autres, sauf que l'acier s'effritait comme les pelures d'une peau orange.

Zavala s'approcha de la porte et fit glisser délicatement ses doigts sur le métal déformé.

— Ce doit être la porte que l'homme de main de Fauchard a fait sauter.

Austin emprunta la carte et pointa une ligne.

— Nous sommes ici, déclara-t-il. Si nous passons par cette porte et que nous prenons à droite, nous serons à huit cents mètres de l'observatoire. Mieux vaut rester sur le qui-vive et être silencieux.

— Je vais tâcher de ne pas trop claquer des dents, mais ça ne va pas être facile.

Le ton léger de leurs paroles masquait leur peur. Les deux hommes étaient conscients du danger qu'ils couraient et le soin qu'ils mirent à vérifier l'état de leurs armes à feu le prouva clairement. Lorsqu'ils entrèrent dans le tunnel principal, Austin rappela brièvement à Zavala la disposition des lieux : le bâtiment du laboratoire, l'escalier menant au tunnel d'observation, et la chambre de glace où Jules Fauchard était retenu prisonnier.

Ils approchaient des mobile homes lorsque Zavala se remit à boiter. Son genou blessé le faisait souffrir. Il demanda à Austin de le précéder, l'assurant qu'il le rattraperait. Austin voulut tout d'abord jeter un coup d'œil dans les bâtiments préfabriqués mais, les fenêtres ne laissant percer aucune lumière, il supposa qu'Emile et ses hommes se trouvaient tous dans l'observatoire proprement dit. Erreur : une porte s'ouvrit doucement derrière lui alors qu'une voix lui ordonnait en français de lever les mains, puis de se retourner tout doucement.

Dans la pénombre, Austin discerna une silhouette massive, tandis que quelques rais de lumière faisaient briller le canon de l'arme pointée sur lui.

— Bonjour, lança Sébastien d'une voix amicale. M. Emile vous attendait.

38

QUAND les Trout, après avoir voyagé toute la journée, aperçurent le petit bistrot en bord de route, ils furent soulagés comme à la vue d'une oasis. Ils empruntèrent l'allée qui menait à la porte de la ferme rénovée et s'assirent bientôt dans une salle à manger qui donnait sur un jardin fleuri. Bien que cet arrêt n'ait pour seul but que de calmer leur faim et d'étancher leur soif, il s'avéra très instructif : non seulement la nourriture était excellente, mais le jeune et beau propriétaire du bistrot était une véritable mine d'informations.

Ayant entendu Paul et Gamay parler anglais, il s'approcha de leur table pour se présenter. Il s'appelait Bertrand mais se faisait surnommer Bert depuis qu'il avait été chef cuisinier à New York. Au bout de quelques années, il était revenu en France ouvrir son propre restaurant. Le voyant si ravi de l'occasion qui s'offrait à lui de pratiquer son américain, les Trout répondirent avec amabilité à ses questions. En tant que fan des Jets, il voulait des nouvelles du football américain, mais en tant que français, le prénom inhabituel de Gamay l'interpellait plus encore.

— C'est joli, dit-il. C'est très joli.

— Une idée de mon père, expliqua-t-elle. C'était un amateur de vin et il prétendait que la couleur de mes cheveux lui rappelait les raisins du Beaujolais.

Le regard admiratif de Bert suivit le long chignon banane de Gamay et s'arrêta sur son sourire éclatant.

— Votre père avait bien de la chance d'avoir une fille aussi charmante. Et vous, monsieur Trout, vous devez être heureux d'avoir une aussi belle épouse.

— Merci, répondit Paul en passant le bras autour des épaules de Gamay, geste gracieusement viril.

Bert comprit le message et sourit avant de retrouver tout son professionnalisme.

— Etes-vous ici pour affaires ou pour le plaisir?

— Un peu des deux, répondit Gamay.

— Nous possédons une petite chaîne de caves à vin dans la région de Washington, mentit Paul.

Il tendit à Bert une carte que Gamay avait fait imprimer à la hâte dans une boutique de Roissy.

— Au cours de nos voyages, nous aimons jeter un coup d'œil aux petits vignobles qui pourraient offrir quelque chose de spécial à nos clients les plus connaisseurs.

Bert applaudit légèrement.

— Votre épouse et vous avez frappé à la bonne porte, monsieur Trout; le vin que vous buvez provient d'un domaine tout près d'ici. Je peux vous présenter au propriétaire.

Gamay prit une gorgée.

— Un rouge robuste. Précoce et vivant. Il a des arômes de framboise.

— Il a un côté canaille qui me plaît bien, déclara Paul. Ainsi que des notes poivrées.

Les Trout étaient tous deux plutôt amateurs de bière et leurs seules connaissances en œnologie avaient été glanées sur les étiquettes des bouteilles, pourtant Bert acquiesça vivement.

— Vous êtes de vrais connaisseurs.

— Merci, répondit Gamay. Auriez-vous d'autres suggestions de vignobles à visiter?

— Oui, madame. Plusieurs.

Bert griffonna quelques noms sur une serviette en papier que Paul fourra dans sa poche.

— Quelqu'un nous a parlé d'un autre domaine, dit Gamay. Quel nom était-ce déjà, chéri?

— Fauchard? proposa Paul.

— C'est cela, dit-elle en se retournant vers Bertrand. Est-ce que vous en servez ?

— Mon Dieu, j'aimerais bien ! C'est un vin magnifique. Leur production est très limitée et leur vin n'est réservé qu'à de riches Européens et Américains triés sur le volet. Même si je pouvais me le procurer, le vin serait beaucoup trop cher pour mes clients. La bouteille va chercher dans les mille dollars.

— Vraiment ! s'exclama Gamay. Nous serions ravis de visiter le domaine Fauchard pour voir quel type de raisins donne un vin aussi coûteux.

Bert hésita et une ombre passa sur son beau visage.

— Ce n'est pas très loin d'ici mais les Fauchard sont un peu, comment dire... étranges.

— Comment cela ?

— Ils ne sont pas très ouverts. Personne ne les voit. (Il ouvrit les mains dans un geste évasif.) C'est une vieille famille, beaucoup d'histoires circulent.

— Quel genre d'histoires ?

— De vieux commérages. Les fermiers sont parfois superstitieux. Ils disent que les Fauchard sont des suceurs de sang.

— Vous voulez dire des vampires ? demanda Gamay, amusée.

— Oui, répondit Bertrand avec un sourire. Moi je crois tout simplement qu'ils ont tellement d'argent qu'ils ont toujours peur de se faire voler. Ils ne sont pas représentatifs des habitants de la région : nous sommes très ouverts. J'espère que les Fauchard ne vous donneront pas une mauvaise impression du coin.

— Ce serait impossible après avoir goûté à votre excellente cuisine et profité de votre hospitalité, déclara-t-elle avec un sourire espiègle.

Bertrand ronronna de plaisir et, sur une autre serviette en papier, il leur dessina un plan d'accès au domaine Fauchard. Ils pourraient avoir un aperçu des vignes, mais les panneaux « Défense d'entrer » les empêcheraient de s'approcher. Ils le remercièrent, échangèrent poignées de main et bises sur la joue à la française, puis remontèrent en voiture.

Gamay éclata de rire :

— Un vin canaille ! Je n'en reviens pas que tu aies dit ça !

— Je préfère encore un vin canaille à une cuvée précoce, fit Paul avec un ricanement condescendant.

— Tu reconnaîtras qu'il avait des arômes de framboise, fit-elle.

— Et des notes poivrées, reprit Paul. Je ne crois pas que Bert ait remarqué nos prétentions œnologiques. Il était complètement ensorcelé. You ave a biautifoul ouaïfe, ajouta-t-il avec un accent français caricatural.

— Moi je l'ai trouvé tout à fait charmant, rétorqua Gamay en minaudant.

— Moi aussi, et il ne se trompe pas en disant que j'ai bien de la chance.

— Je préfère ça, dit-elle en consultant la carte que Bertrand leur avait dessinée. Nous sommes à une quinzaine de kilomètres de la route qui tourne vers le château.

— A entendre Bert, c'est le château de Dracula.

— D'après Kurt, Dracula, c'est Mère Teresa comparé à Mme Fauchard.

Vingt minutes plus tard, ils empruntaient un long chemin de terre qui serpentait entre les collines et les vignes soigneusement agencées en terrasse. Contrairement aux autres domaines devant lesquels ils étaient passés, aucun panneau ne signalait le nom du propriétaire. Mais à mesure que la campagne cédait le terrain à la forêt, des pancartes sur les arbres, rédigées en français, anglais et espagnol, indiquaient aux visiteurs qu'ils se trouvaient dans une propriété privée. La route se terminait sur un immense portail, ceint de chaque côté par une clôture grillagée et électrifiée surmontée de fils barbelés. L'avertissement sur les pancartes était encore plus dissuasif, traduit en trois langues, et signalait aux intrus que toute personne s'aventurant plus loin rencontrerait des vigiles armés et des chiens de garde. La menace d'attaque physique n'était guère voilée.

— On dirait que Bert avait raison à propos des Fauchard, dit Paul après avoir lu les panneaux. Ces gens-là ne sont pas du genre cordial.

— Oh, ce n'est pas sûr, dit Gamay. Si tu regardes dans ton rétro, tu verras qu'ils ont envoyé quelqu'un pour nous accueillir.

Paul s'exécuta et aperçut l'emblème sur la calandre d'un 4x4 Mercedes par la vitre arrière de leur Peugeot de location. Deux hommes sortirent de la Mercedes qui bloquait la route derrière eux. L'un, petit et trapu, avait un crâne rasé en forme d'œuf. Il tenait en laisse un rottweiler d'aspect féroce, qui grognait en tirant sur son collier. Le deuxième, plus grand, avait le teint mat et un nez aplati de boxeur ; tous deux portaient des treillis de camouflage et des armes de poing.

Le chauve s'approcha de la voiture du côté conducteur et s'adressa en français à Paul qui, bien que peu compétent en langues, comprit sans difficulté qu'on lui ordonnait de sortir de la voiture. Gamay, quant à elle, parlait couramment français. Lorsque l'homme au crâne d'œuf leur demanda ce qu'ils faisaient là, elle lui tendit une carte de visite et lui montra la serviette en papier sur laquelle Bert avait dressé une liste de vignobles.

L'homme parcourut la liste.

— Vous êtes sur le domaine Fauchard. L'endroit que vous cherchez est par ici, déclara-t-il avec un geste de la main.

Gamay fit semblant de s'agiter. Elle se mit à déverser sur Paul un flot de paroles en français, tout en gesticulant fébrilement. Cette dispute conjugale fit rire les gardes. Crâne d'œuf détailla Gamay de la tête aux pieds sans nullement s'en cacher. Celle-ci lui répondit d'un sourire faussement modeste. Puis les deux hommes et le chien regagnèrent leur véhicule et firent demi-tour pour que Paul puisse reculer. Comme la voiture repartait, Gamay fit de grands signes à l'adresse des gardes qui lui rendirent amicalement son salut.

— On dirait que nous avons rencontré Marcel, le pote chauve de Kurt, dit Paul.

— Il correspond bien à la description en effet.

— Il a été bien plus cordial que je ne m'y attendais, déclara Paul. Tu as même fait sourire le chien. Qu'est-ce que tu leur as dit ?

— Que tu étais un imbécile de nous avoir perdus.

— Oh, fit Paul. Et qu'a répondu le chauve ?

— Il a dit qu'il serait ravi de me montrer le chemin. Je crois qu'il m'a draguée.

Paul lui coula un regard en coin.

— C'est la deuxième fois que tu joues de tes charmes. D'abord avec Bert, puis avec Crâne d'œuf et son copain.

— A la guerre comme en amour, tous les coups sont permis.

— Ce n'est pas la guerre qui m'inquiète. Tous les Français que nous rencontrons te couvent des yeux.

— Oh, tais-toi. Je lui ai demandé si on pouvait faire un tour dans les vignes et il a accepté à condition que nous ne nous approchions pas de la clôture.

Trout prit le premier chemin de terre qui se présenta et ils parcoururent cahin-caha hectare après hectare. Au bout de quelques minutes, ils s'arrêtèrent près d'un groupe de vendangeurs qui faisaient une pause pour fumer une cigarette au bord de la route. Il y avait une dizaine d'ouvriers noirs qui parlaient à un homme qui semblait être le responsable. Gamay se présenta et l'homme fronça les sourcils quand elle lui assura que Marcel leur avait donné la permission de rouler dans les vignes.

— Ah, celui-là ! fit-il en fronçant les sourcils.

Il leur dit qu'il s'appelait Guy Marchand et qu'il était le chef d'équipe.

— Eux sont des saisonniers sénégalais. Ils travaillent très dur, donc je les ménage.

— Nous nous sommes arrêtés au bistrot et nous avons discuté avec Bertrand, déclara Gamay. Il nous a dit que le vin que vous produisez ici était une merveille.

— Oui, c'est vrai. Venez, je vais vous montrer les vignes.

Il fit signe aux vendangeurs de reprendre le travail et conduisit les Trout vers une rangée de pieds de vigne. Il parlait avec enthousiasme, si volubile que les Trout n'eurent nul besoin de faire leur numéro d'œnologie. Ils n'avaient qu'à hocher la tête tandis que Guy discourait sur le sol, le climat et le raisin. Il cueillit une grappe de raisin, puis en offrit une à Gamay et Paul. Il écrasa les raisins, les renifla et les goûta du bout de la langue. Ils l'imitèrent en émettant des claquements de langue admiratifs. Sur le chemin du retour, ils virent des ouvriers qui remplissaient de raisins l'arrière d'un camion.

— Où le vin est-il mis en bouteille ? demanda Paul.

— Dans la propriété, déclara Guy. M. Emile veut pouvoir répondre de chaque bouteille.

— Qui est M. Emile ? demanda Gamay.

— Emile Fauchard, le propriétaire de ce vignoble.

— Et croyez-vous que nous puissions le rencontrer ? demanda Gamay.

— Non, il est très solitaire.

— Donc vous ne le voyez jamais ?

— Oh que si, nous le voyons, dit Marchand en levant les yeux et en tendant la main vers le ciel.

Les Trout levèrent les yeux.

— Je ne comprends pas, dit Gamay.

— Il survole les vignes dans son petit avion rouge pour nous surveiller.

Guy poursuivit en expliquant qu'Emile tenait à traiter lui-même les vignes ; un jour, il avait aspergé les vendangeurs de pesticides, et certains avaient été si violemment malades qu'ils avaient dû être hospitalisés. Tous étaient des immigrés clandestins, qui ne pouvaient se plaindre aux autorités, mais Marchand avait menacé de démissionner et les ouvriers avaient été amplement dédommagés. On avait essayé de le convaincre que c'était un accident, mais Guy n'y croyait pas, avait-il raconté. Cependant, il était bien payé et ne se plaignait pas.

Pendant le discours de Marchand, les vendangeurs avaient fini de charger le camion. Paul le suivit du regard tandis qu'il empruntait le chemin défoncé. Au bout de quatre cents mètres, il prit à gauche et se dirigea vers un portail qui perçait la clôture électrifiée. Attentif aux moindres détails, il vit les deux gardes debout devant le portail faire signe au camion de passer avant de refermer la porte.

— Je crois qu'il est temps d'y aller, déclara-t-il en tapant sur l'épaule de Gamay.

Il remercièrent Marchand et reprirent la route pour sortir du vignoble.

— Voilà une conversation intéressante, dit Gamay. Emile a l'air aussi aimable que Kurt nous l'a décrit.

Paul ne répondit que par un grognement et Gamay, bien

qu'habituée au caractère taciturne de son mari, typique de la Nouvelle-Angleterre, crut déceler autre chose que du mécontentement.

— Ça ne va pas ?

— Je vais bien. Cette histoire de traitement accidentel des vignes me rappelle à quel point Emile et sa famille sont dangereux. Ils sont responsables de la mort de MacLean et de tous ses collègues, et de cet Anglais, Cavendish. Qui sait combien d'autres personnes ils ont assassinées au fil des années ?

— Je n'arrive pas à oublier ces pauvres mutants, dit-elle. Leur sort est pire que la mort.

Paul frappa le volant avec la paume de sa main.

— Ça me donne envie de mettre mon poing dans la figure de quelqu'un.

Gamay fut surprise par cette explosion qui ressemblait si peu à la retenue habituelle de son mari. Elle haussa les sourcils.

— Il va falloir trouver le moyen de franchir cette clôture avant que tu puisses tester ton direct du droit.

— Ce sera peut-être plus tôt que tu ne crois, dit Paul avec un sourire, avant de commencer à détailler son plan.

39

SÉBASTIEN fouilla Austin sans prendre de gants, le délesta de son arme et lui ordonna d'avancer vers l'escalier. Ils montèrent les marches, empruntèrent la galerie en Y et utilisèrent l'échelle de bois pour atteindre la caverne de glace. Un bruyant sifflement provenait de celle-ci, alors qu'un nuage de vapeur en masquait l'ouverture. Austin ferma les yeux pour se protéger de la vapeur et, lorsqu'il les rouvrit, put distinguer une silhouette.

Sébastien appela Emile Fauchard qui surgit des volutes de fumée comme un magicien apparaît sur scène. Lorsqu'il vit Austin, ses lèvres se tordirent de rage et ses traits pâles se déformèrent. Son visage ressemblait à un masque de théâtre antique. La colère bouillonnait en lui comme de l'huile brûlante et il avait peine à se contenir. Puis, sa bouche s'adoucit en un sourire sans joie, encore plus inquiétant. Il referma la valve du tuyau qu'il tenait et la vapeur se dissipa.

— Bonjour Austin, dit-il d'une voix tranchante. Sébastien et moi espérions bien vous revoir après cette soirée costumée d'où vous êtes parti sans même dire au revoir. Mais je dois reconnaître que je vous attendais plutôt au château, dans le but de secourir votre amie.

— Je n'ai pas pu résister à l'attrait de votre personnalité, aussi chaleureuse que la peau d'un serpent, dit Austin en gardant tout son calme. Sans compter que je ne vous avais pas remercié de nous avoir prêté votre avion. Pourquoi avez-vous tué Lessard?

— Qui?

— Le directeur de la centrale.

— Une fois le drainage des tunnels effectué, il ne m'était plus d'aucune utilité. Je l'ai laissé vivre jusqu'au dernier moment, en lui laissant croire qu'il aurait le temps d'arrêter la turbine et d'appeler à l'aide, déclara Fauchard en riant à ce souvenir.

Austin sourit, faisant mine d'apprécier son humour. Il fit appel à tout son sang-froid pour contenir son irrésistible envie de lui arracher la tête. Il attendait son heure, sachant qu'il n'était pas en position de force.

— J'ai vu votre avion sur le lac, dit Austin. Il fait un peu froid pour la plongée.

— Votre sollicitude me fait chaud au cœur. Le Morane-Saulnier se trouvait exactement là où vous nous l'aviez dit.

Austin balaya la caverne du regard.

— Vous vous êtes donné du mal pour inonder cet endroit, dit Austin. Pourquoi le drainer de nouveau?

Le sourire se mua en un froncement de sourcils.

— A l'époque, nous voulions préserver le corps de Jules des regards indiscrets.

— Qu'est-ce qui vous a fait changer d'avis?

— Ma mère voulait récupérer son corps.

— J'ignorais que la famille Fauchard était si respectueuse de ses ancêtres.

— Vous ignorez beaucoup de choses sur nous.

— Je suis ravi d'être arrivé à temps pour sa première sortie dans le monde. Comment va-t-il?

— Voyez vous-même, déclara Emile en faisant un pas de côté.

On avait fait fondre une partie de la paroi, creusant les côtés en une grotte bleutée. Jules Fauchard reposait sur la plate-forme comme un sacrifice humain au dieu du glacier. Il était couché sur le flanc, recroquevillé en position fœtale; il portait encore son lourd manteau de pilote en cuir, ses gants, et ses bottes étaient aussi brillantes que si elles venaient d'être cirées. Il était équipé d'un harnais de parachute, mais la toile avait été arrachée par les puissants courants glaciaires. Le corps, enfermé dans la glace depuis près d'un siècle, était bien conservé. La peau du visage et des mains était d'une teinte cuivrée, et l'épaisse moustache en forme de guidon de vélo saupoudrée de givre.

Le nez de faucon et la mâchoire énergique du visage gelé correspondaient bien aux traits de l'homme sur le tableau dans la galerie de portraits de la famille Fauchard. Mais Austin s'intéressait surtout au trou qui avait perforé le casque d'aviateur en cuir doublé de fourrure.

— Je vois que votre famille, sentimentale comme elle est, a eu la gentillesse de lui faire un cadeau d'adieu.

— De quoi voulez-vous parler ?

— De la balle dans sa tête, fit Austin en montrant le trou.

Emile ricana.

— Jules était en chemin pour rencontrer l'émissaire du pape lorsqu'il a été abattu en vol. Il détenait des documents qui prouvaient la complicité de notre famille dans le déclenchement de la Grande Guerre, qu'il voulait révéler à la face du monde, une aubaine pour toute l'humanité. Il espérait ainsi éviter la guerre.

— Voilà un but aussi louable qu'inhabituel pour un Fauchard, dit Austin.

— C'était un imbécile. Voyez où son altruisme l'a mené.

— Qu'est-il arrivé aux documents qu'il transportait ?

— Inutilisables, abîmés par l'eau.

— Alors tout cela n'a servi à rien.

— Pas du tout puisque vous êtes ici. Et vous allez regretter de ne pas être enchaîné dans les oubliettes du château.

Emile tendit la main vers le bord coupant de glace qui encadrait l'ouverture de la grotte.

— Vous voyez ? La glace commence à se reformer. Dans quelques heures, la tombe sera de nouveau scellée. Et cette fois-ci, vous tiendrez compagnie à Jules.

Austin se creusait les méninges.

Mais que foutait Zavala ?

— Je croyais que votre mère voulait récupérer le corps ?

— Qu'est-ce que ça peut me faire ? Ma mère ne sera pas toujours au pouvoir. J'ai l'intention de mener les Fauchard vers de grands succès. Assez tergiversé. Je vais couper court à vos efforts pathétiques pour retarder l'inévitable. Vous avez volé mon avion et l'avez très mal traité ; cela m'a causé beaucoup de problèmes. Mettez-vous là, près de Jules.

Austin ne bougea pas.

— Votre famille se foutait éperdument d'être blâmée pour avoir hâté la guerre. Tout le monde sait que vous et les autres marchands d'armes aviez hâte de voir les balles fuser. Non, il y avait quelque chose de plus important que la guerre... Jules détenait le secret de la jeunesse éternelle.

Le visage d'Emile prit une expression interloquée.

— Qu'en savez-vous ?

— Je sais que les Fauchard sont capables de détruire quiconque se dressera en travers de leur route afin de gagner l'éternité. Et même un membre de leur propre famille, ajouta-t-il en lançant un coup d'œil au corps congelé de Jules, méritait d'être liquidé s'il menaçait vos projets.

Emile étudia le visage d'Austin.

— Vous êtes un type intelligent, Austin. Admettez que le secret de la vie éternelle vaut bien quelques meurtres ?

— Oui, répondit Austin avec un sourire carnassier. Si c'est vous qu'il faut tuer.

— Votre vernis civilisé se craquelle, ricana Emile. Pensez pourtant à ce que cela signifie. Une élite d'immortels pétris de sagesse séculaire et qui pourraient gouverner le monde. Nous serions comme des dieux pour les sans-vie.

Austin tourna la tête vers l'homme de main d'Emile.

— Et Sébastien, qu'est-ce que vous en faites ? Est-ce qu'il appartiendrait à votre élite ? Ou bien rejoindrait-il le troupeau des « sans-vie », comme vous les appelez ?

La question prit Emile au dépourvu.

— Bien sûr, répondit-il au bout d'un moment. La loyauté de Sébastien lui vaudra une place dans mon panthéon. Tu m'accompagneras, mon vieux ?

L'homme massif ouvrit la bouche mais ne répondit pas. Il

avait senti l'hésitation dans la voix d'Emile et son regard exprimait la confusion.

Austin enfonça le clou.

— Ne comptez pas vivre pour toujours, Sébastien. La mère d'Emile veut se débarrasser de vous.

— Il ment, déclara Emile.

— Pourquoi mentirais-je ? Quoi que je puisse dire, votre patron me tuera. Mme Fauchard m'a confié lors du bal masqué qu'elle avait ordonné à Emile de se débarrasser de vous. Nous savons tous les deux qu'Emile fait toujours ce que lui ordonne sa maman.

Le doute envahit le visage de Sébastien. Emile se voyait perdre le contrôle de la situation.

— Tire-lui dans les bras et les jambes ! vociféra-t-il. Ne le tue surtout pas. Je veux qu'il supplie qu'on l'achève.

Sébastien ne bougea pas d'un pouce.

— Pas encore, dit-il. J'ai envie d'en entendre un peu plus.

Emile lâcha un juron et arracha l'arme des mains de Sébastien. Il visa le genou d'Austin.

— Vous allez bientôt trouver la vie bien trop longue.

La ruse d'Austin pour dresser Sébastien contre Emile lui avait fait gagner un peu de temps, mais elle avait échoué ainsi qu'il l'avait craint. Le lien entre le maître et le serviteur était trop fort pour être dissous aussi rapidement. Il se raidit afin de mieux supporter la douleur mais, au lieu d'un coup de feu, il entendit un sifflement aigu en provenance de la galerie, à l'extérieur de la grotte. Puis un nuage de vapeur chaude envahit la salle.

Emile avait instinctivement tourné la tête en direction du bruit. Austin en profita pour plonger en avant et frapper le plexus de Fauchard de son poing droit. Cela lui coupa la respiration, et Emile vacilla sur ses jambes. Le pistolet lui échappa des mains.

Sébastien, voyant son maître attaqué, essaya d'attraper Austin à la gorge ; mais ce dernier, au lieu d'esquiver le coup, fondit sur lui de toutes ses forces, frappant le colosse sous le menton du tranchant de sa main, bras tendu. Tandis que Sébastien chancelait, Austin le poussa d'un coup d'épaule et s'élança à travers le nuage de vapeur. Il entendit la voix de Zavala.

— Kurt ! Par ici !

Zavala, debout dans la galerie, tenait à la main un tuyau qui crachait de l'eau chaude sur les parois pour créer le nuage qui entrait en tourbillonnant dans la caverne de glace. Zavala lâcha le tuyau, attrapa Austin et le guida à travers le nuage de vapeur. Ils entendirent Emile pousser des cris de rage.

Une rafale de coups de feu arrosa la galerie. Austin et Zavala dégringolaient déjà l'escalier quand les balles passèrent audessus de leur tête. Alertés par les coups de feu, les autres hommes de Fauchard sortirent du mobile home, pourchassant Austin et Zavala. Tout en progressant dans le tunnel, Zavala décocha deux coups de feu dans le but de dissuader leurs poursuivants. Il boitait toujours mais parvenait à courir en bondissant sur sa jambe gauche. Ils arrivèrent ainsi à la porte que Sébastien avait fait sauter, et plongèrent dans l'ouverture une seconde avant de recevoir une pluie de balles.

Austin fouilla ses poches à la recherche de la carte mais se rappela qu'il l'avait laissée dans la 2 CV. Il fallait retrouver Fifi. Il se représenta mentalement le réseau. L'écoulement de l'eau était contrôlé de la même manière qu'un circuit électrique.

Ils se mirent en route mais, en entendant des échos de voix dans la galerie devant eux, furent stoppés dans leur élan. Austin guida Zavala dans un autre tunnel de manière à revenir sur leurs pas et contourner l'ennemi. Ce détour leur coûta de précieuses minutes qui permirent à Fauchard de gagner du terrain, et Austin ne fut pas surpris d'entendre derrière eux la voix impérieuse de ce dernier qui exhortait ses hommes à avancer.

Austin et Zavala avaient avancé jusque-là prudemment, tempérant leur hâte, aussi ils accélérèrent le rythme, dans une course folle de virages de gauche et de droite. Austin obéissait à son instinct, se fiant à sa boussole interne et naviguant à vue.

Malgré son sens de l'orientation aiguisé, ces détours lui firent perdre complètement ses repères. La voix d'Emile se rapprochait. Austin était à deux doigts de se décourager lorsqu'ils arrivèrent à un carrefour d'où partaient quatre tunnels. Ses yeux bleus sondèrent la pénombre.

— J'ai l'impression que je reconnais cet endroit, déclara Zavala.

— Nous ne sommes pas loin du poste de contrôle du milieu, dit Austin.

Ils prirent le tunnel de droite qui les ramènerait vers Fifi, mais s'arrêtèrent après quelques pas. Devant eux, résonnaient des voix masculines en proie à la colère. Ils regagnaient en courant le carrefour et s'engageaient dans un autre tunnel quand une vanne de retenue leur barra la route. Retour au carrefour. Un bruit de bottes se fit entendre sur la gauche.

— Nous sommes cernés, dit Zavala.

Austin tourna dans le tunnel de gauche avec l'énergie du désespoir. Zavala resta en retrait.

— Attends, Kurt. Ils arrivent de là aussi.

— Fais-moi confiance, dit Austin. Mais vite, on n'a pas une seconde à perdre.

Zavala haussa les épaules et s'élança dans le tunnel faiblement éclairé, sur les talons d'Austin. Il marmonnait en espagnol tout en pataugeant dans les flaques. Depuis qu'il avait rejoint l'équipe des missions spéciales de la NUMA, il avait travaillé avec Austin sur de nombreuses missions et avait une confiance totale dans son jugement. Certaines fois pourtant, le comportement d'Austin lui semblait totalement irrationnel et sa foi en lui faiblissait.

Zavala imagina la collision avec les hommes de main de Fauchard comme la version sanglante du film muet *Keystone Kops*, mais ils atteignirent sans encombre le poste de contrôle et grimpèrent à l'échelle jusqu'à la passerelle. Les hommes surgirent alors de la pénombre et laissèrent échapper un cri rauque de triomphe en voyant leur gibier leur tomber dans les bras. Ils criblèrent la cabine de balles, qui percutaient la passerelle métallique et ricochaient sur les parois du tunnel, amplifiant le fracas de la fusillade. Austin plongea dans la cabine, tira Zavala derrière lui et referma la porte. Les autres hommes, ayant entendu les coups de feu, arrivèrent en courant et se joignirent au festival. Ils arrosèrent la cabine de centaines de cartouches. Les vitres se désintégrèrent et la pluie soutenue de plomb menaçait de percer les parois en acier.

Austin rampa parmi les échardes de verre qui jonchaient le sol, se mit à genoux et, gardant la tête baissée, pianota sur le clavier du panneau de contrôle, s'efforçant de rester concentré sous les déflagrations assourdissantes. Il tapa sur plusieurs touches et vit, soulagé, le schéma changer de couleur.

Zavala essaya de se lever pour tirer, mais Austin le poussa en arrière.

— Tu vas te faire décapiter, cria-t-il par-dessus le vacarme.

— Mieux vaut la tête que le cul, dit Zavala.

— Attends ! lui intima Austin.

— Attendre ? Mais quoi ?

— La gravité.

La réponse de Zavala fut noyée sous une nouvelle volée de coups de feu. Puis tout s'arrêta brusquement tandis qu'ils entendaient la voix moqueuse d'Emile.

— Austin ! Vous profitez de la vue avec votre ami ?

Austin mit un doigt sur ses lèvres.

— Ça alors ! s'exclama Emile en constatant qu'il n'obtenait pas de réponse, ne me dites pas que vous êtes timide ! Je voudrais vous parler des projets de ma mère au sujet de votre chère amie. Elle va lui faire un lifting, vous n'allez pas la reconnaître.

Austin en eut assez de Fauchard. Il fit signe à Zavala de lui passer son arme et se rapprocha du mur de la cabine. Faisant fi du conseil qu'il avait donné quelques minutes plus tôt à son ami, il appuya sur la gâchette presque jusqu'au point de détente puis surgit comme un diable hors de sa boîte, tira un coup de feu et replongea. Il avait tiré dans la direction d'où venait la voix de Fauchard et manqua sa cible. Emile et ses hommes s'éparpillèrent pour se mettre à couvert, puis, lorsqu'ils constatèrent qu'Austin ne les visait plus, se mirent à arroser la cabine à nouveau.

— Tu leur as donné une leçon cette fois, cria Zavala par-dessus le vacarme.

— Emile commençait à m'agacer.

— Tu l'as eu ?

— Emile ? Non, malheureusement. J'ai aussi loupé Sébastien, mais j'ai eu le gars qui se trouvait à côté d'eux.

— Ça, c'est vraiment pas de chance, fit Zavala en élevant la voix de quelques décibels. Mais la stratégie est imparable. Peut-être qu'ils vont finir par épuiser leurs munitions.

Les balles commençaient à percer le sol de la cabine. Il fallait gagner du temps.

— Est-ce que tu as un mouchoir blanc ? demanda-t-il à Zavala.

— Tu as bien choisi ton moment pour te moucher ! s'exclama celui-ci en se baissant, évitant une balle qui ricocha sur le mur.

Puis, en regardant Austin, il comprit qu'il ne plaisantait pas.

— J'ai mon « do-rag » mexicain, dit-il en sortant de sa poche arrière son bandana rouge multifonction.

— Ça fera l'affaire, dit Austin en attachant le bandana au canon de son arme.

Il fit passer le drapeau improvisé par la porte et l'agita.

La pluie de coups de feu s'arrêta encore une nouvelle fois. puis le rire cinglant d'Emile résonna dans la galerie.

— C'est quoi ce torchon, Austin ? Je ne suis pas un taureau. Qu'est-ce que c'est que ces bouffonneries ?

— Je n'avais pas de drapeau blanc ! s'écria Austin.

— Un drapeau blanc ! Ne me dites pas que votre ami et vous êtes prêts à accepter votre destin ?

Austin dressa l'oreille : il lui semblait percevoir un murmure lointain, semblable à celui du ressac. Mais ses oreilles bourdonnaient encore du bruit de la fusillade et il ne pouvait en être certain.

— Vous m'avez mal compris, Fauchard ! Je ne suis pas prêt à me rendre.

— Alors pourquoi agiter ce chiffon ridicule ?

— Je voulais vous dire au revoir avant l'arrivée du train.

— Vous êtes devenu fou ?

Le murmure s'était mué en un grondement sourd.

Emile donna l'ordre à ses hommes de recommencer à tirer.

Les balles sifflèrent et fusèrent au-dessus de leurs têtes, allant crescendo, sans répit. Cette concentration de coups de feu commençait à percer les parois et, d'ici quelques minutes, la cabine ne les protégerait pas plus que le morceau de gruyère auquel elle commençait à ressembler.

Puis la fusillade s'arrêta brusquement.

Leurs assaillants avaient senti la vibration et, le silence revenu, perçurent eux aussi un grondement lointain.

Austin se leva et sortit sur la passerelle. Emile avait l'air interloqué. Il leva les yeux, vit Austin qui le regardait et sut qu'il était vaincu.

— Vous avez gagné une bataille, Austin, cria-t-il en le défiant de son poing levé, mais vous n'avez pas fini d'entendre parler des Fauchard !

Austin lui offrit son plus beau sourire, rentra dans la cabine, s'accrocha fermement à un pied métallique de la console de commande, poussant Zavala à l'imiter.

Emile jura une dernière fois, tourna les talons et se mit à courir, suivi de ses hommes. Sébastien titubait derrière les autres.

Trop tard.

En quelques secondes, la vague balaya Fauchard et ses comparses dans une explosion d'eau bleue. Les têtes surnagèrent quelques instants dans l'écume froide, tandis que les bras battaient vainement la surface. On aperçut le visage pâle de Sébastien au-dessus de l'eau, puis celui-ci disparut avec Emile et les autres.

L'eau, contrairement à la fois précédente, entra en cascade par les fenêtres brisées et inonda le poste de contrôle. Les deux hommes se cramponnèrent de toutes leurs forces, essayant de ne pas lâcher prise.

Alors que leurs poumons allaient éclater, l'intensité de la vague diminua et l'eau reflua un peu.

Ils se mirent enfin debout, jambes flageolantes, et regardèrent par le cadre déchiqueté, vestige de l'ancienne fenêtre.

Zavala contemplait avec stupéfaction le flot qui coulait sous leurs pieds.

— Comment tu savais que c'était la marée montante ?

— J'ai ouvert et fermé quelques vannes d'un autre endroit du réseau, puis j'ai détourné l'eau par ici.

— J'espère que Fauchard et ses potes ont été bien nettoyés.

— On peut dire que la chasse d'eau a bien fait son boulot, dit Austin.

Miraculeusement, l'écran de contrôle était protégé par un boîtier étanche et fonctionnait toujours. Austin pressa quelques touches du clavier.

Le niveau de l'eau baissa jusqu'à ce que le torrent furieux ne soit plus qu'un faible ruisseau. Les deux hommes frissonnaient dans leurs vêtements trempés. Il leur fallait gagner un endroit sec et chaud avant de souffrir d'hypothermie. Ils descendirent l'échelle et, cette fois, personne n'essaya de les en empêcher.

Ils pataugèrent dans les galeries sans savoir où ils allaient, claquant des dents. Les piles de leurs torches électriques commençaient à faiblir, mais il n'y avait rien d'autre à faire. Alors qu'ils allaient perdre espoir, ils distinguèrent une masse devant eux.

Zavala poussa un cri de joie.

— Fifi !

La 2 CV avait été soulevée par la vague et déposée de guingois dans le tunnel. Elle était couverte de boue et sa peinture était éraflée en une dizaine d'endroits sous le choc. Austin ouvrit la portière. La carte flottait dans quelques centimètres d'eau sur le plancher. La clé était toujours sur le contact. Il essaya de démarrer, mais le moteur resta silencieux.

Zavala farfouilla sous le capot et dit à Austin de recommencer.

Cette fois, le moteur vrombit.

— Un câble de batterie, déclara le mécanicien en montant à bord.

Dans le labyrinthe de tunnels, il leur fallut une demi-heure pour se repérer, puis une demi-heure encore pour trouver la sortie. La voiture menaçait de tomber en panne lorsqu'ils aperçurent la lumière grise de l'aube devant eux ; quelques instants plus tard, ils sortaient de la montagne.

— Et maintenant ? demanda Zavala.

— Direction le château Fauchard, répliqua Austin sans se poser de question.

40

LORSQUE Skye était enfant, son père l'avait emmenée visiter Notre-Dame et c'est là qu'elle avait vu sa première gargouille. Le visage grotesque et ricanant ressemblait aux monstres de ses pires cauchemars. Elle s'était calmée lorsque son père lui avait expliqué que les gargouilles n'étaient que des gouttières. Skye s'était demandé un temps pourquoi ces sculpteurs n'avaient pas mis leur talent au service de la beauté, mais avait fini par oublier ses terreurs enfantines. Et voilà que resurgissait la gargouille de ses cauchemars, devant ses yeux à peine ouverts. Pis encore, le monstre lui parlait.

— Bienvenue, mademoiselle, articula la bouche cruelle à quelques centimètres de la sienne. Vous nous avez manqué.

Marcel, l'homme au crâne d'œuf qui dirigeait la petite milice du château Fauchard, ajouta :

— Je reviendrai dans quinze minutes. Ne me faites pas attendre.

Elle ferma les yeux, réprimant avec difficulté ses nausées. Lorsqu'elle les rouvrit, il avait disparu.

Skye regarda autour d'elle et reconnut la chambre où elle avait revêtu son costume pour le bal masqué. Elle ne comprenait pas ; elle se souvenait d'avoir marché vers son immeuble puis, en faisant un effort de mémoire, elle revit le couple de touristes perdus, la piqûre dans le dos et le glissement dans l'inconscience.

Mon Dieu, elle avait été enlevée !

Elle s'assit sur le lit et posa les jambes par terre. Le goût de cuivre dans sa bouche était sans doute dû au produit chimique qu'on lui avait injecté. Elle prit une grande inspiration et se leva. La pièce se mit à tourner. Elle tituba jusqu'à la salle de bains et vomit dans le lavabo.

Skye regarda son reflet dans la glace sans se reconnaître. Elle était d'une pâleur spectrale, ses cheveux aplatis, en désordre. Elle se rinça la bouche, reprit quelques forces en aspergeant son visage d'eau froide. Du bout des doigts, elle essaya de se coiffer et défroissa ses vêtements du mieux qu'elle put.

Elle était prête lorsque Marcel ouvrit la porte sans frapper avant de lui ordonner de le suivre. Ils empruntèrent les longs couloirs tapissés de moquette, puis gagnèrent l'immense galerie des portraits. Elle chercha celui de Jules mais il avait curieusement disparu, laissant un espace vide sur le mur. Puis ils se retrouvèrent devant la porte du bureau de Mme Fauchard.

Marcel adressa un sourire étrange à Skye, frappa doucement et ouvrit la porte. Il poussa Skye à l'intérieur, qui découvrit qu'elle n'était pas seule. Une femme blonde assise au bureau de Mme Fauchard lui tournait le dos et regardait par la fenêtre, mais pivota lorsque la porte se referma avec un bruit sec et posa les yeux sur Skye.

Elle avait une quarantaine d'années, une peau laiteuse mise en valeur par des yeux gris inquisiteurs. Elle entrouvrit ses lèvres rouges et sensuelles.

— Bonjour, mademoiselle, nous attendions votre retour. Votre départ était tellement spectaculaire !

Skye fut prise de vertige. Elle se demandait si elle ressentait encore les effets de la drogue.

— Asseyez-vous, lui dit la femme en lui montrant une chaise devant le bureau.

Comme un zombie, Skye obtempéra alors que la femme la regardait avec amusement.

— Qu'y a-t-il ? Vous semblez distraite.

Skye était plus embrouillée que distraite. Cette voix semblait être celle de Mme Fauchard. Elle avait perdu les fêlures de l'âge mais la dureté du ton ne laissait aucun doute. De folles pensées se bousculaient dans l'esprit de Skye. Racine avait-elle une fille ? S'agissait-il d'une imitatrice ?

Finalement, elle retrouva l'usage de la parole.

— C'est une farce ? Il y a un truc ?

— Pas du tout. Ce que vous voyez est la réalité.

— Madame Fauchard ? bredouilla-t-elle.

— La seule et l'unique, ma chère, répondit-elle avec un sourire rusé. Sauf que maintenant je suis jeune et que vous êtes vieille.

— Il faudra que vous me donniez le nom de votre chirurgien, lança Skye, sceptique.

Pendant un instant, un éclair de colère traversa les pupilles de la femme qui se leva, fit le tour du bureau d'un pas élastique, puis se pencha et prit la main de Skye pour la poser sur sa joue.

— Alors, pensez-vous encore que c'est le travail d'un chirurgien ?

La chair était tiède et ferme et la peau, opaline, sans la moindre trace de rides.

— Impossible, murmura Skye.

Mme Fauchard laissa retomber sa main, se redressa et retourna s'asseoir. Elle tendit ses longs doigts effilés pour que Skye constate qu'ils n'étaient plus noueux.

— Ne vous inquiétez pas, dit-elle. Vous n'êtes pas devenue folle. Je suis la même personne qui vous a invités, M. Austin et vous, à mon bal costumé. Comment va-t-il au fait ?

— Je ne sais pas, répondit Skye avec méfiance. Je ne l'ai pas vu depuis plusieurs jours. Comment...

— Comment de vieille sorcière suis-je devenue jeune beauté ? demanda-t-elle, l'air rêveur. C'est une longue, très longue histoire, qui aurait été plus courte si Jules ne s'y était pas mêlé, cracha-t-elle avec amertume. Nous nous serions épargné des décennies de recherches.

— Je ne comprends pas.

— C'est vous la spécialiste en armes anciennes, fit Mme Fauchard. Parlez-moi de ce casque.

— Il est très vieux. Il a cinq siècles, peut-être davantage. L'acier est d'une qualité exceptionnelle, sans doute forgé avec le métal d'une météorite.

Mme Fauchard haussa un sourcil.

— Très bien. Ce casque vient des étoiles et sa solidité a sauvé la vie à plus d'un Fauchard sur le champ de bataille. Il a été fondu et reforgé au fil des siècles, puis transmis de génération en génération aux vrais meneurs de la famille Fauchard. C'est à moi qu'il aurait dû revenir, et non pas à mon frère Jules.

— Votre frère ! s'exclama Skye lorsqu'elle eut assimilé les paroles de Racine.

— Parfaitement. Jules avait un an de moins que moi.

Skye, en essayant de faire le calcul, fut prise d'un tournis.

— Cela vous ferait...

— Il est impoli de demander son âge à une dame, sourit Mme Fauchard avec coquetterie. Mais je vais vous aider. J'ai passé la barre du siècle.

— Je ne peux pas le croire, dit Skye en hochant la tête, incrédule.

— Je suis blessée par votre scepticisme, déclara Mme Fauchard avec une expression satisfaite qui démentait ses paroles. Voudriez-vous connaître les détails ?

Skye était tiraillée entre sa curiosité scientifique et le dégoût qu'elle éprouvait pour cette femme.

— J'ai vu ce qui était arrivé à Cavendish pour en avoir trop appris.

— Lord Cavendish était un raseur autant qu'un bavard. Mais vous vous flattez, ma chère. Quand vous serez aussi vieille que moi, vous apprendrez à considérer les choses autrement. Morte, vous ne me serviriez à rien. Un appât vivant est toujours plus efficace.

— Un appât ? Pour quoi ?

— Pour qui, plutôt. Kurt Austin, bien sûr.

41

PEU après dix-sept heures, les vendangeurs des vignes Fauchard terminaient leur journée qui avait débuté au lever du soleil. Tandis que les ouvriers reprenaient le chemin de leurs dortoirs de fortune, une flotte de camions-bennes remplis des raisins fraîchement cueillis parcouraient les chemins de terre qui sillonnaient les collines et se dirigeaient vers le portail de la clôture électrifiée. Un garde las fit signe aux camions de passer, puis la colonne arriva à un hangar où l'on déchargerait le raisin avant le foulage, la fermentation et la mise en bouteille.

Lorsque le dernier camion ralentit peu avant l'entrée, deux silhouettes en sautèrent et filèrent vers les bois. Rassurés de n'avoir pas été vus, Austin et Zavala époussetèrent leurs vêtements et essayèrent de sécher le jus de raisin sur leur visage et leurs mains, ce qui ne fit qu'aggraver les choses.

Zavala recracha une bouchée de terre humide.

— C'est la dernière fois que je laisse Paul m'entraîner dans un de ses plans tordus. On ressemble au Blue Man Group, en violet !

Austin ôtait des brindilles de ses cheveux.

— Tu dois reconnaître que c'était une idée de génie ! Qui s'attendrait à ce que des intrus se déguisent en grappes de raisins ?

Le plan de Trout, simple en apparence, avait fonctionné à

merveille : Gamay et lui avaient fait une nouvelle balade dans le vignoble, Austin et Zavala planqués à l'arrière. Les Trout s'étaient ensuite arrêtés pour bavarder avec Marchand, le contremaître qu'ils avaient rencontré lors de leur première visite. Tandis qu'ils devisaient, le camion-benne s'était garé devant la voiture. Austin et Zavala avaient attendu qu'il soit plein, puis s'étaient glissés hors de la voiture avant de se cacher dans les raisins.

Les bois sombres semblaient tout droits sortis d'un roman de Tolkien. Austin, quant à lui, était muni d'un outil que lui aurait envié Gandalf le magicien. Le GPS miniature pourrait les conduire à quelques mètres du château. S'aidant d'une boussole pour la première étape de leur trajet, ils se mirent en route à travers bois.

Le sous-bois était rempli de ronces acérées et de broussailles épineuses, comme si les Fauchard étaient parvenus à étendre leur malfaisance à la flore qui entourait leur demeure ancestrale. A mesure que le soleil descendait vers l'horizon, les bois devenaient plus sombres. Dans la pénombre, les deux hommes trébuchaient sur les racines, et leurs vêtements s'accrochaient aux buissons. Enfin, ils sortirent de la forêt et arrivèrent à un chemin de terre d'où partait tout un réseau de sentiers fréquemment utilisés. Austin consultait régulièrement son GPS qui les guida efficacement jusqu'à la lueur des tours du château.

A la lisière du bois, ils s'accroupirent et observèrent un garde passer, seul, le long de la douve. Lorsque celui-ci tourna au coin du château, Austin enclencha le chronomètre de sa montre.

— Nous avons du bol, dit Zavala. Une seule sentinelle !

— Je n'aime pas ça, répliqua Austin. D'après ce que j'en sais, les Fauchard ne sont pas du style à prendre leur sécurité à la légère.

Plus curieux encore, le pont-levis était abaissé et la herse soulevée. L'eau de l'étrange fontaine aux sculptures guerrières tintait musicalement. La tranquillité de la scène contrastait fortement avec sa dernière visite et semblait par trop accueillante, ne présageant rien de bon.

— Tu crois que c'est un piège ?

— Il ne manque plus qu'un gros morceau de gruyère.

— Quelles sont nos autres possibilités ?

— Limitées. Nous pouvons faire demi-tour ou bien avancer en essayant de tromper nos adversaires.

— J'ai eu ma dose de raisins, fit Zavala. Tu n'as pas parlé de notre stratégie de sortie.

Austin claqua l'épaule de Zavala.

— Eh, tu t'apprêtes à faire une visite passionnante du château Fauchard et voilà que tu penses déjà au départ.

— Excuse-moi de ne pas être aussi blasé que toi. J'aimerais tout autant éviter de plonger en Rolls Royce dans une douve sous une pluie de balles.

Austin se crispa à ce souvenir.

— D'accord, voilà mon plan : nous allons proposer d'échanger Emile contre Skye.

— Pas mal, approuva Zavala. Mais il y a un hic. Tu as jeté Emile avec l'eau du bain.

— Mme Fauchard l'ignore. Lorsqu'elle le découvrira, nous serons loin d'ici.

— Quelle honte de mentir à une vieille dame, mais ça me plaît, dit-il d'un air pensif. Et que fait-on si elle ne mord pas à l'hameçon ? C'est là qu'on appelle les gendarmes ?

— J'aimerais que ce soit aussi simple, mon vieux. Imagine : les gendarmes frappent à la porte et Mme Fauchard leur dit : « Fouillez où vous voudrez. » Je suis allé dans ces oubliettes, on pourrait y cacher une armée. Les recherches pour retrouver Skye pourraient prendre des semaines.

— Et le temps joue contre nous.

Austin eut l'air songeur.

— Une heure vaut cent ans, murmura-t-il en regardant sa montre.

— C'est tiré d'un de tes livres de philo ? se moqua Zavala, car Austin était féru de philosophie et les étagères de son hangar à bateau sur le Potomac remplies des œuvres des grands penseurs.

— Non, répondit-il, pensif. C'est quelque chose que m'a dit le Dr MacLean.

Le garde ressortit de l'autre côté des remparts, coupant court à leur discussion. Austin appuya sur le chronomètre de sa montre. La sentinelle avait mis seize minutes à faire le tour du château.

Une fois le garde reparti pour une nouvelle ronde, Austin fit un signe à Zavala. Tous deux s'élancèrent à découvert, suivirent la douve jusqu'au pont de pierre, s'abritèrent sous une arche, puis coururent jusqu'à la cour d'honneur en passant par le pont-levis. Avec leurs vêtements noirs, ils étaient presque invisibles dans l'ombre au bas du rempart. Des lumières brillaient aux fenêtres du rez-de-chaussée mais il n'y avait aucun garde à l'extérieur, ce qui ne fit qu'augmenter la méfiance d'Austin.

Son pressentiment se confirma en arrivant à la grille qui barrait l'accès à l'escalier menant aux remparts. Lorsqu'il l'avait inspectée en compagnie de Skye, celle-ci était fermée à clé. A présent, elle était grande ouverte, et les invitait à grimper jusqu'au rempart et emprunter une étroite passerelle qui menait à une tour. Austin changea ses plans. Il traversa la cour pavée jusqu'à l'arrière du château et descendit un petit escalier de pierre qui permettait d'accéder à une porte en bois cerclée de fer.

Il actionna la poignée, qui résista. Il sortit de son paquetage une perceuse portative puis une scie, fora plusieurs trous dans la porte et découpa le bois. Passant la main par le trou, il ôta la barre et ouvrit la porte. L'odeur moisie des catacombes les prit à la gorge comme l'odeur putride d'un cadavre. Ils allumèrent leurs torches électriques, entrèrent et refermèrent la porte derrière eux.

Ils descendirent plusieurs petites volées de marches. Austin s'arrêta brièvement devant les oubliettes, là où Emile avait rendu son hommage sanglant à Edgar Poe. Le pendule oscillait au-dessus de la table en bois, mais il n'y avait plus aucune trace du malheureux lord Cavendish.

Austin se fourvoya dans plusieurs impasses, mais son sens de l'orientation de marin le guidait dans la bonne direction. Ils passèrent bientôt devant un ossuaire et remontèrent vers la salle d'armes. De nouveau, la porte était ouverte. Austin la poussa et les deux hommes arrivèrent près de l'autel. La pièce était plongée dans l'obscurité, à l'exception d'une lueur à l'autre bout de la nef. La flamme jaune vacillante se reflétait sur les armures polies.

Zavala balaya du regard la salle d'armes.

— Douillet. J'aime bien le mélange gothique et métal. Qui est leur décorateur d'intérieur ?

— Le même que celui du marquis de Sade.

Ils descendirent l'allée centrale en passant devant les reliques mortelles, à l'origine de la fortune des Fauchard. La lumière se fit plus vive lorsqu'ils arrivèrent derrière le groupe de chevaliers. Austin s'avança le premier et, en passant devant la reconstitution, découvrit Skye.

Elle était assise dans un fauteuil en bois massif flanqué de vasques enflammées, face aux chevaux qui chargeaient. Ses bras et ses jambes étaient ligotés et on lui avait collé un morceau d'adhésif sur la bouche. Deux armures étincelantes se tenaient à ses côtés, comme pour la défendre d'une attaque féroce.

Les yeux de Skye s'agrandirent. Elle secoua la tête vigoureusement, et plus frénétiquement encore à mesure qu'Austin s'approchait. Il s'apprêtait à sortir son couteau pour trancher les liens de Skye lorsqu'il perçut un mouvement du coin de l'œil. L'armure qui se trouvait à sa droite bougeait.

— Oh merde ! fit-il, faute d'une réaction plus appropriée.

Dans un cliquetis qui se faisait entendre à chaque pas, l'armure brandit son épée et marcha vers Austin comme un robot médiéval. Il battit en retraite.

— Des suggestions ? lui demanda Zavala.

— Non, à moins que tu aies apporté un ouvre-boîte.

— Que dirais-tu d'un flingue ?

— Trop bruyant.

L'autre armure avait pris vie elle aussi et se dirigeait sur eux. Elles se déplaçaient à une allure inattendue. Austin comprit que le couteau qu'il avait à la main n'était pas plus efficace qu'un cure-dent. Skye se débattait sur son fauteuil.

Austin n'avait pas envie de finir en tranches comme un salami. Il baissa la tête, fonça vers l'homme en armure le plus proche de lui et le plaqua au sol en s'appliquant à ses genoux. L'homme vacilla, lâcha son épée et, en battant des bras, tomba en arrière avant de heurter le sol en pierre dans un craquement horrible. L'occupant de l'armure eut un dernier soubresaut, puis ne bougea plus.

Le deuxième semblait hésiter. Zavala imita Austin avec la même efficacité. L'armure s'effondra au sol avec fracas. Tandis qu'Austin allait couper les liens de Skye, Zavala se penchait au-dessus des deux silhouettes.

— Raides, dit-il avec fierté. Plus ils sont grands, plus dure est la chute.

— On a l'impression de plaquer un char de combat. Toutes ces heures passées à regarder les matchs de football américain, finalement, ce n'était pas du temps perdu.

— Toi qui te préoccupais du bruit, cette petite altercation en a fait autant que deux squelettes qui feraient l'amour sur un toit en tôle.

Austin haussa les épaules, ôta délicatement le ruban adhésif de la bouche de Skye, puis l'aida à se lever. Les jambes flageolantes, elle se jeta à son cou et lui donna l'un des plus fougueux et des plus longs baisers de sa vie.

— Je croyais que je ne te reverrais jamais, dit-elle.

Un rire cristallin se fit entendre depuis la pénombre du cloître voisin. Puis une femme élancée au visage couvert d'un voile s'avança à la lueur vacillante des braseros. Le tissu vaporeux et transparent la couvrait jusqu'aux chevilles, révélant la perfection de la silhouette.

— Charmant, dit-elle. Comme c'est charmant ! Mais pourquoi faut-il que vous soyez si théâtral dans vos allées et venues, monsieur Austin ?

Marcel vint se placer derrière la femme, une mitraillette au creux des bras. Puis, six autres hommes armés surgirent des soins sombres et délestèrent Austin et Zavala de leurs armes.

Austin posa les yeux sur les deux armures au sol.

— On dirait que je ne suis pas le seul à aimer le théâtre.

— Vous savez bien que je l'apprécie, vous étiez à mon bal masqué, non ? A propos de masque...

Elle souleva lentement le voile de sa tête et révéla son visage. Une chevelure qui semblait filée dans l'or fin tomba en cascade sur ses épaules. Doucement, avec un geste empreint de séduction, elle fit glisser lentement le voile, comme si elle déballait un cadeau précieux, qui tomba au sol. Elle était vêtue d'une longue robe décolletée, d'un blanc éclatant. Une ceinture en or ornée du motif de l'aigle à triple tête enserrait sa taille fine. Austin regarda les yeux froids et eut l'impression d'être frappé par la foudre.

Bien qu'il ait eu connaissance des travaux mystérieux sur les enzymes de la Cité perdue, son esprit logique n'avait pas vraiment saisi ce que cela signifiait. Il était plus simple de croire que la formule de la Pierre philosophale, utilisée à mauvais escient, produise des monstres sans âge que d'imaginer qu'elle puisse créer un mortel d'une beauté aussi divine et stupéfiante. Il avait supposé que l'élixir prolongerait la vie, mais non qu'il pourrait anéantir les effets de cinquante ans de vieillissement.

Austin retrouva sa langue.

— Je vois que les travaux du Dr MacLean ont réussi au-delà de toute espérance, madame Fauchard.

— Le mérite ne lui en revient pas entièrement. Il a fait naître ce projet, mais la formule de la vie éternelle qui bouillonne dans mes veines a été créée avant même qu'il soit né.

— Vous êtes bien différente de ce que vous étiez voilà quelques jours. Combien de temps cette transformation a-t-elle pris ?

— L'élixir qui prolonge la vie est trop puissant pour être absorbé en une seule fois, dit-elle. Trois traitements sont nécessaires ; les deux premières injections produisent en vingt-quatre heures le résultat que vous pouvez constater. Je m'apprête à prendre la troisième.

— Comment pourrait-on embellir un lis ?

Racine fut flattée par la comparaison.

— La troisième dose rend permanents les effets des deux premières. Une heure après, je commencerai mon voyage vers l'éternité. Mais assez parlé chimie. Pourquoi ne me présentez-vous pas votre bel ami ? Il a l'air d'avoir les yeux qui lui sortent des orbites.

Zavala n'avait jamais vu Mme Fauchard auparavant. Tout ce qu'il savait, c'est qu'il se trouvait en présence de l'une des femmes les plus ensorcelantes qu'il ait jamais vues. Il avait murmuré quelques mots de stupéfaction en espagnol, et à présent un léger sourire flottait sur ses lèvres. Les armes pointées sur lui ne semblaient en rien refroidir son admiration pour cette femme d'une absolue perfection physique.

— Voici mon collègue, Joe Zavala, dit Austin. Joe, je te présente Racine Fauchard, la propriétaire de ce charmant tas de pierres.

— Madame Fauchard ! s'exclama Zavala, la bouche ouverte jusqu'à la pomme d'Adam.

— Oui, qu'y a-t-il ? demanda-t-elle.

— Rien, je m'attendais seulement à voir quelqu'un d'autre.

— M. Austin s'est sans doute fait un plaisir de me décrire comme un vieux sac d'os, dit-elle avec un éclair dans les yeux.

— Pas du tout, répondit Zavala en détaillant la mince silhouette et les traits magnifiques de Mme Fauchard, les yeux émerveillés. Il a dit que vous étiez charmante et intelligente.

La réponse sembla lui plaire car elle sourit.

— Décidément, la NUMA a l'art de choisir ses membres, aussi galants que compétents. C'est une qualité que j'ai décelée chez vous, monsieur Austin. Voilà pourquoi je savais que vous viendriez au secours de la dame de vos pensées.

Elle considéra leur peau tachée de jus violet.

— Si vous vouliez goûter notre raisin, il aurait été plus simple d'acheter une bouteille plutôt que de vous rouler dedans.

— Votre vin n'est pas dans mes moyens, dit Austin.

— Vous avez vraiment cru que vous pourriez pénétrer dans le château sans être détectés ? Nos caméras de surveillance vous ont repérés dès que vous avez traversé le pont-levis. Marcel croyait que vous monteriez sur le rempart extérieur et entreriez par là.

— C'est effectivement gentil à vous d'avoir laissé la grille ouverte.

— Vous n'avez certes pas mordu à l'hameçon, mais nous n'imaginions pas que vous retrouveriez votre chemin dans les catacombes. Vous saviez que le château était bien défendu. Qu'espériez-vous accomplir en venant ici ?

— J'espérais repartir avec mademoiselle.

— Eh bien, votre quête romantique a échoué.

— On dirait. Peut-être, pour ajouter au romanesque, voudriez-vous m'offrir un prix de consolation? Lors de notre première rencontre, vous m'avez dit que vous me raconteriez l'histoire de votre famille. Je suis tout ouïe. Je serais ravi de vous dire ce que je sais en échange.

— Vous n'en savez pas autant que moi sur vous, cependant j'admire votre audace.

Elle se tut un instant, croisa les bras et se pinça légèrement le menton. Austin se rappelait avoir vu la vieille Mme Fauchard faire le même geste. Elle se tourna vers Marcel.

— Eloigne les autres.

— A votre place, je ne ferais pas ça, lança Austin à Marcel.

Protecteur, il se plaça devant Skye. Marcel et les gardes s'approchèrent, mais Mme Fauchard les repoussa d'un geste.

— Votre attitude chevaleresque est sans limite, monsieur Austin. Ne craignez rien; vos amis ne seront pas loin et vous pourrez les voir. Je veux vous parler seule à seul.

Mme Fauchard lui fit signe de prendre place dans le fauteuil laissé libre par Skye, et claqua des doigts. Deux hommes apportèrent un genre de trône médiéval dans lequel elle s'installa. Elle lança quelques mots en français à Marcel qui, accompagné de deux hommes, escorta les prisonniers un peu plus loin, mais encore en vue, tandis que les autres traînaient par les pieds les hommes en armure.

— Maintenant, nous ne sommes que tous les deux, dit-elle. De crainte que vous ne tentiez quoi que ce soit, je préfère vous dire que mes hommes tueront vos amis au moindre faux pas.

— Je n'ai pas l'intention de tenter quoi que ce soit. Cet entretien est trop fascinant pour se terminer si vite. Dites-moi, quel est ce costume de grande prêtresse?

— Vous savez que j'aime les costumes. Il vous plaît?

Austin ne pouvait malgré lui détacher les yeux de Mme Fauchard. Elle était magnifique, aussi parfaite qu'une statue de cire sauf ses yeux, sans âme, plus froids que l'acier de toutes les épées et armures de l'empire Fauchard.

— Je vous trouve absolument enchanteresse, mais...

— Mais vous n'êtes pas prêt à fréquenter une centenaire.

— Là n'est pas la question, vous ne faites pas vraiment votre âge. Je n'ai pas l'habitude de fréquenter une tueuse de sang-froid.

Elle haussa ses sourcils finement dessinés.

— Monsieur Austin, est-ce là votre étrange manière de me faire la cour ?

— Loin de moi cette idée.

— Dommage. J'ai eu beaucoup d'amants ces cent dernières années, et vous êtes un homme très séduisant. (Elle s'interrompit et contempla son visage.) Dangereux aussi, ce qui n'est pas pour me déplaire. D'abord, vous devez remplir votre part du marché. Dites-moi ce que vous savez.

— Je sais que vous et votre famille avez embauché le Dr MacLean pour découvrir l'élixir de jouvence qu'il appelait la Pierre philosophale. En cours de route, vous avez éliminé tous ceux qui constituaient un obstacle à la réalisation de votre mégalomanie et créé un groupe de monstres mutants.

— Voilà un résumé pertinent, mais vous n'avez fait qu'effleurer la surface.

— Je vous laisse m'expliquer le reste, en ce cas.

Elle resta silencieuse, laissant voyager sa mémoire.

— La lignée de ma famille remonte à la civilisation minoenne qui prospérait avant l'éruption volcanique sur l'île de Santorin. Mes ancêtres étaient les prêtres et prêtresses du culte de la déesse minoenne du serpent. Le clan du serpent était puissant, pourtant des rivaux l'ont chassé de l'île. Quelques semaines plus tard, le volcan anéantissait tout. Ils se sont établis à Chypre, où ils se sont lancés dans le commerce des armes. Le serpent est devenu Javelot, puis Fauchard.

— Comment êtes-vous passé du javelot aux mutants ?

— C'était une évolution logique de notre commerce. Au tournant du siècle, Javelot Industries construisit un laboratoire afin de créer un soldat surhumain. Nous savions d'après la guerre civile américaine que les guerres de tranchées tomberaient dans une impasse. Les uns attaqueraient, puis les autres, mais progresseraient faiblement et battraient en retraite face aux armes automatiques qui étaient en train d'être mises au point. Nous voulions un soldat qui puisse charger les tranchées adverses sans peur, comme les guerriers berserk vikings. Un soldat qui aurait une endurance et une rapidité surhumaines, ainsi qu'une capacité à cicatriser très vite. Nous avons testé la formule sur quelques volontaires.

— Tels que Pierre Levant?

— Je ne sais plus, fit-elle avec un froncement de sourcils.

— Le capitaine Levant était un officier français. Il est devenu l'un des premiers mutants créés par vos travaux.

— Oui, le nom me dit vaguement quelque chose. Un beau jeune homme fringant.

— Vous ne le reconnaîtriez pas.

— Avant de me condamner, sachez qu'il s'agissait de volontaires, des soldats excités à l'idée de devenir des surhommes.

— Savaient-ils qu'avec ces pouvoirs surhumains, leur apparence changerait radicalement?

— Personne ne le savait. La science était moins avancée qu'aujourd'hui. Mais la formule a fonctionné, au moins pendant un temps. Elle donnait aux soldats une force surhumaine et une grande rapidité, mais par la suite ils s'affaiblirent et se muèrent en bêtes hargneuses et incontrôlables.

— Des bêtes qui resteraient enfermées dans leur monstruosité pour toujours.

— La formule d'allongement de la vie a été une conséquence inattendue des recherches. Mieux encore, l'élixir promettait d'inverser le processus de vieillissement. Nous serions parvenus à raffiner la formule, sans Jules.

— Finalement, il avait une conscience?

— Finalement, c'était un imbécile! déclara-t-elle avec une véhémence non dissimulée. Jules considérait nos découvertes comme une chance pour l'humanité. Il a essayé de nous persuader d'éviter la guerre et de publier la formule. J'ai dressé la famille contre lui mais il s'est enfui en avion, emportant des papiers qui nous compromettaient tous et qu'il aurait utilisés pour nous faire chanter je suppose, s'il n'avait été intercepté et abattu.

— Pourquoi a-t-il pris le casque?

— Il représentait le pouvoir de notre famille depuis des générations. Après sa trahison, il a perdu tout droit au casque qui aurait dû me revenir.

Austin se cala dans son dossier et mit les mains derrière sa tête.

— Et une fois Jules disparu, il n'y avait plus de risque de voir compromettre votre famille dans le déclenchement de la guerre, puisqu'il n'était plus en mesure d'interrompre vos recherches.

— Il les avait déjà interrompues, en détruisant la formule de base avant de graver ses calculs à l'intérieur du casque. Rusé. Trop rusé. Il a fallu que nous repartions de zéro. Il y avait un million de combinaisons possibles. Nous avons gardé les mutants en vie dans l'espoir qu'ils pourraient nous révéler le secret de la formule. Les travaux ont été interrompus par les guerres, la crise. Pendant la Seconde Guerre mondiale, alors que nous étions si près du but, notre laboratoire a été bombardé par les Alliés. Cela a retardé nos recherches de plusieurs décennies.

— Vous voulez dire, fit Austin en s'esclaffant, que les guerres que vous avez initiées ont mis à mal vos travaux de recherches. Cette ironie du sort n'a pas dû vous échapper.

— Croyez bien que je le regrette.

— Entre-temps, vous avez vieilli.

— Oui, j'ai vieilli, dit-elle avec une tristesse qui ne lui ressemblait pas. J'ai perdu ma beauté et je suis devenue une vieille sorcière. Mais je n'ai pas renoncé. Nous avons fait des progrès sur le ralentissement du vieillissement, dont j'ai partagé les fruits avec Emile, mais la Faucheuse nous guettait. Nous étions si près du but. Nous avons même essayé de créer cet enzyme tant espéré, mais sans succès. Puis les scientifiques ont entendu parler de l'enzyme de la Cité perdue. Il semblait être le chaînon manquant. J'ai acheté la compagnie qui faisait des recherches sur cet enzyme et j'ai enrôlé le Dr MacLean et ses collègues pour poursuivre ce travail sans relâche. Nous avons construit un sous-marin capable de le prélever et mis en place un laboratoire de test.

— Pourquoi avez-vous fait tuer les chercheurs ?

— Nous ne sommes pas les premiers à nous débarrasser d'une équipe scientifique lorsqu'elle devient gênante. Le gouvernement britannique enquête toujours sur la mort de scientifiques qui travaillaient sur un projet de bouclier antimissiles balistiques. Quand nous avons créé ces mutants, les chercheurs nous ont menacés de faire éclater l'affaire au grand jour, c'est pourquoi nous les avons éliminés.

— Le seul problème, c'est qu'ils n'avaient pas achevé leurs travaux, déclara Austin. Pardonnez-moi, mais cette opération ressemble à un vrai cirque.

— L'analogie n'est pas inexacte. J'ai fait la sottise de laisser Emile s'en occuper ; ce fut une grosse erreur. Lorsque j'ai repris la main, j'ai ramené le Dr MacLean afin de reconstituer une équipe scientifique et ils ont réussi à récupérer la plupart du travail perdu.

— Emile est-il aussi responsable de l'inondation du tunnel ?

— Mea culpa. Je ne l'avais pas mis dans la confidence quant à la véritable signification du casque, c'est pourquoi il n'a pas tenté de le retrouver avant d'inonder le tunnel.

— Encore une erreur ?

— Heureusement, Mlle Labelle l'a récupéré et il est maintenant en ma possession. Il nous a fourni le chaînon manquant et nous avons donc fermé le laboratoire. Vous voyez, nous commettons des erreurs mais nous savons en tirer des leçons. Je n'en dirais pas autant de vous. Vous vous êtes échappé une fois d'ici et vous êtes revenu vous jeter dans la gueule du loup.

— Pas sûr.

— Comment cela ?

— Avez-vous eu des nouvelles d'Emile récemment ?

— Non, dit-elle, en proie au doute et ce pour la première fois. Où est-il ?

— Laissez-nous partir et je vous le dirai.

— Que voulez-vous dire ?

— Je suis passé au glacier avant de venir vous voir. Emile est en de bonnes mains en ce moment.

— C'est trop bête, fit-elle avec une pichenette dans le vide. Dommage que vous ne l'ayez pas tué.

— Vous bluffez. Nous parlons de votre fils.

— Il est inutile de me rappeler à mes devoirs, fit-elle froidement. Je n'ai que faire de ce qui peut arriver à Emile ou à cet imbécile de Sébastien. Emile projetait de prendre ma place et j'aurais dû le détruire moi-même. Si vous l'avez tué, vous m'avez rendu service.

Austin avait l'impression qu'il venait de piocher une paire de deux dans une partie de poker à gros enjeu.

— J'aurais dû savoir qu'il arrivait aux femelles serpents de dévorer leur progéniture.

— Vos railleries stupides ne m'atteignent pas. En dépit des frictions internes, ma famille est devenue, au fil des siècles, de plus en plus puissante.

— Tout en laissant beaucoup de sang sur son passage.

— Que m'importe le sang ? Ce n'est pas ce qui manque à la surface de la terre.

— Certains ne partagent pas votre point de vue.

— Vous ignorez où vous mettez les pieds, ricana Mme Fauchard. Vous croyez nous connaître ? Vous ne voyez que la partie émergée de l'iceberg. L'origine de notre famille remonte à la nuit des temps. Tandis que vos ancêtres raclaient des branches pourries à la recherche de larves, les miens avait déjà façonné une pointe de silex, l'avaient attachée à un bâton et troquée à leur voisin. Nous ne sommes d'aucune nation et de toutes les nations. Nous avons vendu des armes aux Grecs contre les Perses et aux Perses contre les Grecs. Les légions romaines ont conquis l'Europe en brandissant des glaives que nous avions conçus. A présent, nous allons forger le temps, le plier à notre volonté comme nous le fîmes autrefois avec l'acier.

— Et si vous vivez encore cent ou mille ans ?

— Ce qui compte n'est pas la durée de votre vie mais ce que vous en faites. Pourquoi ne vous joindriez-vous pas à moi, monsieur ? J'admire votre ingéniosité et votre courage. Peut-être pourrais-je même trouver une place pour vos amis ? Pensez-y. L'immortalité ! Au fond, n'est-ce pas votre souhait le plus ardent ?

— Votre fils m'a posé la même question.

— Alors ?

Un sourire froid traversa le visage d'Austin.

— Mon souhait le plus ardent est de vous envoyer, vous et vos petits copains, le rejoindre en enfer.

— Ainsi vous l'avez bien tué ! s'exclama-t-elle en applaudissant avec légèreté. Bien joué, monsieur Austin, je m'y attendais. Vous deviez savoir que je plaisantais au sujet de cette proposition. S'il y a une chose que j'ai apprise au cours de mes cent années, c'est que les hommes pourvus d'une conscience sont toujours un grand danger. Parfait, vous et vos amis vouliez faire partie de ma fête costumée, eh bien il en sera ainsi. Pour vous remercier d'avoir éliminé mon fils, je ne vous tuerai pas immédiatement. Je vous permettrai d'assister à l'aurore d'un jour nouveau sur cette terre.

Elle sortit du bustier de sa robe une petite fiole qu'elle éleva au-dessus de sa tête.

— Regardez, voici l'élixir de vie.

Austin, lui, pensait à MacLean, et ses yeux scintillèrent alors que les dernières paroles du scientifique prenaient tout leur sens.

— Votre plan insensé ne marchera jamais, déclara calmement Austin.

Racine le foudroya du regard et ses lèvres esquissèrent une moue de mépris.

— Qui m'arrêtera ? Vous ? Vous osez mesurer votre petite cervelle aux leçons apprises au cours de cent années de vie ?

Elle déboucha la fiole, la porta à ses lèvres et en but le contenu. Son visage s'illumina soudainement. Austin la regarda un instant, fasciné, conscient d'assister à un miracle, mais réussit bientôt à s'arracher au sortilège. Racine le vit appuyer sur le chronomètre de sa montre.

— Vous feriez aussi bien de jeter cet instrument, se moqua-t-elle. Dans mon univers, le temps n'aura plus de sens.

— Pardonnez-moi si j'ignore votre suggestion, car dans le mien, le temps est encore essentiel.

Elle toisa Austin avec arrogance, puis elle fit signe à Marcel d'approcher. Tous ensemble, ils se dirigèrent vers les souterrains.

Tandis que l'épaisse porte en bois s'ouvrait et qu'Austin et ses compagnons étaient poussés en avant par la pointe du fusil, l'avertissement du pilote français lui revint en mémoire.

Les Fauchard ont un passé.

Il jeta un coup d'œil à sa montre, adressant une prière aux dieux qui veillent sur les fous et les aventuriers, souvent les mêmes. Avec un peu de chance, cette effroyable famille pourrait bien ne pas avoir d'avenir.

42

Racine se saisit d'une torche accrochée au mur et plongea dans les ténèbres. Se délectant de la liberté que lui offrait sa jeunesse retrouvée, elle dévala gracieusement les escaliers qui menaient aux catacombes. Son enthousiasme juvénile contrastait étrangement avec l'environnement morbide des murs suintants et des plafonds tachés de mousse.

Skye se trouvait juste derrière Racine, suivie d'Austin et d'un garde qui surveillait le moindre de ses mouvements, puis par Zavala et un autre garde. Marcel fermait la marche, l'œil toujours aux aguets, comme un cow-boy veillant à ce que son bétail ne s'égare pas. Le cortège passa devant l'ossuaire et les cachots, puis descendit de plus en plus profondément dans les oubliettes. L'air sentait encore plus le renfermé et devenait irrespirable.

Un étroit couloir voûté d'une trentaine de mètres de long partait du dernier escalier pour les mener à une porte en pierre. Deux gardes la firent rouler sur le côté. Elle coulissa en silence, les roulettes bien huilées. Tandis que les prisonniers empruntaient un nouveau couloir, Austin évalua leurs chances de survie et conclut qu'ils n'en avaient aucune. Du moins pour le moment. Les Trout avaient reçu l'instruction de ne pas bouger jusqu'à ce qu'il les appelle.

Il aurait voulu se gifler d'avoir été aussi sûr de lui. Son erreur de jugement lui coûtait cher. Racine était impitoyable, ainsi que le montrait l'assassinat de son frère, mais il ne s'était pas imaginé qu'elle serait si indifférente à la nouvelle de la mort de son fils. Il jeta un regard à Skye, qui semblait tenir le coup, trop occupée à ôter les toiles d'araignée qui se prenaient dans ses cheveux pour s'inquiéter de leur avenir. Il espérait seulement qu'elle n'aurait pas à payer pour ses erreurs à lui.

Le couloir menait enfin à une autre porte en pierre, que l'on fit aussi coulisser. Racine la franchit et éleva sa torche dans les airs, ce qui fit crépiter la flamme. La lueur dansante illumina un bloc de pierre de soixante centimètres de large qui semblait avancer au-dessus d'un précipice.

— Je l'appelle le pont des Soupirs, déclara Racine d'une voix forte qui résonna encore et encore sur les parois du gouffre. Il est bien plus ancien que celui de Venise. Ecoutez.

Le vent gémissait comme un chœur d'âmes en peine et faisait tourbillonner ses longs cheveux dorés.

— Mieux vaut ne pas s'attarder.

Elle se mit à courir sur le bloc de pierre avec une folle témérité.

Skye hésita. Austin lui prit la main et ils progressèrent ensemble sur le pont étroit en direction de la torche de Racine. Le vent s'engouffrait dans leurs vêtements. Il n'y avait peut-être qu'une dizaine de mètres à parcourir, mais ils leur paraissaient aussi longs que dix kilomètres.

Zavala, qui avait été boxeur à l'université, était un athlète et il traversa les quelques mètres avec l'assurance d'un équilibriste. Les gardes, y compris Marcel, mirent plus de temps et, manifestement, ils n'y prenaient aucun plaisir.

Les gardes déverrouillèrent une épaisse porte en bois et la procession sortit des catacombes pour accéder à un espace dégagé. L'air était sec et chargé d'un lourd parfum de pin. Ils se trouvaient sur une allée large d'environ quatre mètres. Racine se dirigea vers un muret entre deux colonnes massives et fit signe aux autres de la suivre.

L'allée était en réalité la partie supérieure d'un amphithéâtre. Trois autres gradins, éclairés par un anneau de torches, descendaient vers une arène. Les sièges étaient occupés par des centaines de spectateurs muets.

Austin regarda le vaste espace à travers une arche.

— Décidément, madame Fauchard, vous ne cessez de me surprendre.

— Peu d'étrangers ont été admis dans le saint des saints de la famille Fauchard.

La curiosité scientifique de Skye l'emporta momentanément sur ses craintes.

— C'est une réplique du Colisée ! s'exclama-t-elle en examinant les lieux. L'agencement des colonnes, les arcades, tout est semblable excepté l'échelle.

— Rien d'étonnant à cela, dit Racine. C'est une version plus petite du Colisée, bâtie par un proconsul romain en Gaule, qui avait la nostalgie des jeux du cirque. Lorsque mes ancêtres ont cherché un site pour construire leur château, ils ont songé qu'en s'établissant à l'endroit où avait coulé le sang des gladiateurs, ils pourraient communier avec cet esprit martial. Ma famille y a apporté quelques modifications, comme ce système d'aération ingénieux, mais à part cela, l'endroit est tel qu'il a été découvert.

Austin était intrigué par les spectateurs. Aucun murmure, ni mouvement, ni toux. Le silence était palpable.

— Qui sont tous ces gens ? demanda-t-il à Racine.

— Je vais faire les présentations, répliqua-t-elle.

Ils descendirent plusieurs escaliers en ruines. Une fois en bas, un garde déverrouilla une grille en fer et le groupe passa à travers un petit tunnel. Racine expliqua qu'il permettait aux gladiateurs et autres acteurs des jeux du cirque d'accéder à l'arène, au sol couvert de sable fin.

Un podium en marbre sculpté d'environ un mètre cinquante de haut s'élevait au centre de la piste. Des marches avaient été taillées sur le côté de la plate-forme rectangulaire. Austin contempla les visages impassibles des hommes au garde-à-vous dispersés tout autour de l'arène lorsqu'il entendit le cri étouffé de Skye, qui ne lui avait pas lâché la main depuis la traversée de l'abîme. Elle lui écrasa les doigts avec force.

Il suivit son regard jusqu'à la première rangée de spectateurs : la lueur jaune de la torche éclairait des sourires de squelettes et des peaux parcheminées. Il se rendit compte qu'il scrutait une assistance de momies. Les corps desséchés remplissaient, rangée après rangée, étage après étage, tous les gradins, contemplant l'arène de leurs yeux morts.

— Tant mieux, dit-il sur un ton égal. Ils ne te feront pas de mal.

— C'est un tombeau géant, s'exclama Zavala frappé d'horreur.

— Je dois admettre que j'ai joué devant des publics plus animés, dit Austin en se tournant vers Mme Fauchard. Joe a raison. Votre saint des saints est un immense cimetière.

— Au contraire, rétorqua Racine. Vous vous tenez sur le sol le plus sacré pour notre famille. C'est sur ce podium que j'ai défié Jules en 1914. C'est là qu'il se tenait lorsqu'il a juré qu'il se conformerait aux volontés du conseil de famille. Si Emile n'avait pas échoué dans sa mission, j'aurais pu placer le corps de mon frère avec les autres afin qu'il assiste à mon triomphe.

Austin essaya de s'imaginer le frère de Racine plaidant sa cause pour l'humanité devant ce parterre de sourds.

— Il a dû falloir un grand courage à Jules pour défier ainsi une famille d'assassins, déclara Austin.

Racine ignora la remarque. Elle pivota sur ses talons comme une ballerine, manifestement à l'aise dans cet endroit macabre, et désigna quelques-uns des membres de la famille qui avaient rejeté l'appel de Jules il y a si longtemps.

— Désolé de ne pas verser ma petite larme, dit Austin. D'après leur regard, ils ne se sont pas encore remis de la défection de votre frère.

— Il ne nous défiait pas seulement nous autres, mais cinq mille ans d'histoire familiale. Lorsque nous avons regagné la France en compagnie des Croisés, nous avons emmené nos ancêtres avec nous. Il a fallu des années aux longues caravanes pour transporter tous ces morts et parcourir des milliers de kilomètres depuis le Moyen-Orient, jusqu'à ce lieu de repos.

— Pourquoi s'être donné tant de mal pour tous ces tas d'os et de peau ?

— Notre famille a toujours rêvé de la vie éternelle. Comme les Egyptiens, mes ancêtres croyaient que si le corps était conservé, la vie continuerait au-delà de la mort. La momification était une tentative primitive de cryogénisation. Les premiers embaumeurs utilisaient de la résine de pin plutôt que l'oxygène liquide comme on le fait aujourd'hui. Ah, dit-elle en regardant par-dessus l'épaule d'Austin, je vois que nos invités arrivent. Nous allons pouvoir commencer la cérémonie.

Des silhouettes fantomatiques vêtues de robes blanches entraient dans l'arène. Il y avait autant d'hommes que de femmes, une vingtaine en tout, et leurs cheveux blancs et leurs visages ridés commençaient déjà à ressembler aux momies. En arrivant dans l'arène, chacun baisa la main de Mme Fauchard, puis ils s'installèrent en cercle autour du podium.

— Vous connaissez déjà ces gens, dit-elle à Austin. Vous les avez rencontrés à ma soirée. Ce sont les descendants des vieilles familles d'armuriers.

— Ils avaient meilleure mine en costume, railla Austin.

— Les ravages du temps n'épargnent personne, mais ils rejoindront l'élite qui gouvernera le monde avec moi. Marcel sera à la tête de notre armée privée.

Austin se mit à rire à gorge déployée et des visages stupéfaits se tournèrent dans sa direction.

— C'est donc de cela qu'il s'agit? La domination du monde?

Racine dévisagea Austin telle une Méduse furieuse.

— Vous trouvez ça drôle?

— Vous n'êtes pas la première mégalomane à parler de conquérir le monde, dit-il. Hitler et Gengis Khan avaient de l'avance sur vous mais la seule chose qu'ils ont réussi à faire, c'est plonger des peuples dans un bain de sang, rien de plus.

Racine retrouva son sang-froid.

— Mais pensez à ce que serait le monde aujourd'hui s'ils avaient été immortels.

— Peu de gens aimeraient vivre dans un tel monde.

— Vous vous trompez. Dostoïevski avait raison de dire que l'humanité serait toujours en quête d'un nouveau meneur à vénérer. Nous serons accueillis comme des sauveurs une fois que les océans du monde entier ne seront plus que des marais fétides. Vous qui êtes de la NUMA ne devez pas ignorer qu'une peste sous-marine menace votre royaume océanique comme un cancer vert.

— La Gorgone?

— C'est ainsi que vous l'appelez? Bien trouvé.

— L'épidémie n'est pas connue du grand public. Comment en avez-vous entendu parler?

— Mon pauvre ami! C'est moi qui l'ai créée. Une longue vie n'aurait pas suffi à me donner la puissance que je désire. Mes scientifiques ont découvert l'algue mutante par hasard, au cours de leurs travaux. Lorsqu'ils m'ont fait part de cette découverte, j'ai su que ce serait le parfait véhicule pour mon plan. J'ai transformé la Cité perdue en lieu d'élevage de cette algue nocive.

Austin ne pouvait qu'admirer cet esprit brillant qui avait eu une longueur d'avance sur tout le monde.

— C'est pourquoi vous vouliez éliminer l'expédition de l'Institut Woods Hole?

— Bien sûr. Je ne pouvais pas tolérer que ces lourdauds saccagent mes projets.

— Vous voulez devenir impératrice d'un monde en plein chaos?

— Exactement. Car une fois que les pays seront en faillite, qu'ils souffriront de famine et auront sombré dans l'anarchie, j'arriverai pour sauver la planète.

— Vous dites que vous êtes capable de tuer cette algue?

— Aussi facilement que je peux tuer vos amis et vous. Les mortels viendront vénérer les immortels de ce soir, puis ces gens vont regagner leurs pays respectifs et prendre progressivement le pouvoir. Nous serons alors des êtres supérieurs dont la sagesse soulagera le peuple, inconstant et exigeant. Nous serons des dieux!

— Des demi-dieux qui vivront pour l'éternité? Ce n'est pas une perspective engageante.

— Pas pour vous ni vos amis. Mais réjouissez-vous. Je pourrais vous laisser vivre sous une forme quelque peu altérée. Un animal de compagnie peut-être. Il ne faut que quelques jours pour transformer un être humain en une bête hargneuse. Un processus tout à fait remarquable. Ce serait amusant de vous laisser observer le changement qui s'opérera chez votre chère amie et voir si vous avez toujours envie de la serrer dans vos bras.

— Je ne compterais pas là-dessus à votre place, dit Austin. Vous risquez d'être bientôt à court d'élixir miracle.

— Impossible. Mes laboratoires continueront à m'en fournir tant que j'en voudrai.

— Avez-vous été en contact avec votre île récemment?

— Je n'en ai pas besoin. Mes hommes connaissent leur travail.

— Vos hommes ne sont plus. Les laboratoires de votre île ont été détruits. J'en ai été témoin.

— Je ne vous crois pas.

Austin sourit et un éclat cruel traversa ses yeux bleus coralliens.

— Les mutants se sont échappés et n'ont fait qu'une bouchée du colonel Strega et de ses soldats. Ils ont saccagé vos labos, qui de toute façon ne vous seraient plus d'aucune utilité puisque l'île et le sous-marin sont maintenant aux mains de la marine britannique. Votre scientifique MacLean est mort, abattu par l'un de vos hommes.

Racine encaissa ces nouvelles en cillant à peine.

— Peu importe. Avec les ressources dont je bénéficie, je peux construire d'autres laboratoires sur d'autres îles; MacLean aurait été liquidé avec les autres de toute façon. J'ai la formule et il m'est aisé de la mettre en pratique. J'ai gagné, et vous et vos amis avez perdu.

Austin regarda sa montre.

— Dommage que vous n'ayez pas le temps de voir votre utopie se réaliser, déclara-t-il avec une assurance renouvelée.

— Vous semblez fasciné par le passage du temps, dit Racine. Est-ce que je retarde un de vos rendez-vous?

Austin scruta les yeux de Racine, qui brillaient à présent d'une intensité rougeoyante.

— C'est vous qui avez un rendez-vous.

— Avec qui? demanda-t-elle, interloquée.

— Pas avec qui. Quoi. La chose que vous craignez le plus.

Le visage de Racine se durcit.

— Je ne crains rien ni personne, déclara-t-elle en tournant les talons pour se diriger à grands pas vers le podium.

Un couple aux cheveux blancs s'était séparé du cercle, avançant d'un pas. La femme portait un plateau contenant un certain nombre de fioles ambrées semblables à celle à celle avait bue Racine dans la salle d'armes. L'homme tenait un coffre sculpté en bois sombre incrusté d'ivoire, arborant le légendaire aigle aux trois têtes.

L'étreinte de Skye sur la main d'Austin se resserra.

— Ce sont les gens qui m'ont enlevée à Paris. Que faut-il faire ?

— Attendre, répondit-il en regardant de nouveau sa montre, alors qu'il venait de le faire une minute avant.

Les choses allaient trop vite. Austin se mit à élaborer un plan désespéré. Il fit signe à Zavala de se tenir prêt. Joe hocha légèrement la tête en signe d'assentiment. Les minutes qui suivraient seraient cruciales.

Racine plongea la main dans le coffre et en sortit le casque. Il y eut une salve d'applaudissements légers lorsqu'elle monta les marches du podium. Elle éleva le casque et le plaça sur sa tête en balayant l'arène du regard, le visage rayonnant de triomphe.

— Vous avez fait un long voyage pour arriver au saint des saints et je suis heureuse de constater que vous avez tous réussi à traverser le pont des Soupirs.

Il y eut un rire étouffé dans l'assistance.

— Qu'importe. Au retour, vous trouverez la force de sauter au-dessus du gouffre. Bientôt nous serons tous des dieux, vénérés par les simples mortels incapables de sonder l'étendue de notre pouvoir et notre sagesse. Telle que vous êtes, je fus autrefois. Tels que je suis à présent, vous serez bientôt.

Les acolytes de Racine burent à sa beauté avec fébrilité, la dévorant des yeux.

— J'ai avalé la dernière dose du traitement voici une heure à peine. Maintenant, mes honorables amis, qui avez tant accompli à mon service, c'est votre tour. Vous vous apprêtez à boire la véritable Pierre philosophale, l'élixir de vie que tant ont cherché, en vain, pendant des siècles.

La femme qui portait le plateau fit le tour du groupe. Des mains avides s'emparèrent des fioles.

Austin attendait que Marcel et les gardes s'avancent. Si leur attention quittait un instant les prisonniers, happée par les perspectives de la merveilleuse nouvelle ère qui allait advenir, il faudrait en profiter. Il pariait en son for intérieur que même Marcel succomberait à l'exaltation du moment. Austin s'était insensiblement rapproché du garde le plus proche. Celui-ci était déjà hypnotisé par le spectacle qui se déroulait sur le podium et avait abaissé son arme sur son flanc.

Les fioles arrivèrent aux mains de Marcel et ses hommes.

Austin projetait de sauter sur le garde et de l'immobiliser, tandis que Zavala attraperait Skye et courrait vers le tunnel. C'était peut-être suicidaire, mais il devait, par égard pour ses amis qu'il avait entraînés dans ce cauchemar, tout tenter. Il fit de nouveau signe des yeux à Zavala mais, alors qu'il bandait ses muscles et s'apprêtait à sauter, il se ravisa brutalement en entendant le murmure qui parcourait l'assemblée.

Alors que les disciples de Racine portaient la fiole à leurs lèvres, ils s'arrêtèrent net, tous les yeux rivés sur le podium.

Racine venait de poser la main sur son cou gracile, comme si quelque chose s'était coincé dans sa gorge. Sa peau pâle se flétrit soudainement et, en quelques secondes, elle devint jaune et ratatinée comme attaquée par de l'acide.

— Que se passe-t-il ? lança-t-elle.

Elle toucha ses cheveux. C'était peut-être dû à la lumière mais ses longues boucles blondes semblaient avoir viré au platine. Elle passa doucement dans ses cheveux une main crochue, mais une touffe lui resta dans les doigts, qu'elle contempla avec horreur.

Les rides de son visage s'étendaient comme les fissures d'une flaque de boue en train de sécher.

— Dites-moi ce qui se passe ! implora-t-elle.

— Elle redevient vieille, souffla quelqu'un dans un murmure qui fit l'effet d'un cri.

Racine regarda celui qui avait parlé. Ses yeux perdaient leur éclat rougeoyant et s'enfonçaient plus profondément dans leurs orbites. Ses bras se desséchaient comme des brindilles et le casque semblait trop lourd pour son cou décharné. Elle se mit à se voûter et à s'enrouler sur elle-même, se ratatinant. Son beau visage n'était plus qu'une ruine, sa peau marmoréenne s'était mouchetée de taches de vieillesse : elle ressemblait aux victimes souffrant de vieillissement accéléré.

Racine se rendit compte de ce qui lui arrivait.

— Non, articula-t-elle en essayant de crier, mais sa voix n'émit qu'un croassement. Noooon ! gémit-elle.

Ses jambes se dérobèrent sous elle et elle tomba à genoux avant de s'écrouler au sol. Elle rampa sur une trentaine de centimètres et tendit vers Austin une main décharnée.

Austin avait conscience de l'horreur de la situation, mais Racine était responsable d'innombrables cadavres et il la considéra sans pitié. Son rendez-vous avec la mort avait été trop longtemps retardé.

— Bon voyage pour l'éternité, lui lança-t-il.

— Comment saviez-vous ? demanda-t-elle d'une voix qui n'était plus qu'un gloussement strident.

— MacLean m'a prévenu avant de mourir. Il a fait en sorte que la formule accélère le vieillissement et non l'inverse, dit-il. C'est la troisième dose d'élixir qui vous a été fatale, puisqu'elle permettait de comprimer un siècle en une heure.

— MacLean, persifla-t-elle avant d'être agitée d'un dernier spasme avant de rester immobile.

Dans le silence hébété qui suivit, les disciples de Racine baissèrent leur fiole comme si le contenu avait été empoisonné et lâchèrent les flacons dans le sable de l'arène.

Une femme hurla, déclenchant une fuite effrénée vers le tunnel menant à la sortie. Dans la panique, Marcel et les gardes furent bousculés. Austin plongea sur le garde le plus proche de lui, le fit tournoyer et l'envoya au tapis d'un crochet du droit à s'écraser les articulations. Zavala prit Skye par le bras et, suivant Austin, le trio forma un chasse-neige volant au milieu de la mêlée gériatrique.

Marcel vit que les prisonniers cherchaient à se dissimuler. Il réagit avec une fureur de possédé. Il se mit à tirer à hauteur de sa taille, arrosant la foule de sa mitraillette. La fusillade, comme une faux, emporta nombre d'ex-futurs dieux en robe blanche, pendant qu'Austin et ses amis regagnaient l'abri du tunnel. Tandis que Skye et Zavala se précipitaient vers les escaliers, Austin poussa le verrou de la grille avant de s'élancer derrière ses amis. Les balles rebondirent sur les barreaux, et le fracas métallique noya les cris des mourants.

Austin s'arrêta au premier étage, criant aux autres de continuer. Il s'élança dans un couloir qui menait aux gradins. Comme il le craignait, Marcel et ses hommes n'avaient guère perdu de temps à essayer d'abattre la grille et ils avaient escaladé le mur qui séparait les premières rangées de sièges de l'arène.

Austin fit marche arrière et monta au niveau suivant. Zavala et Skye l'attendaient. Il leur hurla de poursuivre et se rua dans un couloir qui l'amena à un gradin plus élevé. Marcel et ses hommes se trouvaient au milieu de la première tribune et progressaient rapidement, poussant les momies qui explosaient dans un nuage de poussière.

Levant les yeux, Marcel aperçut Austin et ordonna à ses hommes de faire feu. Austin plongea à l'abri alors que les balles criblaient le mur contre lequel il se tenait un instant auparavant. Marcel les rattraperait dans quelques minutes. Il fallait l'arrêter.

Austin revint audacieusement à découvert. Avant que Marcel et ses hommes aient pu viser, il attrapa une torche fixée au mur et la lança en l'air, lui faisant décrire un arc de cercle crépitant. La trajectoire enflammée fit une averse d'étincelles lorsque la torche tomba sur une rangée de momies.

Nourri par la résine utilisée pour conserver les corps, le feu dévora immédiatement les momies. Les flammes s'élevèrent dans les airs et les squelettes ricanants explosèrent comme un chapelet de pétards chinois. Tel un volcan, les hommes de Marcel virent l'amphithéâtre entrer en éruption. Ils dévalèrent prestement les gradins afin de s'échapper. Marcel, lui, ne bougea pas, le visage déformé par la colère. Il continua de tirer jusqu'à ce qu'il disparaisse avec son arme derrière un rideau de feu.

La déflagration enveloppa l'amphithéâtre en quelques secondes. Toutes les tribunes étaient en feu, et de noirs nuages tourbillonnants de fumée épaisse s'élevèrent. Le brasier, dans cet espace confiné, était incroyable d'intensité. Austin avait l'impression d'avoir ouvert la porte d'un haut fourneau. Gardant la tête baissée, il courut vers les escaliers. La fumée lui piquait les yeux et c'est presque en aveugle qu'il atteignit le gradin supérieur.

Skye et Zavala attendaient Austin avec anxiété, postés devant l'ouverture de la galerie qui menait aux catacombes. Ils s'engouffrèrent dans le tunnel noir de fumée, s'accrochant aux murs jusqu'à arriver au gouffre sous le pont des Soupirs.

Zavala portait une torche, mais cela était pratiquement inutile en raison des cendres noires qui voletaient depuis le tunnel. Elle finit par s'éteindre tout à fait. Austin se mit à quatre pattes et tâtonna dans l'obscurité. Ses doigts touchèrent la surface dure et lisse de la dalle. Il enjoignit à Skye et Zavala de l'imiter et, suivant le bord des pierres, ils rampèrent dans l'obscurité la plus totale jusqu'au pont étroit.

L'air chaud qui montait en tourbillonnant de l'abîme s'était épaissi sous l'effet de la fumée. Les escarbilles voltigeaient autour d'eux. Des quintes de toux ralentirent leur progression mais, lentement et péniblement, ils atteignirent enfin l'autre côté.

Le trajet de retour à travers les catacombes fut un cauchemar. La fumée emplissait le labyrinthe et rendait leur marche hésitante et dangereuse mais, s'emparant de deux torches trouvées sur leur route, ils parvinrent à suivre l'itinéraire tortueux jusqu'à l'ossuaire. Austin n'aurait jamais cru qu'il serait si heureux de revoir cet endroit. Un chemin permettait de sortir directement dans la cour mais, comme il n'était pas sûr de s'y retrouver, il opta pour le souterrain qui débouchait dans la salle d'armes.

Il avait espéré que l'air y serait plus respirable que dans les catacombes, pourtant, lorsqu'il ouvrit la porte et entra derrière l'autel, une fumée grise, chargée de vapeurs nocives, emplissait la salle d'armes, s'infiltrant par les grilles d'aération. Austin se souvint de ce que Racine avait dit au sujet du système de ventilation qui desservait l'amphithéâtre souterrain, probablement relié au système principal.

La visibilité, bien que réduite, leur permit néanmoins de descendre la nef en courant pour rejoindre la double porte qui menait au couloir. Ils progressaient par à-coups, et arrivèrent enfin à la galerie de portraits. Une épaisse couche de fumée turbulente obscurcissait le plafond peint, et la température dans la galerie avoisinait des niveaux sahariens.

Austin n'aimait guère la manière dont la fumée, brûlante, semblait rougeoyer, et il exhorta les autres à se dépêcher. Ils arrivèrent à la porte principale qu'ils trouvèrent déverrouillée, et déboulèrent en courant dans la cour pavée afin d'emplir d'air leurs poumons privés d'oxygène, ouvrant la bouche comme des poissons hors de l'eau.

L'air frais s'engouffra dans le château par la porte ouverte. Cette nouvelle source d'oxygène activa la fumée surchauffée de la galerie de portraits qui s'embrasa dans un grand souffle. Les flammes se répandirent le long des murs, nourries par l'huile des peintures de générations et générations de Fauchard.

Des silhouettes se mirent à traverser la cour en courant. C'était les gardes de Racine, trop occupés à sauver leur peau pour songer à poursuivre Austin et ses amis qui traversaient le pont-levis et le pont en pierre. Ils s'arrêtèrent près de la fontaine et plongèrent la tête dans l'eau fraîche afin d'ôter les cendres de leurs yeux et apaiser l'irritation de leurs gorges.

Pendant ces quelques minutes de repos, l'incendie avait redoublé d'intensité. Alors qu'ils se trouvaient dans l'allée qui les menait à la forêt, ils entendirent un fort grondement, comme si des plaques tectoniques se frottaient l'une contre l'autre. Ils se retournèrent et virent que la grande demeure, toujours visible derrière les remparts, était totalement enveloppée par les flammes, à l'exception des tours qui s'élevaient au-dessus des volutes de fumée noire et rougeoyante en un ultime défi.

Puis elles disparurent à leur tour derrière l'écran de fumée. Le grondement se fit à nouveau entendre mais plus fort cette fois, et fut suivi d'un grand rugissement sourd. Les flammes s'élevèrent haut dans le ciel, embrasant la nuit, et Austin découvrit que les tours avaient disparu.

Le château s'était effondré sur lui-même. Un nuage graisseux en forme de champignon obscurcissait le site. Déversant sur le domaine des cendres rougeoyantes, le nuage couleur de scories se déforma et se tordit en montant vers le ciel, comme s'il était vivant.

— Mon Dieu ! s'exclama Skye. Que s'est-il passé?

— *La Chute de la maison Usher*, murmura Austin.

Skye s'essuya les yeux sur le bas de son chemisier.

— Comment?

— La nouvelle de Poe. La famille Usher et sa demeure étaient pourries jusqu'à la moelle. Tout comme les Fauchard, elles se sont effondrées sous le poids de leurs nuisances.

Skye regarda derrière elle, là où s'était dressé le château.

— Je crois que je vais m'en tenir à Rousseau et Voltaire, c'est moins angoissant.

Austin lui passa un bras autour des épaules. Suivant Zavala qui ouvrait la marche, ils entamèrent le long chemin qui les ramènerait à la civilisation. Quelques minutes après avoir émergé du tunnel d'arbres, ils entendirent un bruit de moteur et, quelques instants plus tard, un hélicoptère arrivait. Trop épuisés pour courir, ils se contentèrent de le regarder se poser devant eux, hébétés. Paul Trout sortit du cockpit et s'approcha à grandes foulées.

— On vous ramène.

Austin hocha la tête.

— Une petite douche, ce ne serait pas du luxe.

— Avec un verre de tequila, renchérit Zavala.

— Pour moi, un bon bain chaud, annonça Skye pour se mettre à l'unisson.

— Chaque chose en son temps, dit Trout en les conduisant vers l'hélicoptère piloté par Gamay, qui les accueillit avec un sourire éblouissant.

Ils attachèrent leurs ceintures, l'hélicoptère s'éleva au-dessus des arbres, contournant le cratère de décombres fumants où s'était dressé le château Fauchard, et s'élança vers la liberté.

Personne à bord de l'appareil ne regarda en arrière.

43

La rangée de bateaux s'étendait de Chesapeake Bay jusqu'au golfe du Maine, au bord de la plate-forme continentale de la côte atlantique des Etats-Unis.

Quelques jours plus tôt, la flotte de vaisseaux de la NUMA et de bâtiments de guerre avait convergé jusqu'ici depuis les quatre points cardinaux, afin d'établir un premier périmètre de défense à cent cinquante kilomètres à l'est de la corniche, dans l'espoir de repousser l'invasion loin du rivage. Mais ils avaient été doublés par l'avancée inexorable de l'ennemi silencieux.

L'hélicoptère turquoise de la NUMA était dans les airs depuis l'aube, survolant cette Armada distendue. Il se trouvait à l'est du cap Hatteras lorsque Zavala, qui se trouvait aux commandes, regarda par son hublot.

— On dirait la mer des Sargasses sous hormones, par ici.

Austin abaissa ses jumelles et sourit faiblement.

— La mer des Sargasses est un jardin de roses comparée à ce bordel.

L'océan était comme scindé en deux. A l'ouest des bateaux, l'eau avait sa couleur bleu foncé habituelle, tachetée ici et là par des moutons d'écume. Mais à l'est, derrière une ligne bien marquée, la mer éteinte avait pris la couleur maladive, jaune verdâtre, du paillasson que formaient jusqu'à sa surface les vrilles entremêlées de la Gorgone.

Depuis leur hélicoptère, Austin et Zavala avaient observé les différentes tentatives des navires expérimentés, qui essayaient désespérément de stopper la progression de l'algue. Les vaisseaux de guerre avaient tiré de généreuses bordées de canons afin de créer des geysers dans le tapis de végétation, mais les trous se refermaient en quelques minutes. Des avions lancés depuis des porte-avions bombardaient l'algue, mais les tirs de roquettes se révélèrent aussi inoffensifs qu'une piqûre de moustique sur le dos d'un éléphant. Des grenades incendiaires avaient beau détruire la couche supérieure de l'épais tapis d'algues, les profondeurs restaient intactes. Quant au fongicide largué par avion, il se dissolvait dès qu'il touchait l'eau.

Austin demanda à Joe de survoler les deux bateaux, qui essayaient de lutter contre l'infestation galopante de l'algue au moyen de barrages, de rondins faits de bois, attachés en chapelet entre les deux bateaux. En pure perte, car cela fonctionna... pendant seulement cinq minutes. Poussée par la pression énorme d'une masse qui s'étendait sur des dizaines de kilomètres, l'algue s'empila tout simplement sur les rondins avant de les engloutir.

— J'en ai assez vu, déclara Austin, écœuré. Rentrons.

Racine Fauchard était peut-être morte sous les ruines de son fier château, et il ne subsistait d'elle que chair ratatinée et os réduits en miettes, mais la première partie de son plan avait fonctionné au-delà de ses espérances. L'océan Atlantique devenait le gros marécage qu'elle avait promis.

Si Austin tirait une certaine consolation du fait que Racine et son maniaque de fils Emile n'étaient plus là pour profiter du chaos, cela ne résolvait pas pour autant la catastrophe écologique qu'ils avaient déclenchée. Austin avait par le passé rencontré d'autres adversaires qui, comme les Fauchard, étaient l'incarnation du mal, et il les avait vaincus. Mais ce phénomène contre nature, sans âme, le dépassait.

Ils volèrent encore une demi-heure. Le sillage des bateaux indiqua à Austin qu'ils reculaient pour éviter d'être pris dans l'avancée de l'algue.

— Prépare-toi à l'atterrissage, Kurt, dit Zavala.

L'hélicoptère descendit en direction d'un croiseur de la marine américaine et atterrit sur l'héliport du pont. Pete Muller, l'enseigne de vaisseau qu'ils avaient rencontré près de la Cité perdue, vint à leur rencontre.

— Alors ? cria Muller en tentant de couvrir le bruit des pales.

— Ça ne pourrait pas être pire, lâcha Austin, la mine déconfite.

Zavala et lui suivirent Muller jusqu'à une salle de réunion aménagée dans l'entrepont. Une trentaine d'hommes et de femmes remplissaient plusieurs rangées de chaises en métal pliantes qui avaient été installées devant un grand écran mural. Austin et Zavala se glissèrent sans bruit et s'assirent au dernier rang. Austin reconnut dans l'assistance quelques chercheurs de la NUMA mais il ne connaissait presque aucun des militaires et des bureaucrates des différentes agences gouvernementales chargées de la sécurité publique.

Devant l'écran se tenait le Dr Osborne, le phycologue de Woods Hole qui avait prévenu les Trout de la menace de la Gorgone. Il tenait d'une main une télécommande et de l'autre un pointeur laser. Sur l'écran, une carte montrait la circulation de l'eau dans l'océan Atlantique.

— Voici d'où est partie l'infestation, dans la Cité perdue, dit-il. Le courant des Canaries transporte l'algue jusqu'aux Açores, puis migre vers l'ouest, de l'autre côté de l'Océan, où il rejoint le Gulf Stream. Le Gulf Stream se déplace vers le nord le long de la corniche continentale. Enfin, il rejoint le courant nord-atlantique, qui revient ensuite vers l'Europe, bouclant la boucle atlantique-nord.

Afin d'illustrer son propos, il décrivit une spirale de son pointeur rouge.

— Des questions ? demanda-t-il enfin.

— A quelle vitesse progresse le Gulf Stream ? demanda quelqu'un.

— Environ cinq nœuds au maximum. Plus de cent cinquante kilomètres par jour.

— Quel est l'état actuel de l'infestation ? demanda Muller.

Osborne cliqua sur la télécommande, la carte de circulation des courants disparut et fut remplacée par une photo satellite de l'Atlantique Nord. Une bande jaunâtre irrégulière, qui ressemblait à un grand beignet, circula grossièrement le long de l'océan, tout près des continents.

— Cette recomposition satellite en temps réel vous donne une idée des zones actuellement concernées par l'infestation de la Gorgone, dit Osborne. Et maintenant, voici une projection de ce qui nous attend.

La nouvelle diapositive montrait un océan entièrement jaune, à l'exception de quelques trouées de bleu au milieu de l'Atlantique.

Un murmure parcourut l'assistance.

— Et de combien de temps disposons-nous ? demanda Muller.

Osborne se racla la gorge comme s'il avait du mal à répondre.

— Ce n'est plus qu'une question de jours.

Un cri d'effroi à peine étouffé saisit l'assistance.

Puis il appuya de nouveau sur la télécommande et l'image zooma sur le littoral est de l'Amérique du Nord.

— Voici, dans l'immédiat, la zone la plus inquiétante. Dès que l'algue atteindra les eaux moins profondes de la corniche, les problèmes commenceront pour de bon. D'abord, elle va détruire toute l'industrie de la pêche sur la côte est des Etats-Unis, du Canada et de l'Europe du Nord-Ouest. Nous avons expérimenté diverses méthodes afin de contenir l'invasion. J'ai vu entrer M. Austin il y a quelques minutes. Kurt, voudriez-vous nous donner les dernières nouvelles ?

Pas vraiment, songea-t-il en se frayant un passage vers l'avant de la salle. Il contempla les visages décomposés de l'assemblée.

— Mon collègue, Joe Zavala et moi-même, venons de terminer un survol de la ligne de défense qui a été établie le long de la corniche continentale.

Il leur décrivit ce qu'ils avaient vu.

— Malheureusement, conclut-il, rien ne semble pouvoir le contenir.

— Et les produits chimiques ? demanda un bureaucrate.

— Ils sont trop rapidement dissipés par l'eau et le vent, expliqua Austin. Une petite partie réussit peut-être à s'infiltrer et à tuer quelques vrilles, mais la Gorgone est si épaisse qu'ils ne peuvent pénétrer entièrement la nappe. La zone à couvrir est trop étendue. Même si nous y parvenions, nous finirions par empoisonner l'océan.

— Mais il n'existe pas un moyen qui permettrait d'en détruire une grande partie ? demanda Muller.

— Bien sûr, une bombe atomique, fit Austin avec un sourire lugubre. Mais même cela ne suffirait pas aux milliers de kilomètres carrés d'océans. Je vais recommander de dresser des barrages en rondins autour des ports les plus importants. Si nous réussissons à les protéger, nous gagnerons un peu de temps.

Un général quatre étoiles corpulent du nom de Frank Kyle se leva.

— Du temps pour quoi ? Vous dites vous-même qu'on ne peut pas se défendre contre ce truc.

— Nous avons des équipes qui travaillent sur l'aspect génétique de l'algue.

Le général ricana comme si Austin lui avait conseillé de remplacer les fusils de ses hommes par des fleurs.

— La génétique ! L'ADN et tout ? En quoi ça peut nous être utile ? Cela pourrait prendre des mois. Des années !

— J'accepte toutes les suggestions, lança Austin.

— Ravi de l'entendre, fit le général avec un large sourire. Je vais transmettre au Président votre idée de bombe nucléaire.

Austin avait fréquenté des militaires lorsqu'il était à la CIA, et il avait appris qu'ils étaient généralement mesurés, évitant les solutions extrêmes. Le général Kyle lui rappelait un autre partisan du nucléaire, le général Curtis LeMay. Or, dans ce climat de peur, il fallait savoir garder son sang-froid.

— Ce n'est pas ce que je préconise, déclara Austin patiemment. Rappelez-vous, j'ai dit que même une bombe nucléaire ne causerait qu'une petite encoche dans le tapis d'algues.

— Je ne parle pas d'une bombe, reprit le général Kyle, mais de centaines. Nous en avons des milliers en stocks que nous n'avons pas utilisées contre les Russes. Nous pouvons tapisser l'océan de bombes et, si nous sommes à court, nous pourrons toujours en emprunter aux Russkofs.

— Vous voulez transformer l'océan en une vaste déchetterie

nucléaire ? demanda Austin. Un tel bombardement détruirait toute vie océanique.

— Votre algue va tuer tous les poissons de toute façon, répondit Kyle. Comme vous le savez, le commerce maritime est déjà perturbé, des milliards sont en jeu. Ce truc menace nos villes. Il faut l'arrêter par tous les moyens. Nous avons des bombes propres que nous pouvons utiliser.

On hochait la tête dans l'assistance. Austin se rendit compte qu'il n'obtiendrait pas gain de cause. Il demanda à Zavala d'assister au reste de la réunion à sa place tandis qu'il se rendait sur la passerelle. Quelques minutes plus tard, il était dans la timonerie et utilisait le radio-téléphone du bateau pour appeler les Trout, qui se trouvaient sur le *Sea Searcher*, au-dessus de la Cité perdue. Il entra rapidement en contact avec le navire de la NUMA et un homme d'équipage alla chercher Paul, qui se tenait sur le pont en train de diriger un ROV.

— Salutations du monde étrange et fou du Dr Folamour, dit Austin.

— Hein ?

— Je t'expliquerai. Comment se passent vos recherches ?

— Ça se passe, répondit Trout sans enthousiasme. Nous avons utilisé un ROV pour récolter des échantillons d'algues ; Gamay est occupée au labo avec son équipe.

— Que cherche-t-elle ?

— Elle espère trouver quelque chose dans la structure moléculaire de l'algue qui pourrait nous aider. Nous échangeons des informations avec des chercheurs de la NUMA à Washington et d'autres équipes scientifiques de plusieurs pays. Et de ton côté ?

— Nous avons tout essayé, soupira Austin, mais sans succès. Le vent de reflux nous offre un peu de répit mais il ne faudra pas longtemps avant que tous les ports de la côte soient bloqués. Le Pacifique commence aussi à être infesté en certains endroits.

— Combien de temps nous reste-t-il ?

Kurt lui répéta les paroles du Dr Osborne et il entendit Paul suffoquer.

— L'algue vous empêche-t-elle de naviguer ? lui demanda Austin.

— La zone autour de la Cité perdue est à peu près dégagée. C'est de là qu'est partie l'infestation, elle se densifie en allant vers l'est et vers l'ouest.

— Ce sera peut-être le seul coin propre d'océan d'ici peu de temps. Vous feriez bien de prévoir votre itinéraire si vous ne voulez pas être bloqués par l'algue vous aussi.

— J'ai déjà parlé au capitaine. Il y a un passage libre vers le sud, mais il faudra partir dans les vingt-quatre heures pour nous en sortir. Qu'est-ce que tu disais à propos du Dr Folamour ?

— Il y a un général ici, Kyle, qui entend recommander au Président de bombarder l'algue grâce à tous les engins nucléaires de notre arsenal.

Paul resta abasourdi un instant.

— C'est une plaisanterie ?

— Je crains que non. Il y a une pression politique énorme sur les chefs d'Etat à travers le monde pour les pousser à faire quelque chose. N'importe quoi. Le vice-président Sandecker pourra peut-être lui mettre des bâtons dans les roues, mais le Président sera obligé d'agir, même si le plan est quelque peu téméraire.

— C'est plus que téméraire ! C'est de la folie ! Sans compter que cela ne fonctionnera pas. Même s'ils parviennent à réduire l'algue en miettes, toutes les vrilles dispersées se répliqueront. Ce serait peut-être encore pire, soupira-t-il. Quand devons-nous nous attendre à voir des nuages en forme de champignon au-dessus de l'Atlantique ?

— Il y a une réunion en ce moment. Une décision devrait être prise dès demain. Une fois que la machine sera lancée, les choses risquent d'aller très vite, surtout quand la Gorgone menacera nos côtes. Je pensais à MacLean, dit-il après un instant de réflexion. Est-ce qu'il ne t'a pas dit qu'il existait un moyen de détruire l'algue en inversant la formule des Fauchard ?

— Si, mais, malheureusement, nous n'avons plus ni MacLean ni la formule.

— La clé réside dans la Cité perdue, c'est là qu'est née la première mutation. La solution se trouve là-bas.

— Réfléchissons, dit Trout. MacLean savait que sa formule

d'allongement de la vie était défectueuse, que non seulement elle inversait le vieillissement mais, comme l'a appris Racine Fauchard à ses dépens, qu'elle pouvait aussi l'accélérer.

— C'est là que je voulais en venir. La nature cherche sans cesse un équilibre.

— Exact. C'est comme un élastique qui se retend brutalement après avoir été trop étiré.

— Je ne sais si Racine Fauchard apprécierait la comparaison avec l'élastique, mais c'est ce que je voulais dire en te parlant d'équilibre. Des mutations se produisent chaque jour, même chez les humains. La Nature se corrige elle-même, sans quoi nous aurions des gens qui se baladeraient avec deux ou trois têtes, ce qui ne serait d'ailleurs pas plus mal. En ce qui concerne le vieillissement, n'oublions pas que chaque espèce a ce gène d'autodestruction qui lui permet de se renouveler. La Gorgone était stable jusqu'à ce que les Fauchard touchent à l'enzyme, rompant ainsi l'équilibre. L'élastique va finir par craquer.

— Quid des soldats mutants qui ont vécu si longtemps ?

— C'était une situation artificielle. S'ils n'avaient pas été en cage, ils se seraient certainement entre-dévorés. Retour à l'équilibre.

— Tout nous ramène à l'enzyme, conclut Trout. C'est ce qui précipite l'évolution. Il peut retarder le vieillissement ou bien l'accélérer.

— Demande à Gamay de l'étudier de nouveau.

— Je vais voir où elle en est, dit Trout.

— Moi je retourne à la réunion pour voir si je peux décourager le général Kyle de tapisser l'Atlantique de bombes, bien que je ne sois pas très optimiste.

Trout en avait le tournis. Les Fauchard étaient certes morts mais ils continuaient à menacer l'humanité tout entière.

Il quitta la passerelle et descendit au labo dans lequel travaillait Gamay en compagnie de quatre autres scientifiques, spécialistes de la mer.

— Je viens de parler à Kurt. Les nouvelles ne sont pas bonnes, annonça Paul avant de résumer la conversation. Et toi, tu as du nouveau ?

— J'ai exploré l'interaction entre l'enzyme et la plante mais je n'ai obtenu aucun résultat et je suis revenue à l'ADN, cela ne peut pas être inutile.

Elle le conduisit à une table sur laquelle étaient alignées une vingtaine de cuves en acier.

— Chacune de ces cuves contient un échantillon de *Gorgonosa*. J'ai confronté ces échantillons aux enzymes recueillis par le ROV près des colonnes, pour voir s'il y avait une réaction. Mais entre-temps, j'ai suivi d'autres pistes et je n'ai pas eu le temps d'étudier les échantillons.

— Voyons si je comprends, dit Trout. Les Fauchard ont dérangé la structure moléculaire de l'enzyme au cours de leur processus de raffinage, en séparant les micro-organismes qui l'ont créée. Cette irrégularité a été absorbée dans la constitution génétique de l'algue, déclenchant sa mutation.

— C'est un assez bon résumé.

— Laisse-moi continuer. Jusqu'à ce moment-là, l'algue coexistait naturellement avec l'enzyme.

— C'est exact, dit Gamay. C'est seulement lorsque l'enzyme a été modifié qu'il est entré en réaction avec la forme de vie la plus proche de sa structure, qui se trouvait être une variété d'algue nocive mais parfaitement saine, et qui l'a transformée en monstre. J'espérais qu'une overdose de l'enzyme accélérerait encore le processus du vieillissement, comme pour Racine Fauchard. Ça n'a pas marché.

— Les prémices semblent logiques. Il y a pourtant un chaînon qui manque.

Il réfléchit un instant.

— Et si ce n'était pas l'enzyme mais les bactéries qui jouent un rôle déterminant ?

— Je ne l'ai jamais envisagé. J'ai tourné autour de l'élément chimique, pensant que c'était lui le facteur de stabilité plutôt que les microbes qui le produisent. Mais en extrayant l'enzyme de l'eau, les Fauchard ont tué la bactérie, qui était peut-être le facteur d'équilibre.

Elle s'approcha d'un réfrigérateur, en sortit un flacon dont le contenu liquide avait une légère coloration brune.

— C'est une culture de la bactérie que nous avons recueillie sous les colonnes de la Cité perdue.

Elle mesura une dose de liquide, la versa dans une cuve de *Gorgonosa* et rédigea une note.

— Et maintenant ?

— Il faut laisser le temps à la bactérie d'agir. Ce ne sera pas long. Je n'ai pas mangé, ça te dirait d'aller me chercher quelque chose à grignoter ?

— Ça te dirait de sortir d'ici et d'aller faire un vrai repas dans la salle à manger ?

Gamay repoussa une mèche de son front.

— C'est la meilleure proposition que j'aie eue de la journée.

Ils n'avaient jamais autant apprécié des cheeseburgers. Désaltérés et rassasiés, Paul et Gamay regagnèrent le labo au bout d'une heure. Trout regarda la cuve qui contenait les bactéries. L'enchevêtrement complexe de vrilles semblait intact.

— Je peux regarder ça de plus près ? Il n'y a pas assez de lumière.

— Utilise cette pince, suggéra Gamay. Tu peux examiner le spécimen dans cette bassine.

Paul sortit le bloc d'algues de sa cuve, le transporta jusqu'à l'évier et le posa sur un récipient en plastique. En elle-même, la touffe de *Gorgonosa* semblait parfaitement innocente. Elle n'était pourtant pas jolie, mais sa croissance, avec ses vrilles arachnéennes qui s'enchevêtraient et formaient ainsi le paillasson impénétrable qui aspirait les nutriments de l'océan, était admirable. Trout l'asticota avec la pince, puis le souleva par une vrille. Celle-ci se brisa à la tige et le paquet d'algues retomba avec un plouf dans l'évier.

— Excuse-moi, dit-il à sa femme. J'ai cassé ton échantillon.

Gamay lui jeta un regard étrange et lui prit la pince. Elle attrapa une autre vrille qui elle aussi se détacha. Elle répéta l'opération et, chaque fois, les fins appendices se cassaient facilement. Elle prit une vrille qu'elle posa sur un établi où elle la découpa, puis elle posa les fines sections sur des lamelles pour les examiner au microscope.

Un instant plus tard, elle se releva.

— L'algue est en train de mourir, dit-elle.

— Quoi ? fit Trout en regardant dans l'évier. Elle a pourtant l'air saine.

Gamay sourit en pinçant d'autres vrilles.

— Tu vois, je ne pourrais jamais faire ça avec une algue saine. Les vrilles sont résistantes comme le caoutchouc. Pourtant, celles-ci se coupent comme un rien.

Elle appela ses assistants et leur demanda de prélever différentes lamelles de la plante pour les étudier au microscope. Lorsqu'elle releva enfin la tête, elle avait les yeux cerclés de rouge, mais le visage illuminé par un grand sourire.

— L'échantillon d'algue est au premier stade de la nécrose. En d'autres termes, ce truc est en train de crever. Nous allons recommencer avec d'autres échantillons pour nous en assurer.

De nouveau, elle mélangea la culture de bactéries à l'algue et de nouveau, ils durent attendre une heure. L'examen au microscope confirma leur fantastique découverte. Chaque échantillon soumis à la bactérie mourait.

— Ces bactéries doivent se nourrir de quelque chose qui est vital à la *Gorgonosa*, dit Gamay. Il faut poursuivre les recherches.

Paul saisit le flacon contenant la culture de bactérie d'origine.

— Quel est le moyen le plus efficace d'utiliser ces petits microbes affamés ?

— Il va falloir en cultiver de grandes quantités, puis les introduire sur de vastes étendues et les laisser faire leur travail.

— Tu crois, demanda Paul en souriant, que le gouvernement britannique nous laisserait utiliser le sous-marin des Fauchard pour répandre la bactérie ? Il a la capacité et la vitesse requises.

— Je pense qu'ils seraient prêts à marcher sur les mains pour empêcher les Îles britanniques d'être coupées du reste du monde.

— C'est encore MacLean qui nous sauve la mise, dit Trout en hochant la tête. Il nous a permis d'espérer que ce truc pouvait être détruit.

— Kurt lui aussi a du mérite.

— Son instinct ne le trompait pas quand il a suggéré de revenir à la Cité perdue et de penser équilibre.

Paul se dirigea vers la porte.

— Tu vas annoncer la bonne nouvelle à Kurt ?

— Oui, et je vais lui dire qu'il serait temps d'organiser une vraie cérémonie d'adieux pour un vrai gentleman écossais.

44

Le loch s'étendait sur des kilomètres de long et moitié autant de large. Ses eaux froides et calmes reflétaient le ciel pur écossais comme un miroir de reine. Des collines déchiquetées tapissées de bruyère tenaient le loch dans une étreinte violette.

La barque en bois traça un sillage liquide sur les eaux tranquilles en partant de la rive pour arriver en glissant au point le plus profond du lac. Elle contenait quatre passagers : Paul et Gamay Trout, Douglas MacLean et son défunt cousin Angus, dont les cendres étaient contenues dans une urne byzantine ramenée par le chimiste de l'un de ses voyages.

Douglas MacLean n'avait rencontré son cousin Angus qu'une fois, lors d'un mariage quelques années plus tôt. Ils avaient sympathisé et s'étaient promis de se revoir, mais comme beaucoup de promesses échangées autour d'un verre de whisky, elle ne s'était jamais réalisée. Jusqu'à ce jour. Douglas était le seul parent vivant de MacLean que Trout avait pu retrouver. Tout aussi important, il jouait de la cornemuse. Mal, mais fort.

Il se tenait à la proue du bateau, vêtu du tartan des MacLean, bien campé sur ses jambes couvertes d'un kilt. Au signal de Gamay, il se mit à jouer *Amazing Grace*. Tandis que la mélopée résonnait au milieu des collines, Paul dispersa les cendres d'Angus dans le loch. La poudre gris brun flotta à la surface pendant quelques secondes avant de sombrer dans l'eau bleutée.

— *Ave atque vale*, murmura Paul.

A l'heure où Paul faisait ses adieux à son compagnon, Joe Zavala se trouvait parmi les porteurs d'un simple cercueil en bois, sur un sentier de terre qui serpentait entre les pierres tombales moussues d'un vieux cimetière, non loin de Rouen. Les autres porteurs étaient tous des descendants du capitaine Pierre Levant.

Une bonne vingtaine de membres de la famille Levant entouraient la tombe ouverte près des pierres qui marquaient le lieu de repos de la femme et du fils de l'officier français. L'assemblée comptait également quelques militaires, hommes et femmes, qui firent un salut solennel lorsque le curé de campagne eut prononcé les dernières phrases rituelles. Le capitaine Levant fut porté en terre, pour le repos qui lui avait été si longtemps refusé.

— *Ave atque vale*, chuchota Zavala.

Dans le même temps, au-dessus des vignobles Fauchard, le petit biplan rouge décrivait des cercles comme un faucon affamé. Austin regarda sa montre, fit doucement pencher l'Aviatik et, comme il avait été convenu, dispersa les cendres de Jules Fauchard, dont le corps avait été sorti du glacier, dans les airs.

On avait longuement discuté pour savoir si Jules devait être ou non incinéré, cette pratique étant désapprouvée par l'Eglise catholique. Mais puisqu'il n'avait pas de parents en vie, Austin et Skye avaient pris sur eux de rendre Jules à la terre qui avait nourri ses chers vignobles.

Comme Trout et Zavala, Austin récita la salutation funéraire latine.

— Le voyage est fini pour Jules, dit Austin dans le micro qui le reliait à Skye, assise dans l'autre cockpit. C'était le meilleur du lot. Il méritait mieux que d'être congelé comme un Popsicle sous ce glacier.

— Je suis d'accord, dit-elle. Je me demande ce qui se serait passé s'il était arrivé jusqu'en Suisse.

— Nous ne le saurons jamais. Imaginons que, dans un monde parallèle, il ait réussi à arrêter cette guerre sanguinaire...

— C'est une jolie pensée, dit Skye. Dis-moi, ajouta-t-elle au bout d'un moment, jusqu'où crois-tu que nous pourrions voler là-dedans ?

— Jusqu'à ce que nous n'ayons plus de carburant?

— Peut-on aller jusqu'à Aix-en-Provence?

— Attends une seconde, dit-il.

Il pressa quelques touches du clavier de son GPS et programma un itinéraire qui montrait les aérodromes.

— Cela prendrait quelques heures, en comptant les arrêts pour reprendre du carburant. Pourquoi?

— Charles nous propose sa villa. Il dit que nous pouvons même nous servir de sa Bentley si tu promets de ne pas plonger avec dans la piscine.

— Dure condition, mais je vais m'y résoudre.

— Sa villa est un endroit de rêve, poursuivit Skye avec animation. Elle est calme et belle, avec une cave bien fournie. Je pensais que ce serait un bon endroit pour travailler sur mon article. Je dois d'ailleurs remercier les Fauchard. Grâce à ce qu'a dit Racine sur ses ancêtres, je vais pouvoir prouver ma thèse qui relie les Minoens aux débuts du commerce européen. Nous pourrons parler de ta théorie qui les fait voyager jusqu'aux îles Féroé. Peut-être même jusqu'en Amérique du Nord. Qu'en dis-tu?

— Je n'ai pas apporté de vêtements.

— Des vêtements? Pour quoi faire? fit-elle avec un rire plein de promesses. Ce n'est pas cela qui va nous arrêter.

— Je crois que c'est ce qui s'appelle un argument décisif. Nous avons le vent dans le dos. Je vais faire en sorte de nous amener en Provence pour le dîner.

Puis il regarda son compas et pointa le nez de l'avion vers le sud, mettant le cap sur les rivages accueillants de la Méditerranée.

Remerciements

Un grand merci à Neal Iverson, maître de conférences de géologie et de sciences atmosphériques à l'Université d'Etat de l'Iowa, pour sa visite guidée de l'observatoire subglaciaire du Svartisen en Norvège. Les livres de H. Rider Haggard et Ben Bova m'ont fourni un point de vue original sur les implications de l'immortalité. Je souhaite remercier également la compagnie Hydrospace Seamagine de m'avoir permis d'utiliser son remarquable Seamobile.